JOSÉ M. MILLÁS

DIE SÜNDE IN DER THEOLOGIE
RUDOLF BULTMANNS

FRANKFURTER THEOLOGISCHE STUDIEN

Im Auftrag
der Professoren der Philosophisch-Theologischen Hochschule Sankt Georgen
– Theologische Fakultät –, Frankfurt am Main
herausgegeben von
HEINRICH BACHT †, ERHARD KUNZ, FRITZLEO LENTZEN-DEIS

34. Band

JOSÉ M. MILLÁS

DIE SÜNDE IN DER THEOLOGIE
RUDOLF BULTMANNS

VERLAG JOSEF KNECHT · FRANKFURT AM MAIN

JOSÉ M. MILLÁS

DIE SÜNDE IN DER THEOLOGIE RUDOLF BULTMANNS

1987
VERLAG JOSEF KNECHT · FRANKFURT AM MAIN

Meiner Mutter
und
dem Andenken
meines Vaters
gewidmet

CIP-Kurztitelaufnahme der Deutschen Bibliothek

Millás, José M.:
Die Sünde in der Theologie Rudolf Bultmanns
/ José M. Millás. –
1. Aufl. – Frankfurt am Main : Knecht, 1987.
(Frankfurter theologische Studien ; Bd. 34)
ISBN 3-7820-0557-0
NE: GT

ISSN 0173-1750
ISBN 3-7820-0557-0

1. Auflage 1987. Alle Rechte vorbehalten. Printed in Germany
© by Verlag Josef Knecht – Carolusdruckerei GmbH, Frankfurt am Main
Gesamtherstellung: Rheinhessische Druckwerkstätte, Alzey

VORWORT

Die erste Anregung zu dieser Arbeit erhielt ich von Herrn Professor Rafael Muñoz in San Cugat (Barcelona). Für die Ausführung geht mein Dank an das Institut für Europäische Geschichte, Abteilung Religionsgeschichte, in Mainz, das mir von 1979 bis 1982 ein Stipendium und damit die Möglichkeit einer für mich sehr bereichernden Teilnahme an der Tätigkeit des Instituts gewährt hat.

Mein Dank geht auch an die Philosophisch-Theologische Hochschule Sankt Georgen in Frankfurt a. M., welche die Arbeit als Dissertation und ihre deutsche Fassung in ihre Reihe aufgenommen hat. Außerdem danke ich der Jesuitenkommunität in Sankt Georgen für ihre hilfreiche Aufnahme. Zu großem Dank bin ich auch Herrn Professor Erhard Kunz für seine anregende Kritik und die Hilfe bei der Korrektur der letzten Fassung des Manuskripts sowie Dr. Michael Sievernich für die Mühe des zweiten Gutachtens verpflichtet. Besondere Anerkennung gebührt auch Dr. Karel Hermans, der das ursprünglich spanische Manuskript sorgfältig ins Deutsche übersetzt hat.

Ganz besonders danke ich Herrn Professor Johannes Beutler für die Betreuung der Arbeit.

Rom, Allerheiligen 1986   José M. Millás

INHALTSVERZEICHNIS

ZWEITER TEIL
VERSUCH EINER KRITISCHEN WERTUNG

ABKÜRZUNGSVERZEICHNIS

Wir zitieren jeweils nach der zuletzt genannten Auflage.

Abkürzungen der Werke Bultmanns

Briefw.	K. Barth/R. Bultmann. Briefwechsel 1922–1966, Zürich 1971.
EvJoh	Das Evangelium des Johannes, Göttingen 1941, 1978.
Exeg.	Exegetica. Aufsätze zur Erforschung des Neuen Testaments, Tübingen 1967.
GesEsch	Geschichte und Eschatologie, Tübingen 1958, [3]1979.
GV I–IV	Glauben und Verstehen. Gesammelte Aufsätze, Bd. 1 bis 4, Tübingen 1964–1967.
Jesus	Jesus, Berlin 1926, Tübingen [3]1951. (In einigen Fällen wird als »Jesus GTB« die Ausgabe von 1977, Gütersloher Taschenbücher, Siebenstern 17, zitiert.)
KorBr	Der zweite Brief an die Korinther, Göttingen 1976.
»Paulus«	Stichwort »Paulus«: RGG[2], 1019–1045.
NTuMyth	Neues Testament und Mythologie: KuM I, 15–53.
ThNT	Theologie des Neuen Testaments, Tübingen 1958, [7]1977.
Urchr.	Das Urchristentum im Rahmen der antiken Religionen, Zürich 1949, [4]1976.

Abkürzungen der Werke anderer Autoren

Anf. I–II	J. Moltmann (Hrsg.), Anfänge der dialektischen Theologie, 2 Bde., München 1962–1963 (enthält auch Texte Bultmanns).
Boutin	M. Boutin, Relationalität als Verstehensprinzip bei R. Bultmann, München 1974.
Dieckmann	B. Dieckmann, »Welt« und »Entweltlichung« in der Theologie R. Bultmanns, München–Paderborn–Wien 1977.
Joest	W. Joest, Paulus und das Luthersche Simul Iustus et Peccator: KuD 1 (1955) 269–320.
Koch	T. Koch, Theologie unter den Bedingungen der Moderne. W. Herrmann, die »Religionsgeschichtliche Schule« und die Genese der Theologie Bultmanns (vervielfältigte, bei der evangelischen Fakultät der Universität München 1970 eingereichte Habilitationsschrift). Koch II = Anmerkungsteil dieses Werkes.
Millás	J. M. Millás, La teología del pecado en la obra de Rudolf Bultmann (maschinengeschr., urspr. und ausführlichere Version dieser Arbeit, Frankfurt am Main 1983).

Bei den anderen Abkürzungen folgen wir dem »Verzeichnis der Abkürzungen« der dritten Auflage des Lexikons: Die Religion in Geschichte und Gegenwart, Tübingen 1957–1962 (= RGG[3]). Fehlt die entsprechende Abkürzung dort, dann ist sie dem Werk: Internationales Abkürzungsverzeichnis für Theologie und Grenzgebiete, Berlin–New York 1974 (= IATG), entnommen.

EINLEITUNG

Diese Arbeit wurde in einer betont systematischen Absicht verfaßt. Sie verfolgt das Ziel, den Begriff der Sünde im Werk Rudolf Bultmanns zu untersuchen, d. h. die zu diesem Begriff gehörenden Elemente zu analysieren und seine Beziehung zu den anderen theologischen Begriffen nachzugehen.

Ursprünglich gehörte zu dieser Arbeit ein ausführlicher erster Teil, der eine »historisch-deskriptive Darlegung» der Auffassungen Bultmanns über die Sünde in einer Reihe seiner Schriften war. Diese waren nach ihrer Relevanz für das uns hier interessierende Thema ausgewählt und in chronologischer Folge dargestellt worden. Diese Darstellung war zudem deskriptiv, wobei sie das Denken Bultmanns so getreu wie möglich wiederzugeben suchte. In der hier vorliegenden Gestalt der Arbeit habe ich diese historische Darstellung in einem einführenden ersten Kapitel zusammengefaßt, das zusammen mit dem, was ich »eine systematische Darlegung« nannte, zum neuen ersten Teil geworden ist.

So besteht die hier vorliegende Schrift aus zwei Teilen: aus einer »historischen und systematischen Darlegung« und aus dem »Versuch einer kritischen Wertung«. Im ersten Teil soll Bultmanns Verständnis von der Sünde so dargestellt werden, daß zuerst auf die wesentlichen Schritte in der Entwicklung dieses Verständnisses hingewiesen wird und darauf folgend die zu ihm gehörenden Elemente systematisch aufgeführt und geordnet werden. Dem Anspruch nach ist dieser erste Teile eine vollständige Darstellung der Theologie der Sünde bei Bultmann, die ich mit zwei Fragen abschließe: Welche Reichweite hat das Verständnis der Radikalität der Sünde in dieser Theologie? Und: Worin besteht nach Bultmann die »Gleichzeitigkeit« des »simul iustus et peccator« in der gläubigen Existenz? Der Versuch, eine Antwort auf diese Fragen zu finden, leitete die kritische Wertung im zweiten Teil.

Der Leser wird leicht feststellen können, daß wir die Untersuchung von Traugott Koch[1] als die einschlägige und ergiebigste Arbeit für die Behandlung der in der ersten Frage aufgeworfenen Problematik betrachten. Darüber hinaus führt uns die Suche nach einer Antwort auf die zweite Frage zu einigen kritischen Überlegungen über die Bedeutung der Formel »simul iustus et peccator«.

Als A. Rizzi 1978 sein Buch über Bultmann schrieb[2], sprach er am Anfang dieses Buches von der Gefahr, sich vom Standpunkt der damaligen Strömungen der Theologie aus auf einen »Diskurs ohne Aktualität« einzulassen. Er ist aber dieses Risiko eingegangen, und ich meine, daß es sich gelohnt hat, unabhängig davon, was von seiner These der »Rückkehr zu Bultmann« zu halten ist.

Ich hoffe, daß es den folgenden Seiten gelingt, dem Leser zu zeigen, daß es auch noch heute eine theologisch fruchtbare Aufgabe ist, sich mit Bultmann zu beschäftigen, voraus-

---

1 T. Koch, Theologie unter den Bedingungen der Moderne (bei der Universität München 1970 eingereichte Habilitationsschrift).
2 A. Rizzi, Il credente come soggetto di storia, Rom 1978.

gesetzt, daß diese Auseinandersetzung auf angemessen kritische Weise durchgeführt wird.

Nach Fertigstellung dieser Arbeit ist 1984 das Gedenkjahr zu Bultmanns 100. Geburtstag begangen worden. Bei dieser Gelegenheit sind verschiedene Werke von ihm und über ihn erschienen. W. Schmithals hat sie rezensiert und schreibt: was »zumal im Gedenkjahr 1984, ans Licht getreten ist, läßt nicht befürchten, daß ein anderer Bultmann als der aus seinen eigenen Veröffentlichungen Vertraute entdeckt werden könnte«.[3] Für unser Thema hat ein besonderes Interesse die Vorlesung, die Bultmann im Sommersemester 1926 zum ersten Mal und dann bis 1936 noch viermal gehalten hat, und die 1984 von E. Jüngel und K. W. Müller herausgegeben worden ist: R. Bultmann, Theologische Enzyklopädie, Tübingen 1984. Sie macht aber keine Korrektur unserer Darstellung notwendig.

---

3 W. Schmithals, Zu Rudolf Bultmanns 100. Geburtstag, ThR 51 (1986) 79–91, hier 80.

ERSTER TEIL
HISTORISCHE UND SYSTEMATISCHE DARLEGUNG DER THEOLOGIE BULTMANNS ÜBER DIE SÜNDE

Dieser Teil besteht aus drei Kapiteln. Das erste, einführende Kapitel stellt in groben Zügen die Entwicklung des theologischen Denkens Bultmanns dar und betont dabei vor allem Bultmanns Verständnis von der Sünde. Das zweite und dritte Kapitel bringen eine *systematische Darstellung*: Im zweiten wird die *ontologische Struktur* des Menschen in seiner dynamischen Offenheit auf die Eigentlichkeit hin, die allerdings auch immer die grundsätzliche Möglichkeit der Uneigentlichkeit mitenthält, dargestellt. Im dritten Kapitel wird dann die faktische *ontische* Konkretisierung des menschlichen Daseins erörtert: die Sünde.

ERSTES KAPITEL:
DIE WESENTLICHEN STUFEN IN DER ENTWICKLUNG VON BULTMANNS DENKEN

Die großen Abschnitte in der Entwicklung von Bultmanns Denken sind: sein Ausgangspunkt in der »liberalen Theologie«; die Begegnung mit Karl Barth und die Entdeckung der im Begriff der Beziehung des Menschen zu Gott gegebenen Radikalität; die allmähliche Aneignung und Übernahme von Heideggers philosophischer Begrifflichkeit.

Auch wenn die Bedeutung dieser drei verschiedenen Stufen unterschiedlich eingeschätzt wurde, herrscht doch ein allgemeines Einverständnis darüber, sie als konstitutive Momente in Bultmanns Denken zu betrachten. In diesem Kontext bedeutet der Abschluß der Aneignung und Übernahme von Heideggers Begrifflichkeit – hier kann man im wesentlichen das Jahr 1929 ansetzen –, daß darin die »Einheit« von Bultmanns Theologie und dann auch ihre systematische Reife hervortritt.

Weil unser Autor die christliche Botschaft dem modernen Menschen zugänglich machen will, entwirft er seine Theologie als ein Programm der Entmythologisierung (1941), das in Bultmanns gesamtem Werk, auf besondere Weise aber in seiner »Theologie des Neuen Testaments« (1953) verwirklicht wird.

Zu Recht wurde die Meinung vorgetragen, daß Bultmanns Begriff der Sünde ein grundsätzliches Element seiner Theologie ist. Daher überrascht es nicht, daß das Nachdenken über die Sünde eine hervorragende Stellung in der Entwicklung von Bultmanns Denken einnimmt.

1. DIE »LIBERALE« PERIODE (VOR 1922)

Die ersten Arbeiten Bultmanns[4] zeigen klar den Standort, von dem er ausging, und die theologische Tradition, in der er stand. Seine Lehrmeister waren unter anderen W. Heitmüller, J. Weiß und auf ganz besondere Weise W. Herrmann.[5] Selbst rechnete er sich der »liberalen Theologie« zu.[6]

Die Schriften dieser Zeit verfolgen vor allem zwei Ziele. Einerseits untersucht Bultmann als Vertreter der historisch-kritischen Methode das Neue Testament und vergleicht dieses mit dem hellenistischen Schrifttum.[7] Andererseits geht er klar einem systematischen Interesse nach, indem er nach dem Wesen des Urchristentums als religiöser Bewegung, nach der »Geburtsstunde der Religion« fragt.[8] Dabei will er gegenüber dem Absolutheitsanspruch der neukantianischen Philosophie, die er in Marburg kennengelernt hatte, verteidigen, was dem Christentum eigen ist, und das christliche Verständnis der Beziehung des Menschen zu Gott in Schutz nehmen.[9] Gott ist das transzendente Wesen, das dem Menschen die von ihm gesuchte Fülle geben kann.[10] Der der Religion eigene Ausgangspunkt ist die Erfahrung, »schlechthin abhängig« zu sein, und die Bereitschaft zum Empfang der Gnade, zum »Sichschenkenlassen«.[11]

In der vergleichenden Untersuchung des Christentums und des Hellenismus stellt sich das jeweilige unterschiedliche Verständnis von Sünde heraus. Nach christlicher Auffassung ist die Sünde sowohl ein Verschulden des Menschen[12] als auch seine Unfähigkeit – seine fehlende Freiheit[12a] –, das von ihm erkannte Gute zu tun und zu erlangen.[12b] Dagegen ist das Böse im Hellenismus »Schicksal«, die Sünde ein »Irrtum«, der dadurch behoben werden kann, daß man sich über die Ziele, die man wirklich erreichen will, Klarheit verschafft. Wenn das der Fall ist, kann der Mensch auch aus eigener Kraft diese Ziele verwirklichen.[12c]

---

4 Es handelt sich um Arbeiten, die zwischen 1908 und 1922 erschienen sind.

5 Vgl. R. BULTMANN, W. Heitmüller: ChW 40 (1926) 209–213 und GV I, 101; vgl. auch J. PIKAZA, Exégesis y filosofía. El pensamiento de R. Bultmann y O. Cullmann, Madrid 1972, 103–105.

6 R. BULTMANN, Ethische und mystische Religion im Urchristentum : ChW 34 (1920) 725–731, 738–743, hier 739 (= Anf. II 41); vgl. auch GV I, 2 f.

7 R. BULTMANN, Der Stil der paulinischen Predigt und die kynisch-stoische Diatribe, Göttingen 1910; Die Schriften des Neuen Testaments und der Hellenismus: ChW 25 (1911) 589–593; Das religiöse Moment in der ethischen Unterweisung des Epiktet: ZNW 13 (1912) 97–110, 177–191; Die Geschichte der synoptischen Tradition, Göttingen 1921.

8 R. BULTMANN, Religion und Kultur: ChW 34 (1920) 417–421, 435–439, 450–453, hier 451; Die Bedeutung der Eschatologie für die Religion des Neuen Testaments: ZThK 27 (1917) 76–87; Vom geheimnisvollen und offenbaren Gott: ChW 31 (1917) 572–579; Ethische und mystische Religion im Urchristentum: ChW 34 (1920) 725–731, 738–743.

9 Vgl. BULTMANN, Religion und Kultur, und PIKAZA, Exégesis 59–75, 103 ff.

10 BULTMANN, Bedeutung der Eschatologie 86 f; Ethische und mystische Religion 741 f; Vom geheimnisvollen und offenbaren Gott 575 f.

11 BULTMANN, Religion und Kultur 435, 451; Bedeutung der Eschatologie 81, 86.

12 BULTMANN, Schriften des Neuen Testaments 591; Das religiöse Moment 184.

12a BULTMANN, Das religiöse Moment 182 f.

12b BULTMANN, Stil der paulinischen Predigt 85; Das religiöse Moment 184.

12c BULTMANN, Schriften des Neuen Testaments 591; Das religiöse Moment 184; Stil der paulinischen Predigt 30, 84 f.

In einem anderen Kontext schreibt Bultmann, daß die Sünde ein »Gefühl« ist, ein den Bereich der Moral überschreitendes »Erlebnis« des Bösen, denn in diesem Erlebnis steht der Mensch nicht vor dem Gesetz seines Gewissens, »sondern er ist unrein vor dem ›Ganz anderen‹«.[13]

In diesen Jahren macht Bultmann auf intensive Weise die Erfahrung der Tragödie des Ersten Weltkrieges[14], der schwierigen Zeit nach diesem Weltkrieg sowie der damit einhergehenden Krise, die die Theologie erschüttert.[15] Im Jahr 1920 schreibt er dementsprechend: »Nur eine religiöse Neugeburt kann uns retten, vor der Verzweiflung über die Katastrophe unserer Kultur bewahren.«[16]

2. DIE BEGEGNUNG MIT K. BARTH (1922) UND DIE »NEUE RADIKALITÄT«

Im Jahr 1922 veröffentlicht Karl Barth die zweite Ausgabe seines Kommentars zum Römerbrief[17], und im selben Jahr erscheint Bultmanns Kritik an diesem Kommentar.[18] Auch wenn Bultmann einige Vorbehalte äußert[19], schätzt er das Werk doch deutlich positiv ein und äußert sogar die Meinung, daß der Radikalismus Barths dem »paulinischen Radikalismus« entspricht[20]: Um Gott nahe zu kommen, kann der Mensch nicht auf die Geschichte oder die Psychologie zurückgreifen[21], denn, wo Mensch und Welt in ihrer Totalität von der Sünde bestimmt sind[22], kann nur Gott selbst den Zugang zu ihm ermöglichen. Auf diese Weise wäre der paulinische Gegensatz zwischen dem Glauben und den Werken adäquat aktualisiert.[23] Dementsprechend kann der Glaube kein »Erlebnis« sein[24], denn er ist notwendigerweise das Hören eines »Nein«, das von Gott über einen

---

13 BULTMANN, Ethische und mystische Religion 741 f.; vgl. GV I, 22.
14 Vgl. BULTMANN, Vom geheimnisvollen und offenbaren Gott.
15 BULTMANN, Ethische und mystische Religion 741.
16 BULTMANN, Religion und Kultur 453 (= Anf. II, 29).
17 K. BARTH, Der Römerbrief (Nachdruck der zweiten, verbesserten Auflage), Zürich 1945. In seinem Vorwort zu dieser zweiten Auflage schreibt Barth, daß bei der neuen Bearbeitung von jener ersten Auflage »sozusagen kein Stein auf dem andern geblieben ist«: ebd. VI (= Anf. I, 105).
18 R. BULTMANN, K. Barths Römerbrief in zweiter Auflage: ChW 36 (1922) 320–323, 330–334, 358–361, 369–373.
19 BULTMANN sagt, daß der Glaube ein »Wunder« sei, und daß Barth nicht radikal genug sei, wenn er über den Glauben als »Hohlraum« spreche, denn »schön ist der Ausdruck freilich nicht, und nicht einmal treffend, weil vom Standpunkt der historischen Anschaulichkeit aus der Glaube doch nicht einmal als Hohlraum sondern überhaupt nicht wahrgenommen werden kann« (ebd. 332). Über die erste Auflage hatte Bultmann geschrieben, daß es sich dort um einen neuen »Gnostizismus« handele: Ethische und mystische Religion 739 (= Anf. II, 40). Zudem redet Bultmann von »der enthusiastischen Erneuerung des paulinischen Mythus in der Zurechtmachung bei Barth« und schließlich fühle er sich unfähig dazu, »in dem Positiven, das er bringt, etwas anderes (zu) sehen als eine willkürliche Zusetzung des paulinischen Christusmythus«: ebd. 740 (= Anf. II, 43).
20 »So wenig liegt also hier Modepolemik . . . vor, so wenig also ein Schwärmertum oder Gnostizismus. Es ist der einfache – paulinische – Radikalismus, der sich klar ist über das, was Glaube, was Gnade bedeutet«: BULTMANN, K. Barths Römerbrief 323 (= Anf. I, 124).
21 BULTMANN, K. Barths Römerbrief 320.
22 AaO. 330.
23 Vgl. aaO. 320.
24 Vgl. ebd.

Menschen und eine Welt ausgesprochen wird, die sich in Sünde befinden.[25] Die Beziehung zwischen Gott und dem Menschen ist *dynamisch*: Sie wird vom »Nein« Gottes bestimmt; aber gerade dadurch, daß der Mensch gläubig das göttliche Nein annimmt – und so die Sünde anerkennt –, öffnet sich ihm der Zugang zum göttlichen »Ja« und zu der Rechtfertigung. Das »Nein« Gottes wird, da es von Gott kommt, zu einem »Ja« für den Menschen.[26]

Mit diesem Werk Barths nimmt die theologische Bewegung der »dialektischen Theologie« ihren Anfang. Bultmann identifiziert sich mit ihr[27], und dieser Schritt bedeutet natürlich auch eine große und entschiedene Veränderung der theologischen Perspektive und der Orientierung seines theologischen Denkens: Seit Bultmanns Auseinandersetzung mit Barth gibt es eine neue Radikalität in seinem Verständnis der Beziehung zwischen Gott und dem Menschen, der auch eine neue Radikalität in seinem Verständnis der Sünde entspricht.

Mensch und Welt sind nun für Bultmann in ihrer Totalität radikal von der Sünde bestimmt. Zwischen Gott und dem Menschen gibt es keinerlei Kontinuität, denn das von Gott an den sündigen Menschen gerichtete Wort kann nur ein »Nein« zu dessen Sünde sein. Das Hören dieses göttlichen Neins bedeutet für den Menschen nicht nur, daß er nun gerechtfertigt werden kann, sondern auch daß er dank Gottes Offenbarung die Sünde in ihrer vollen Wirklichkeit und Tiefe entdeckt. So kann der Mensch nie eine wirkliche Erfahrung der Sünde in sich selbst haben, denn er lernt sie nur durch den Glauben wirklich kennen.[28]

3. DIE »DIALEKTISCHE« PERIODE UND DIE ALLMÄHLICHE ÜBERNAHME UND ANEIGNUNG DER PHILOSOPHIE HEIDEGGERS

In dieser Auseinandersetzung mit der Theologie Barths und in der Übernahme von Barths Auffassung über die dialektische Beziehung zwischen Gott und dem Menschen fängt die »dialektische« Periode in Bultmanns Werk an. Bultmann fühlt sich in dieser Zeit der Gruppe um Barth zugehörig und nimmt mit ihr die Aufgabe in Angriff, einen neuen Weg der Theologie zu suchen. Allerdings haben sich Ende der zwanziger Jahre, vor allem wegen der unterschiedlichen Ansichten bezüglich der Aufgabe der Philosophie in der theologischen Reflexion, beide Theologen in zunehmenden Maße voneinander entfremdet, und Bultmann ging in seinem Denken einen eigenen Weg.

Gegenüber den Schriften der »liberalen« Periode zeigen die der »dialektischen« Periode[29] eine klare Veränderung in der Art und Weise, wie Bultmann auf die von ihm ge-

---

25 AaO. 330.
26 AaO. 331 f.
27 R. BULTMANN, Die liberale Theologie und die jüngste theologische Bewegung: ThBl 3 (1924) 73–86 (= GV I, 1–25). Dieser Aufsatz geht auf ein Referat zurück, das Bultmann im Februar 1924 in Marburg hielt und das Karl Barth einen Vortrag nannte, »in dem die gute Sache wirklich gut wegkam«: K. BARTH, K. Barth/E. Thurneysen. Briefwechsel, Zürich 1974, 2,231.
28 Vgl. BULTMANN, K. Barths Römerbrief 321, 332.
29 Wir können das Jahr 1927 als das Ende der 1922 beginnenden »dialektischen Periode« in der Entwicklung von Bultmanns Denkens betrachten, vgl. PIKAZA, Exégesis 131 ff. Am 19. Oktober 1927 hielt Bultmann ein Referat auf dem ersten deutschen Theologentag in Eisenach über das Thema: Die

wählte Thematik eingeht: seine theologische Reflexion scheint zu einer neuen Sicherheit gefunden zu haben und sich ihrer Ziele klarer bewußt zu sein.[30] Sicherlich verfolgt Bultmann mit seinen Schriften keine privaten Sonderinteressen, denn aus ihnen spricht die Auseinandersetzung mit den dringenden Problemen, vor denen die Theologie damals stand (vgl. GV I, 101). Es handelt sich um Schriften, die in der Überzeugung geschrieben wurden, daß sich in der Theologie so wie in anderen Bereichen der Kultur und des menschlichen Lebens eine tiefe Veränderung vollziehe: daß sich eine Zeit dem Ende zuneige, um einer anderen, kommenden und sich unaufhaltbar ihren Weg bahnenden neuen Zeit zu weichen.[31] Durch seine theologische Arbeit will Bultmann zu dieser Veränderung beitragen.[32]

Von 1922 an läßt Bultmann die Hauptthesen der »liberalen Theologie« hinter sich.[33] Er ist nun der Überzeugung, daß, von der neuen Perspektive der Dialektik ausgehend, die zentralen Themen der Theologie neu aufzugreifen und neu zu durchdenken sind: der Sinn des Redens über Gott[34]; die Exegese des Neuen Testaments[35]; die Christologie[36]; Offenbarung[37]; Kirche[38]. . .

---

dialektische Theologie und das Neue Testament, das wenig später als Aufsatz veröffentlicht wurde: Die Bedeutung der »dialektischen Theologie« für die neutestamentliche Wissenschaft: ThBl 7 (1928) 56–67 (= GV I, 114–133). In der Diskussion, die dem Vortrag in Eisenach folgte, wurde die Meinung geäußert, daß die exegetischen Prinzipien Bultmanns sich wesentlich von denen Barths unterschieden. So leitete D. von Dobschütz als Moderator die Diskussion ein mit den Worten: »Angesichts dieses Vortrages fragt man sich: war das die dialektische Theologie oder Bultmann?« (zitiert bei D. A. Titius (Hrg), Deutsche Theologie. Bericht über den ersten deutschen Theologentag zu Eisenach [Göttingen 1928] 100). Tatsächlich war es schon 1926 problematisch geworden, von der dialektischen Theologie als einer theologischen Bewegung zu reden. So schrieb Barth am 15. Juni 1926 an Thurneysen in bezug auf Bultmann und Gogarten: ». . . im Einzelnen sind (sie) mir immer merkwürdig unfaßlich«: K. Barth, K. Barth/E. Thurneysen. Briefwechsel, 2,424.

30 Man könnte den Eindruck gewinnen, daß im Denken Bultmanns die von ihm 1920 geforderte «religiöse Neugeburt» stattgefunden hat (vgl. oben, S. 17).

31 Über Bultmanns Aufsatz von 1925, Welchen Sinn hat es, von Gott zu reden?, schrieb O. Schnübbe: »Die scharfsinnige Argumentation ist mit Entdeckerfreude geschrieben«: O. Schnübbe, Der Existenzbegriff in der Theologie Rudolf Bultmanns, Göttingen 1959, 44.

32 Am 1. Juni 1926 hielt Bultmann in Zürich einen Vortrag über den Sinn der christlichen Ehtik. E. Thurneysen, einer seiner Zuhörer, teilte einige Tage später Karl Barth seinen Eindruck über den Marburger Professor mit: »Bultmann ist ein ganz ausgezeichneter Mann und Gelehrter. Er schloß mit einer Ermahnung, der Wissenschaft von heute mit ganzer Hingabe obzuliegen. Die Lage sei ernst, es gehe um etwas Neues, Großes, und wir seien erst in den Anfängen. Man spürte den Hauch der größern Bewegung von jenseits des Rheines in die enge Schweizerstube wehen«: K. Barth, K. Barth/E. Thurneysen. Briefwechsel, 2,422.

33 In diesen Jahren nach 1922 setzt er sich mit den folgenden Thesen der liberalen Theologie auseinander: daß der Ursprung des Glaubens in einem sich in der »Erfahrung von Gerechtigkeit und Güte« ereignenden »Erlebnis des Vertrauens« liege (GV I, 102 f), daß dieser Glaube seine Fülle erreiche »in dem Eindruck, den Jesus auf uns macht« (ebd. 105), daß die Sünde »wahrnehmbar in der anschaulichen Geschichte« sei (GV I, 9–11); daß man aus dem Glauben bestimmte Ideale ableiten könne, die unser innerweltliches Handeln normieren könnten (ebd. 15). Für Bultmann ist der Glaube kein »Erlebnis des Vertrauens«, sondern »Gehorsam gegenüber der Verkündigung« (GV I, 107).

34 R. Bultmann, Welchen Sinn hat es, von Gott zu reden?: ThBl 4 (1925) 129–135 (= GV I, 26–37).

35 R. Bultmann, Das Problem einer theologischen Exegese des Neuen Testaments: ZZ 3 (1925) 334–357; Die Bedeutung der dialektischen Theologie (s. Anm. 29).

36 R. Bultmann, Zur Frage der Christologie: ZZ 5 (1927) 41–69 (= GV I, 85–113).

In der Erfüllung dieser Aufgabe geht Bultmann eigene Wege, die fortan seine Theologie charakterisieren werden: Er übernimmt philosophische Begriffe, die von Heidegger in seinem Werk *Sein und Zeit* entwickelt worden waren[39], in der Überzeugung, daß keine sich wie diese eigneten, um mit ihrer Hilfe seine neuen theologischen Intuitionen zu verfolgen.[40]

Nach der Lehrtätigkeit in Breslau und Gießen wurde Bultmann 1921 nach Marburg zum Nachfolger von W. Heitmüller berufen. Im folgenden Jahr fängt Heidegger an, in Marburg zu lehren. Ab 1925 macht sich der Einfluß Heideggers immer mehr bemerkbar[41] und bekommt schließlich eine solche Bedeutung, daß Bultmann unter den Theologen auf heftige Kritik stößt. So fragt sich im Jahr 1929 G. Kuhlmann, ob Bultmann noch etwas anderes tue als in theologischer Sprache zu wiederholen, was Heidegger schon zuvor philosophisch zum Ausdruck gebracht hatte.[42] Auch Barth protestiert gegen diese Inanspruchnahme der Philosophie Heideggers[43], die zum Grund dafür wird, daß beide großen Theologen sich voneinander entfremden, was sicherlich gegen den erklärten Willen Bultmanns geschah.[44]

In dieser Zeit bekommt das Thema der Sünde für Bultmann immer größeres Gewicht. Nach seiner Meinung lernt der Mensch nur durch den Glauben die Sünde wirklich ken-

---

37 R. BULTMANN, Der Begriff der Offenbarung im Neuen Testament: Sammlung gemeinverständlicher Vorträge 135 (1929) 1–18 (= GV III, 1–34).

38 R. BULTMANN, Kirche und Lehre im Neuen Testament: ZZ 7 (1929) 9–43 (= GV I, 153–187).

39 *Existenz:* GV I, 29 f (urspr. 1925); ZZ 3 (1925) 342 f; Jesus 174; *Dasein:* ZThK 11 (1930) 329 ff; *Entscheidung:* ZZ 3 (1925) 342 f; Jesus 174, 181 f; *Zeitlichkeit:* ZZ 3 (1925) 343; »*man*«: GV I, 136 (urspr. 1928); *Sein-können:* GV I, 118, 139, 147 (urspr. 1928); »*vorhanden*«: GV I, 135, 147 (urspr. 1928); *Geschichtlichkeit:* GV I, 118 (urspr. 1928); »*vorfindlich*«: GV I, 117; *Möglichkeit:* GV I, 136 f, 139; *Miteinandersein:* GV I, 231; *Verfallensein:* GV I, 139.

40 Vgl. R. BULTMANN, Die Geschichtlichkeit des Daseins und der Glaube: ZThK 11 (1930) 329–364.

41 Vgl. Anm. 39.

42 G. KUHLMANN, Zum theologischen Problem der Existenz. Fragen an R. Bultmann: ZThK 10 (1929) 28–57; vgl. G. KUHLMANN, Krisis der Theologie: ZThK 12 (1931) 123–146.

43 Am 27.5.1931 schreibt BARTH an Bultmann: »Aus Ihrer Antwort an Kuhlmann meine ich Sie seither nun endlich einigermaßen verstanden zu haben, auch das, was mir in Ihrem Jesus-Buch so fremd war. . . Kurz, eben das, worin unsere Wege auseinandergehen. Damals wußte ich nicht, daß die Sache so schlimm steht, wie ich sie nun allerdings bis auf bessere Belehrung sehen muß. Ich meine, daß Sie mit Ihrer Verhältnisbestimmung von Anthropologie und Theologie des 18. und 19. Jahrhundert so wenig los geworden sind, daß Sie das alte unverschämte Diktat der modernen Philosophie unter dem neuen Heideggerschen Vorzeichen so wenig erkannt und abgewiesen haben, daß ich mich bei Ihnen schließlich einfach in dasselbe Diensthaus Ägyptens zurückversetzt fühle, das wir nach meiner Auffassung mit der Absage an Schleiermacher und mit dem neuen Anknüpfen an die Theologie der Reformatoren verlassen haben sollten« (Briefw. 117 f).

44 So schreibt BULTMANN am 25.10.1931 an Barth: »Was Ihnen so sicher ist, daß Ihr u. mein Ansatz in principio grundverschieden sind, ist es mir nicht. Ich meinerseits glaube zu sehen, daß Sie Fragen, die mit Ihrem Ansatz gegeben sind und an deren Austrag mir liegt, künstlich niederhalten« (Briefw. 135). Siehe auch, was Bultmann später in einem Brief schrieb, in dem er seine Zustimmung zur Arbeit Malets über ihn zum Ausdruck brachte: »Vous montrez enfin avec ampleur que Barth se méprend sur moi, parce qu'il ignore le problème de l'adéquate conceptualité et parce qu'en fait il demeure emprisonné dans la ›cuirasse‹ d'une pensée philosophique qui méconnaît l'authentique rapport du sujet et de l'objet, – et cela contre son intention véritable, de sorte que vous pouvez même vous permettre cette affirmation: ›C'est à peine un paradoxe que Bultmann est plus barthien que Barth‹«: R. BULTMANN, Lettre-préface: A. MALET, Mythos et Logos. La pensée de R. Bultmann, Genf 1962.

nen.[45] Der Mensch ist ein Geschöpf und steht als solches immer vor Gott.[46] Er verwirklicht sich authentisch, indem er sich selbst von Gott her versteht, und zwar in einem Akt, der notwendigerweise das *Selbstverständnis* des Menschen als Geschöpf und die *Entscheidung*, als solches zu existieren, miteinander verbindet. Diese »grundsätzliche Möglichkeit« enthält nun auch eine andere Möglichkeit: nämlich, sich von sich selbst aus zu verstehen und sich dazu zu entscheiden, zu existieren, ohne seinem Status als Geschöpf Rechnung zu tragen, bzw. diesen Status sogar zu leugnen.[47] Die Offenbarung sagt nun gerade, daß der Mensch sich für diese letzte Möglichkeit entschieden hat[48]: Er lebt nach dem Fleisch[49]; er gehört dem gottfeindlichen Komplex der »Menschenwelt« an und will sich vom Innerweltlichem ausgehend, von dem, was in der Reichweite der Menschen liegt und ihm zur Verfügung steht[50], durch die Ergebnisse seines eigenen Handelns verwirklichen[51]; er will sich aus eigener Kraft das eigentliche Sein erlangen[52]; vor Gott sich selbst behaupten[53]; von den anderen die Zustimmung und die Anerkennung ernten, die er für entscheidend hält.[54] Aus eigener Kraft will er sich Sicherheit und Freiheit verschaffen[55].

In all dem begeht der Mensch die »Ursünde«, die darin besteht, daß er Gott die Ehre nicht gibt.[56] Als Tat des Menschen ist die Sünde ein schuldhaftes Auflehnen des Menschen gegen Gott.[57]

In Bultmanns Verständnis der Sünde steht stark im Vordergrund, daß das Selbstverständnis des Sünders nicht nur die Beziehung des Menschen zu Gott, sondern auch die Beziehungen zwischen den Menschen in ihrem Sinn verkehrt.[58] Dadurch wird die Welt zu der »Menschenwelt«, die von der Sünde bestimmt ist[59], bzw. zu einer »fleischlichen Menschheit«, die »nach dem Fleische« lebt[60] und auf die Bultmann die heideggersche Kategorie des »man« anwendet.[61] Auf diese Weise wird die Sünde, die anfangs im sündigen Handeln des Menschen ihren Ursprung hatte, zu einer *Macht der Sünde*, die jeden Menschen, der auf diese Welt kommt, bestimmt.[62] Diese Macht der Sünde ist universal, und der Mensch ist ihr radikal verfallen und kann sich aus eigener Kraft nicht von ihr be-

45 GV I, 110, 139; III, 27, 30; ChW 36 (1922) 331 f.
46 R. BULTMANN, Paulus: RGG² IV, 1019–1045, hier 1031, 1034 f (weiter zitiert als: »Paulus«); GV I, 136.
47 GV I, 110, 130 f; vgl. GV I, 139.
48 »Paulus« 1035.
49 Ebd. 1034 f.
50 GV I, 136 f.
51 GV I, 240.
52 GV I, 140; »Paulus« 1035.
53 GV I, 194, 196.
54 GV I, 196; »Paulus« 1032, 1037.
55 GV I, 140, 196; »Paulus« 1032.
56 »Paulus« 1037, vgl. GV I, 196.
57 »Paulus« 1036.
58 GV I, 194 242; vgl. 104, 231.
59 GV I, 135; »Paulus« 1032.
60 GV III, 25; »Paulus« 1034 f; vgl. GV I, 131.
61 GV I, 136 f.
62 GV I, 136, 138 f; »Paulus« 1032, 1035.
63 GV III, 26 f; »Paulus« 1035 f; vgl. GV I, 106.

freien.[63] Die extreme Möglichkeit der Sünde liegt gerade in der Anmaßung des Menschen, sich aus eigener Kraft von ihr befreien zu wollen.[64]

»Die eigentliche Sünde ist der Unglaube«. Und: Nur ausgehend von der Offenbarung kann man eigentlich von der Sünde reden.[65] Nun ist es aber gerade der der Sünde verfallene Mensch, der die Botschaft der Offenbarung verstehen kann, daß er ein Sünder und auf die Gnade angewiesen ist.[66]

Gegen 1930 hat die Entwicklung der Lehre von der Sünde bei Bultmann einen Abschluß gefunden.[67] Dies entspricht der Tatsache, daß sein Denken in dieser Zeit zu einer offensichtlichen systematischen Geschlossenheit und Einheit gelangt.[68]

4. DIE GESCHLOSSENHEIT DER THEOLOGIE BULTMANNS UND SEIN PROGRAMM DER ENTMYTHOLOGISIERUNG (1941)

Mit der Übernahme und Aneignung der philosophischen Begriffe Heideggers[69] findet der Prozeß der Konstituierung des Bultmannschen Denkens seinen Abschluß.

Wie schon erwähnt, kann man in diesem Prozeß drei Stufen unterscheiden: die liberale, die dialektische und die existentiale. Es handelt sich hier allerdings nicht um eine Aufeinanderfolge von Stufen in dem Sinne, daß die nächste völlig an die Stelle der vorangehenden tritt, sondern es handelt sich vielmehr um die progressive Aneignung und Übernahme verschiedener Elemente[70], die schließlich in einer wahrhaft bultmannschen Synthese ihre Einheit finden. Diese kann man 1930 als abgeschlossen betrachten.[71]

Um Bultmann zu verstehen, muß man auch auf einen für seine theologische Tätigkeit typischen Zug achten und diesen in seiner wahren und entscheidenden theologischen Bedeutung würdigen: seine pastorale Absicht, d. h. die Verantwortung, die er als Theologe fühlt, die Botschaft des Christentums dem Menschen seiner Zeit nahe zu bringen.

Nun weiß er, gleichzeitig als Theologe und als Geschichtsforscher, daß diese Botschaft in einem Werk, nämlich dem Neuen Testament, enthalten ist, das sehr stark von einer mythologischen Sprache und Begrifflichkeit beeinflußt worden ist, die in der Zeit der Entstehung des Christentums für die damals existierenden Religionen typisch ist. Daher ist Bultmann der Überzeugung, daß seine Aufgabe die einer Entmythologisierung des Neuen Testaments ist. In seinem entscheidenden Aufsatz, *Neues Testament und My-*

---

64 »Paulus« 1032, 1037.

65 GV I, 138 f.

66 GV I, 173, 182.

67 Im Jahr 1929 schreibt Kuhlmann, daß der Begriff der Sünde »der Grundbegriff der Theologie Bultmanns« ist: G. Noller (Hrg.), Heidegger und die Theologie, München 1967, 48. Auf alle Fälle spielt der Begriff der Sünde eine wichtige Rolle in der Auseinandersetzung zwischen Kuhlmann und Bultmann; vgl. R. Bultmann, Die Geschichtlichkeit des Daseins und der Glaube: ZThK 11 (1930) 329–364.

68 Vgl. J. Pikaza, Exégesis 171; Koch 324; Dieckmann 38, 266 f.

69 Im großen und ganzen kann man diese Aneignung der Philosophie Heideggers durch Bultmann 1930 als abgeschlossen betrachten; vgl. Koch 293 ff; Pikaza, Exégesis 169–171; Bultmann, Geschichtlichkeit (s. Anm. 67).

70 Die »dialektische Periode« ist auch eine Korrektur der vorhergehenden.

71 Vgl. Anm. 68.

72 R. Bultmann, Neues Testament und Mythologie: KuM I, 15–35 (ersch. 1941).

thologie (1941)[72], erörtert er diese Aufgabe als ein dringendes theologisches Programm. Er betont dabei die Notwendigkeit und Dringlichkeit der als *existentiale Interpretation* des Neuen Testaments[73] verstandenen Entmythologisierung. Durch sie soll dem modernen Menschen der Zugang zur Botschaft des Christentums ermöglicht werden. Gerade diese beiden Ausdrücke »Entmythologisierung« und »existentiale Interpretation« sollten später zur charakteristischen Bezeichnung des gesamten Werkes Bultmanns werden.

Die bemerkenswerteste Neuheit in Bultmanns Vorstellung von der Sünde[74] liegt hier in seiner Auffassung, daß, wenn auch die Philosophie dem Menschen eine Vorstellung von seiner eigentlichen Existenz auf eine Weise zu geben vermag, die der, welche aus einer »existentialen Interpretation« des Neuen Testaments hervorgeht, identisch zu sein scheint, es dennoch einen wesentlichen Unterschied zwischen dieser Philosophie und der Botschaft des Christentums gibt: die Philosophie hat die Radikalität der Sünde nicht verstanden, denn sie glaubt, daß das Verfehlen des Menschen in der Sünde das Subjekt selbst, das »Ich« des Menschen nicht berührt habe und daß daher der Mensch aus eigener Kraft die Sünde überwinden und Eigentlichkeit erlangen könne.[75] Deutlich aber ist nach Bultmann, »daß die Übernahme der Geworfenheit in der Todesentschlossenheit«, wie sie Heidegger darstellt, »eine radikale Eigenmächtigkeit des Menschen ist«[75a], d. h. in der Sprache des Neuen Testaments: Sünde.[75b]

Sich zum Teil auf schon früher Geäußertes stützend, sagt Bultmann auch, daß der Mensch Frage ist und daß das menschliche Streben von einem Geltungsbedürfnis geleitet wird, das an sich eine Form des Verlangens nach Gerechtigkeit ist.[76] Dieses Verlangen wird aber zu einem »Geltungsdrang«, wenn der Mensch sich anmaßt, sich selbst die Antwort zu geben[77], und wenn er die von ihm angestrebte Anerkennung durch sein eigenes Handeln erlangen will.[78] Die Sünde ist ein Sich-Verschließen vor Gott, ein »Vergessen« der eigenen Situation als Geschöpf[79], ein »Glaube an den Menschen« statt eines «Glaubens an Gott«[80], ein Sichverschließen vor den Anforderungen des Augenblicks – sowohl vor solchen, die mit Gott, als vor solchen, die mit dem Nächsten zu tun haben –[81], ein krampfhaftes Festhalten an der Vergangenheit.[82] Durch all das wird auch der Sinn der zwischenmenschlichen Beziehungen pervertiert, und als Ergebnis der vielen pervertierten menschlichen Beziehungen entsteht eine Welt, die als eine alle beherrschende Macht der Sünde wirkt.[83]

---

73 Bultmann will nicht die mythologischen Elemente des N.T. zum Teil oder ganz *eliminieren*, wie dies z. B. in der »liberalen Theologie« oder bei der »religionsgeschichtlichen Schule« der Fall war, sondern er will sie *interpretieren*, vgl. KuM I, 24 f.
74 Es handelt sich hier um die Zeit zwischen 1931 und 1941.
75 KuM I, 36 f.
75a KuM I, 37.
75b Ebd. 38.
76 GV II, 38 f, 42, 47 f; EvJoh 204 f, 207.
77 GV I, 221 f, 304; II, 38 f, 42, 47 f, 93–95; Exeg 200 f.
78 GV I, 221 f; Exeg. 200 f; EvJoh 203 f.
79 GV II, 11, 17; Exeg 208; EvJoh 27.
80 GV II, 17; EvJoh 240, 434.
81 GV I, 304; II, 12–14, 17; KuM I, 28 f.
82 GV I, 222 f; II, 12, 14; EvJoh 115, 240, 262, 434.
83 KuM I, 27 f.

Die Situation des der Macht der Sünde verfallenen Menschen ist geprägt von der Kluft zwischen einerseits dem »wahren Bestreben« des Menschen, eigentliches Leben zu erlangen, und andererseits dem, was der Mensch in Wirklichkeit tut: die Sünde, die durch die Macht der Sünde im Menschen gewirkt wird und die der wahren Absicht des Menschen zuwiderläuft, da sie ihn dem Tod zuführt. Der der Sünde verfallene Mensch hat das »Subjektsein« verloren.[84]

Bultmanns Kommentar zum Johannesevangelium erörtert und entwickelt das Thema der »Sünde im definitiven Sinn«: das Thema des Unglaubens gegenüber der in Christus gegebenen Offenbarung.[85] Dieses 1941 abgeschlossene und veröffentlichte Werk ist schon ein außergewöhnliches Ergebnis von Bultmanns existentialer Interpretation und sollte einen entscheidenden Einfluß ausüben.[86]

5. DIE DURCHFÜHRUNG DES PROGRAMMS DER ENTMYTHOLOGISIERUNG

Nach dem Zweiten Weltkrieg bekommt das Programm der Entmythologisierung in zunehmendem Maße Gewicht, um in den fünziger Jahren zu einem zentralen Thema der theologischen Diskussion zu werden. Mehr noch: Die von der Entmythologisierung hervorgerufene Polemik geht weit über den Bereich der akademischen Theologie hinaus. So unterschreibt eine beträchtliche Zahl von Seelsorgern eine Resolution, die die angeblichen Irrtümer Bultmanns verurteilt[87], und im März 1966 kommen in Dortmund 22 000 Personen zu einer Protestdemonstration gegen die Schlußfolgerungen, zu denen das Programm der Entmythologisierung angeblich gelangt war, zusammen.[87a]

---

84 GV II, 74; Exeg 198–209.
85 EvJoh 115, 120 f, 259, 260, 265, 424, 434.
86 In diesen Jahren geht Deutschland durch eine schwere Krise. Hitlers Machtergreifung Anfang 1933 läßt nun allgemein ihre ersten bitteren Folgen spüren. Ein neues Beamtengesetz der neuen Machthaber vom 7.6.1933 rief im Bereich der evangelischen Kirche eine Polemik über den sogenannten Arierparagraphen und seine Anwendung in der Kirche hervor: Ob nämlich Christen nichtarischen Ursprungs das geistliche Amt in der Kirche ausüben dürften oder nicht. Die streitbare und engagierte Haltung Bultmanns in dieser Frage spiegelt sich in seinen Schriften und in seiner Teilnahme an theologischen Veranstaltungen bezüglich dieser Problematik wider. Siehe dazu R. BULTMANN, Der Arierparagraph im Raume der Kirche: ThBl 12 (1933) 359–370; vgl. H. LIEBLING (Hrg.). Die Marburger Theologen und der Arierparagraph in der Kirche, Marburg 1977, und E. DINKLER, Neues Testament und Rassenfrage: ThR 44 (1979) 70 ff. Bultmann wendet sich klar dagegen, daß das Gesetz in der Kirche angewandt wird, und daher muß man E. Grässer recht geben, wenn dieser die These, im Werk Bultmanns lasse sich eine Judenfeindlichkeit feststellen, verwirft: E. GRÄSSER, Antijudaismus bei Bultmann?: WPGK 67 (1978) 419–429. Der Aufsatz Grässers war eine Antwort auf P. VON DER OSTEN-SACKEN, Rückzug ins Wesen und aus der Geschichte. Antijudaismus bei A. von Harnack und Rudolf Bultmann: WPKG 67 (1978) 106–122. Diesbezüglich schrieb W. SCHMITHALS: »Wenn es überhaupt Theologen in unserem Lande gibt, die ohne Beschämung auf das zurückblicken können, was sie 1933 und danach gesagt und geschrieben haben, dann gehört R. Bultmann zu ihnen«: W. SCHMITHALS, Die Theologie R. Bultmanns, Tübingen 1966, 304.
87 Vgl. Der Spiegel 20 (1966/31) 42.
87a Ebd. Schon in den fünziger Jahren wurden theologische Programme entworfen, die vor allem in der Einschätzung der Frage nach dem historischen Jesus und der Geschichte von Bultmanns Standpunkten abweichen. Siehe für die Frage nach dem historischen Jesus: E. KÄSEMANN, Das Problem des historischen Jesus: Exegetische Versuche und Besinnungen I, Göttingen ⁶1970, 187–214 und E. KÄSE-

Tatsächlich können wir feststellen, daß Bultmann in seinem gesamten Werk das Ziel der Entmythologisierung so verfolgte, wie das die existentiale Interpretation des Neuen Testaments als Programm formuliert hatte. Das hervorragendste Ergebnis der Verwirklichung dieses theologischen Vorhabens ist nun Bultmanns *Theologie des Neuen Testaments*, die auch eine wahrhafte Summa seiner gesamten theologischen Arbeit ist.[88] Es handelt sich um ein konsequent und sorgfältig strukturiertes Werk der Synthese, über das Otto Merk schrieb: »Es ist ein Standardwerk neutestamentlicher, ja gesamttheologischer Forschung in unserem Jahrhundert«[89], und von dem X. Pikaza in seiner Einführung zur spanischen Übersetzung sagt, daß nirgendwo sonst die kritische Exegese, das hermeneutische Verstehen und die systematische Formulierung des Neuen Testaments sich so intensiv begegneten und befruchteten.[90] In diesem Werk spielt das Verständnis von der Sünde eine wesentliche Rolle; ja, wir finden in ihm eine Synthese der Lehre Bultmanns von der Sünde.

Das Werk geht von der Verkündigung Jesu und von der von ihm ins Leben gerufenen Glaubensbewegung aus: In Jesus tritt Gottes eschatologisches Handeln dem Menschen als definitiver Aufruf zum Glauben entgegen. Schon die erste Generation der Christen fühlte sich in der Auseinandersetzung mit ihrer religiösen und kulturellen Umwelt – Judentum, Gnosis, Mysterienreligionen – zu einer theologischen Reflexion über den Glauben aufgefordert. Sicherlich bot die religiöse Umwelt verschiedene Elemente, die die christliche theologische Reflexion in ihren Anfängen günstig beeinflußte, aber gleichzeitig war diese Umwelt auch eine Gefahr bei diesem ersten Versuch, den Glauben zu verstehen. Welche Antwort sollte in diesem Kontext auf die drängenden Probleme gegeben werden?

Das Werk vertritt hier die These, daß es nur der Theologie des Paulus und des Johannes gelungen ist, eine authentische christliche Antwort zu geben, denn beide haben auf genauer christlicher Weise die Wirklichkeit der Sünde und der christlichen Existenz in ihrer Radikalität verstanden: Für Paulus ist die Sünde die Existenz »nach dem Fleische«, in der der Mensch sich verweigert, seine Situation als Geschöpf anzuerkennen, und in der er sich anmaßt, die Eigentlichkeit kraft seiner eigenen Anstrengungen zu erlangen, indem er dabei auf die in seiner weltlich-irdischen Umwelt gegebenen Möglichkeiten zurückgreift.[91] Für Johannes ist die Sünde der *Unglaube*, der die Offenbarung verwirft, sich selbst in seinem falschen Selbstverständnis behauptet und sich zu der Gott entgegengesetzten »Welt« konstituiert.[92] Zudem seien es gerade die Theologien des Paulus und des

---

MANN, Sackgassen im Streit um den historischen Jesus: Exegetische Versuche und Besinnungen II, Göttingen ³1970, 31–68; vgl. auch BULTMANN, Antwort an E. Käsemann: GV IV, 190–198; siehe für die Frage der Geschichte: W. PANNENBERG (Hrg.), Offenbarung als Geschichte, Göttingen 1962 ⁵1982. W. SCHMITHALS schrieb dazu: »Fast alle fundamentalen Ansätze der theologischen Arbeit R. Bultmanns sind noch zu seinen Lebzeiten, und zwar zu einem großen Teil durch seine eigenen Schüler, vorab E. Käsemann, in Frage gestellt worden«: ZThK 77 (1980) 149.

88 R. BULTMANN, Theologie des Neuen Testaments, Tübingen 1953, ⁷1977.
89 O. MERK, Vorwort, in: R. BULTMANN, Theologie des Neuen Testaments, Tübingen ⁷1977, IX.
90 X. PIKAZA in seinem Vorwort zur spanischen Übersetzung: Presentación de la edición castellana, in: R. BULTMANN, Teología del Nuevo Testamento, Salamanca 1981, hier 11. Pikaza weist auch mit sicherem Gespür auf die Grenzen dieses Werkes hin: aaO. 26–32.
91 ThNT 236–246; vgl. 210, 232 f.
92 ThNT 375–385.

Johannes, die *die Dialektik der Sünde und der Vergebung in der christlichen Existenz* verstanden hätten, aber nur Johannes habe sie als die Gleichzeitigkeit von Sünde und Vergebung dargestellt.[93]

Eine andere Hauptthese des uns hier interessierenden Werkes ist, daß nach Paulus und Johannes eine weitere theologische Entwicklung stattgefunden habe, die eine Schwächung der eschatologischen Spannung und wenigstens die praktische Preisgabe des radikalen Verständnisses der Sünde gewesen sei. Das Problem der Sünden, die von einem Christen nach der Taufe begangen werden, habe nun dadurch eine Lösung gefunden, daß zwischen verschiedenen Sünden ein Unterschied gemacht und die Institution der kirchlichen Buße errichtet worden sei.[94] All dies habe den Prozeß bestimmt, durch den die christliche Gemeinschaft sich faktisch in eine »Heilsanstalt« verwandelt habe.[94a]

In Bultmanns *Geschichte und Eschatologie*[95] stoßen wir auf dieselben Grundthesen. Auch hier spielt das radikale Verständnis der Sünde und die Hervorhebung des Paradoxes der christlichen Existenz eine entscheidende Rolle. Denn diese Existenz sei, so Bultmann, gleichzeitig geschichtlich und eschatologisch, und dieser Gegensatz entspreche dem lutherischen »simul iustus et peccator«.[95a] So erweist sich Bultmanns Verständnis von der Sünde deutlich als ein zentrales Thema seines Denkens.

6. DIE ENTMYTHOLOGISIERUNG UND DIE LEHRE ÜBER DIE RECHTFERTIGUNG

In seinem Programm der Entmythologisierung hat Bultmann die wesentlichen Elemente seiner Theologie konzentriert. Daher ist seine Erklärung aufschlußreich, daß für ihn die Entmythologisierung die »konsequente Durchführung für das Gebiet des Erkennens« der paulinisch-lutherischen Lehre der Rechtfertigung ist.[95b] So wie die Rechtfertigungslehre die »Sicherheit auf der Basis von guten Werken« überwinden wolle, so zerstöre die Entmythologisierung die »Sicherheit, die auf objektivierendem Wissen beruht«, die Sicherheit des Mythos und der Wissenschaft.[95c]

In diesen Überlegungen zeigt sich die Absicht, in der theologischen Reflexion ein zentrales Thema der evangelischen Theologie zu aktualisieren: die Lehre der Rechtfertigung. Diese Absicht ist zweifelsohne ein entscheidendes und motivierendes Element des Entmythologisierungsprogramms Bultmanns und so auch in einem bestimmten Sinn seiner gesamten Theologie. Dadurch stellt Bultmann sich entschieden und bewußt in die Tradition der evangelischen Theologie: Von ihr geht er aus, in ihr lebt er, und durch seine eigene Arbeit will er sie vorantreiben, auch wenn er sie dabei auf eine eigene, besondere Weise interpretiert und aktualisiert.

---

93 ThNT 431–433.
94 ThNT 464–467, 549, 551, 556, 563–565, 582; vgl. 519, 521 f, 526, 548–550.
94a ThNT 583 f.
95 R. Bultmann, Geschichte und Eschatologie, Tübingen 1958, ³1979 (englische Ausgabe schon 1957), besonders 46–70, 167–184.
95a Ges Esch 183 f.
95b KuM II, 207.
95c GV IV, 188.

In der Tat bezieht Bultmann die Bedeutung der Rechtfertigungslehre vor allem auf die Sünde im Bereich des Erkennens, handele es sich dabei um den des Mythos oder den der Wissenschaft, Bereiche, in denen sich das objektivierende Denken des Menschen ausdrückt. Die Entmythologisierung kann definiert werden als »die radikale Anwendung von der Lehre von der Rechtfertigung durch den Glauben auf das Gebiet des Wissens und Denkens«.[95d]

So kulminiert die theologische Tätigkeit Bultmanns in seinem Verständnis von der Beziehung zwischen dem sündigen Menschen und Gott, der die Gnade der Vergebung anbietet. Der Bereich des Erkennens und des objektivierenden Wissens wird dabei besonders in Betracht gezogen.

ZWEITES KAPITEL:
DIE ONTOLOGISCHE STRUKTUR DES MENSCHLICHEN DASEINS. DIE STELLUNG DES MENSCHEN ZWISCHEN EIGENTLICHKEIT UND UNEIGENTLICHKEIT

Die Darstellung der wesentlichen Elemente im Entstehungsprozeß des bultmannschen Denkens bietet uns einen Beziehungspunkt für unsere *systematische Darlegung*.

Zu Beginn müssen wir auf zweierlei achten. Erstens auf Bultmanns Überzeugung, daß die Theologie die Explizierung der menschlichen Existenz ist, insoweit diese von Gott bestimmt wird. Denn für ihn ist jeder Satz über Gott zugleich auch ein Satz über den Menschen und umgekehrt, was Bultmann auch bei Paulus bestätigt sieht, da doch die »paulinische Theologie zugleich Anthropologie« sei (ThNT 192). Zweitens muß auf den Unterschied zwischen zwei Elementen in der Bestimmung der von Gott abhängigen und determinierten menschlichen Existenz geachtet werden: auf die Bestimmung des Menschen durch die Strukturen des menschlichen Daseins, insoweit dieses Dasein eine Offenheit ontologischen Möglichkeiten gegenüber ist, und auf die Verwirklichung dieser Möglichkeiten durch ihre ontische Konkretisierung in der menschlichen Existenz.

In diesem Kapitel werden wir auf die wesentlichen Elemente der ontologischen Struktur des menschlichen Daseins, und im folgenden auf ihre ontische Konkretisierung, in der ihre Verwirklichung stattfindet, eingehen.

1. DIE BEGRENZTHEIT

In einem in Zusammenarbeit mit anderen verfaßten Text aus dem Jahr 1931 spricht Bultmann von der Krise des Glaubens (GV II, 1). Die Frage des Glaubens stellt sich, so Bultmann, gerade in der Erfahrung des Menschen, von einem »dunklen Rätsel« (GV II, 5) umgeben zu sein: »Jedes menschliche Dasein weiß oder kann wissen um seine Begrenztheit« (GV II, 2). Der Mensch macht die Erfahrung einer Begrenztheit, die ihn als ein dynamischer Faktor in der Gestalt der Sorge (der alltäglichen Sorge für das Morgen, der Sehnsucht nach dem Wahren und Schönen, Guten usw.: GV II, 2–4) erfaßt. Diese Erfahrung ist auch Wahrnehmung einer Macht, die den Menschen begrenzt; wird der Mensch den Mut haben, im Glauben in jenem Rätsel Gott anzuerkennen? (GV II, 5).

95d Ebd.

2. DIE GESCHICHTLICHKEIT

Die Geschichtlichkeit des Menschen ist ein wesentliches Element in Bultmanns Verständnis vom Menschen: Der Mensch ist ein »geschichtliches Wesen«. Bultmann sieht zudem in den anderen Bestimmungen der ontologischen Struktur des Menschen (als körperliches Wesen, als intentionales Subjekt ...) Konkretisierungen, in denen sich die menschliche Geschichtlichkeit auf die eine oder andere Weise ausdrückt.

Mit dem geschichtlichen Sein des Menschen wird nach Bultmann sowohl das Jetzt, wie das künftige Sein und das Verursachtsein des Menschen bezeichnet. Allerdings zieht vor allem der gegenwärtige Augenblick der »Begegnung«, die zur Entscheidung aufruft, die Aufmerksamkeit auf sich.

a) Das »Jetzt«: Im »Augenblick« steht der Mensch vor einem Ruf, einer Anrede, die an ihn aus der Situation ergeht und von ihm eine Entscheidung fordert. Dieser »Augenblick« ist gerade der Moment der Offenheit gegenüber der Entscheidung und ein besonderes Merkmal des menschlichen Daseins: »Denn das Sein im Augenblick ist sein eigentliches Sein« (GV III, 30).

Die Geschichtlichkeit birgt in sich die Möglichkeit einer wahren Entscheidung, in der sich etwas wirklich Neues ergeben kann, in der der Mensch wirklich ein anderer, wirklich neu werden kann: In der Geschichtlichkeit gewinnt der Mensch erst sein Wesen (GesEsch 49 f). In einem anderen Kontext sagt Bultmann, daß die Geschichtlichkeit darin besteht, daß der Mensch ein »Seinkönnen« ist, d. h. daß er nicht nur vor verschiedenen Möglichkeiten steht, sondern selbst Möglichkeit ist (GV I, 139), denn das Sein des Menschen stehe in dem Augenblick der Entscheidung auf dem Spiele, in der »der Mensch nicht je etwas für sich wählt, sondern sich selbst als seine Möglichkeit wählt« (GV I, 118; GesEsch 50). Dadurch wählt er in einem Akt, der zugleich Entscheidung und Verstehen ist, auch ein bestimmtes Selbstverständnis.[96] Um zu unterstreichen, daß Verstehen und Wollen eine Einheit im Entscheidungsakt des Menschen bilden, spricht Bultmann in diesem Kontext von einem »verstehenden Trachten« (ThNT 212 f).

Als Offenheit zu einer richtigen und wahren Entscheidung impliziert die Geschichtlichkeit auch die Möglichkeit des Versagens. Der Mensch kann sich auch für eine falsche Möglichkeit entscheiden: ein unrichtiges Selbstverständnis, ein uneigentliches Dasein. Die zwei grundsätzlichen Möglichkeiten, die in der Geschichtlichkeit des Menschen gegeben sind, sind gerade die der Eigentlichkeit und die der Uneigentlichkeit (ThNT 213 f; vgl. 199, 211).

Diese falsche Entscheidung kann Bultmann auch wie folgt umschreiben: Der Mensch habe die Möglichkeit, »sich zu verirren und sich aus dem Getanen, statt aus dem Tun zu verstehen, sich neben sein Tun zu stellen« (GV I, 240 und 239). In der authentischen, »eigentlichen« Entscheidung sollte der Mensch dagegen auf der Ebene des Tuns bleiben und nicht auf die des »Getanen« heruntergehen, denn letztere Ebene kann Objekt der objektiven Erkenntnis sein, die Abstand schafft und sich anmaßt, über das Gekannte zu urteilen.

b) Das »Zukünftigsein«: Als Offenheit gegenüber verschiedenen Möglichkeiten kann die Geschichtlichkeit des Menschen auch als eine Offenheit der Zukunft gegenüber ver-

---

96 Nach Bultmann ist das Selbstverständnis »wissende Wahl seiner selbst, die allem einzelnen Verhalten zugrunde liegt« (EvJoh 27).

standen und formuliert werden: So ist die Geschichtlichkeit auch »das immer Zukünftig-sein« (GesEsch 168). Bultmann präzisiert, daß dieses »Zukünftigsein« die »Zeitlich-keit« ist, in der die Geschichtlichkeit ihren Grund hat. Dabei verweist Bultmann auf Heideggers These, daß der Mensch als geschichtliches Wesen existieren kann, weil er ein zeitliches Wesen ist, nicht umgekehrt (GesEsch 168, Anm. 1).

»So ist klar, daß das Leben des Menschen . . . ein stets in die Zukunft gerichtetes Le-ben ist« (GesEsch 167), denn der Mensch ist immer unterwegs und kann sich niemals in einem gegebenen Augenblick so installieren, daß er sich voll zufrieden fühlen kann. Das bedeutet aber, daß das eigentliche Leben des Menschen stets vor ihm steht, daß es stets ergriffen, stets verwirklicht werden muß (GesEsch 167). Der Aufruf zur Entscheidung im »Augenblick« geht gerade aus der Zukunft hervor: »Jede Gegenwart ist in Frage ge-stellt und herausgefordert durch ihre Zukunft« (GesEsch 167). Zudem ist das Wesen des Menschen primär Wille (GV III, 159) und »der auf die Zukunft ausgerichtete Wille ist der Wille einer durch die Vergangenheit bestimmten Gegenwart« (GesEsch 168).

Nun kann diese »Bewegung« auf die Zukunft hin auch ihr Ziel verfehlen. Das würde dann bedeuten, daß die vom Menschen gesuchte Eigentlichkeit zugleich etwas ist, was vom Menschen gefordert wird: »Das bedeutet aber, . . . daß *sein Wollen zugleich ein Sol-len* ist. So ist das vom Menschen angestrebte Gute gleichzeitig auch das Gute, wie es in ethischem Sinn vom Menschen gefordert wird« (GesEsch 168). Die Dynamik des Men-schen, sein »Wollen«, ist so einer Anforderung unterworfen, einem »Sollen«: Zukünftig-sein ist Verantwortlichsein (GesEsch 169).

c) *Das »Sein durch den Ursprung«*: Ergänzen wir das, was wir über die Geschichtlich-keit nach Bultmann sagten dadurch, daß wir darauf hinweisen, daß der Mensch sich nach seiner Meinung auch für seinen Ursprung entscheidet (Gott oder das Nichts): Das Sein des Menschen ist ein »Sein aus«, nämlich aus dem Ursprung (ThNT 372, 375).

3. DIE LEIBLICHKEIT DES SEINS

Ein wesentliches Element des Wesens des Menschen ist der Willensdynamismus, durch den der Mensch auf die Eigentlichkeit ausgerichtet ist, der aber auch vor den zwei grundsätzlichen Möglichkeiten der Eigentlichkeit und der Uneigentlichkeit steht. Diese Tatsache wird von Bultmann besonders in seiner Untersuchung der Theologie des Pau-lus hervorgehoben. In seinem Aufsatz »Paulus« (RGG²) faßt er die paulinische Anthro-pologie wie folgt zusammen (dabei den ontischen Konkretisierungen des »Geschaffen-seins« und des »Seins vor Gott« Rechnung tragend):

»Die Begriffe Leib und Seele bezeichnen den Menschen hinsichtlich seiner Geschöpflich-keit, und die Begriffe Denken, Herz und Gewissen hinsichtlich seiner Verantwortung vor Gott« (»Paulus« 1034).

Die paulinische Anthropologie stellt den Menschen als ein leibliches Wesen dar. Nach Bultmann will Paulus mit dem Ausdruck »Leib« vor allem den Menschen bezeichnen, *»sofern er sich selbst zum Objekt seines Tuns machen kann oder sich selbst als Subjekt eines Ge-schehens, eines Erleidens erfährt.* Er kann also *sōma* genannt werden *sofern er ein Verhältnis zu sich selbst hat«,* d. h. sofern er sich in seinem Subjektsein von sich selbst distanziert und sich zu sich selbst wie zu dem Objekt des eigenen Handelns verhält; und auch sofern er sich selbst »als einem fremden, nicht dem eigenen Wollen entsprungenem Geschehen unterworfen erfahren kann« (ThNT 196). So schreibt Bultmann:

> »Gehört solches ›ein Verhältnis zu sich selbst Haben‹ zum Sein des Menschen, so liegt darin das Doppelte: die Möglichkeit mit sich selbst einig zu sein oder sich selbst entfremdet, mit sich selbst zwiespältig zu sein; die Möglichkeit, über sich zu verfügen, oder diese Verfügungskraft zu verlieren und fremder Macht preisgegeben zu sein, gehört zum menschlichen Sein als solchem. Dabei kann aber die fremde Macht als feindliche, den Menschen von sich selbst entfremdende erfahren werden, oder umgekehrt als eine hilfreiche Macht, die den sich selbst entfremdeten Menschen wieder zu sich selbst zurückbringt« (ThNT 196–197).

Was hier für die gesamte ontologische Struktur des Menschen gilt, gilt auch für sein körperliches Sein:

> »Sein *sōma*-Sein ist an sich weder etwas Gutes noch etwas Böses. Aber nur deshalb, weil er *sōma* ist, besteht für ihn die Möglichkeit, gut oder böse zu sein, ein Gottesverhältnis zu haben« (ThNT 199).

Nach Bultmann bringt die paulinische Terminologie im Zusammenhang mit dem Begriff »Leib« vor allem auch eine Erfahrung des »historischen Wesens« des Menschen zum Ausdruck, über das der Mensch nicht verfügen kann, und das die beiden Möglichkeiten hat, durch Gott oder durch die Sünde bestimmt zu sein (GV I,130 f). Außerdem ordnen sich die paulinischen Aussagen über den Leib, indem sie sich auf die materielle Leiblichkeit des Menschen beziehen, der Bedeutung von »Leib« als »Beziehung des Menschen zu sich selbst« unter (ThNT 203).

4. DER MENSCH ALS »INTENTIONALES SUBJEKT«

In der Theologie des Paulus gibt es verschiedene Begriffe, die sich auf den Menschen als Subjekt beziehen. Hier wollen wir sie kurz mit der jeweiligen, mit ihnen verbundenen Akzentuierung erwähnen:

– der »innere Mensch«: Dieser Begriff bringt das »Subjekt«, das »eigentliche Ich« zum Ausdruck, hat dabei allerdings bei Pulus nur »rein formalen Sinn« (ThNT 204);

– »Seele«: Dieser Ausdruck bezeichnet die »spezifisch menschliche Lebendigkeit« und bezieht sich demnach auf das Subjekt und die ihm eigene Intentionalität (ThNT 206);

– »Geist« (*pneuma*): In bezug auf den Menschen bezeichnet dieser Begriff das intentionale menschliche Subjekt (ThNT 207), wie das auch der Begriff »Seele« tut; allerdings wird mit »Geist« zudem auch auf den Menschen als bewußtes oder wissendes Ich hingewiesen (ThNT 208);

– »Denken«, »Geist« (*nous*): Dieser Begriff weist auf das menschliche Subjekt hin mit einer besonderen Aufmerksamkeit für die Bedeutung des menschlichen Bewußtseins, d. h. für das menschliche Wissen; dabei handelt es sich allerdings nicht um ein Erkennen, das vor allem bzw. exklusiv theoretischer Art ist, sondern um ein Wissen, das auch eine Stellungnahme, ein Wollen miteinschließt (ThNT 212–214); das Verstehen der in der Existenz gegebenen Möglichkeiten schließt eine Bewegung des Willens ein, der sich diese Möglichkeiten aneignet; Verstehen und Sichentscheiden bilden dabei eine Einheit (»Paulus« 1034 f);

– »Herz«: Dieser Ausdruck bezeichnet das menschliche Subjekt gerade als Subjekt des Wollens (ThNT 221); Bultmann weist zudem darauf hin, daß der Ausdruck auch eine verborgene Tendenz des Ichs bezeichnen kann, die sich der Ebene des Bewußtseins entzieht (ThNT 223 f).

All diese Ausdrücke bezeichnen das menschliche Subjekt mit besonderer Beachtung der vernünftigen Dynamik seines Wollens und sofern dieses Subjekt vor Möglichkeiten steht, in denen es seine Eigentlichkeit erlangen will. Gerade dies ist auch die Bedeutung des Ausdrucks »Leben« bei Paulus als ontologischer, auf den Menschen bezogener Begriff, der aber nach Bultmann nicht nur das »Subjektsein« in der diesem Subjektsein eigenen Dynamik des Lebens beschreibt, sondern auf die Tatsache verweist, daß beim Menschen das Subjektsein nicht etwas ist, was dieser schöpferisch aus sich selbst entstehen läßt (wie im Falle Gottes), sondern diesem Menschen nur gegeben werden kann (ThNT 211).

Das, was der Mensch in jenem verstehenden Streben erreichen will, wird von Bultmann mit verschiedenen Begriffen bezeichnet: Leben, »Selbst«, Gerechtigkeit, Eigentlichkeit, Geltung – einschließlich Geltung der letzten Instanz, Gott, gegenüber. Nach Bultmann wird mit jenen Ausdrücken auch immer etwas Authentisches bezeichnet, insoweit es sich um etwas handelt, was dem Mensch gegeben wurde.

Zwar sieht Bultmann durchaus, daß der Mensch kraft der Dynamik seiner Menschlichkeit Eigentlichkeit bzw. sein Leben – sein Subjektsein, sein Selbst – erreichen will. Aber er könne dieses nur dann auf authentische Weise erlangen, wenn er es als ein Geschenk Gottes empfängt (Exeg. 208). Nach Bultmann ist das Leben des Menschen »das ›Gute‹ im Sinne seines eigentlichen Seins« (ThNT 227). Zudem setzt Bultmann das Erlangen des »Lebens« dem Erlangen des »Selbst« gleich (ThNT 271,294). Auch entdeckt er im Menschen »eine Bestimmung zum Selbst«. Diese »Bestimmung zum Selbst ist unverlierbar und bleibt im Menschen ständig wirksam als die ihn ständig – bewußt oder unbewußt, eingestanden oder verdrängt – bewegende Frage nach dem, was er eigentlich ist« (GV II, 120).

Was die Beziehung zwischen »Eigentlichkeit«, »Gerechtigkeit« und »Geltung vor anderen« angeht, schreibt Bultmann: »Paulus weiß . . ., daß das Leben des Menschen beherrscht ist von einer Vorstellung vom Heil, von . . . einer Verfassung des Menschen, in der alles Fragen, und Klagen und alle Angst aufhört, – formal gesprochen: von der Vorstellung von des Menschen Eigentlichkeit«. Die Eigentlichkeit versteht Paulus überdies als »Gerechtigkeit«. (»Paulus« 1037). Diese ist primär »die Stellung, die er (= der Mensch) im Miteinandersein mit und vor anderen hat, vor allem aber vor Gott im Gericht. Seine Gerechtigkeit ist seine *Geltung*, die andere, vor allem Gott, ihm zuerkennen« (»Paulus« 1038). »Paulus weiß wohl, *daß der Mensch gar nicht existieren kann ohne Geltung*« (GV II, 152).

5. DAS »GEWISSEN«

Wie beim »leiblichen Sein« des Menschen bedeutet die Tatsache, daß der Mensch ein Gewissen hat, auch, daß der Mensch dadurch eine Beziehung zu sich selbst besitzt. Es handelt sich hier aber um eine andere Beziehung als die, die im »leiblichen Sein« gegeben ist, denn sie besteht in einem *Wissen um das eigene Verhalten*, das übrigens auch dieses Verhalten in seinem Bezug zum Transzendenten wertet.

Denn durch sein Gewissen steht der Mensch vor einer ihn bindenden transzendenten Instanz, deren Forderungen er gerade durch das Gewissen wahrnimmt. Durch das im Gewissen gegebene »Wissen um Gut und Böse und um das diesem entsprechende Verhalten in Einem« (ThNT 217) urteilt der Mensch als Subjekt über sich selbst als Objekt. Hier fällt sofort eine Ähnlichkeit der Tätigkeit des Gewissens mit der des Geistes (*nous*) auf, indem dieser die Möglichkeit hat, »die Forderung des Guten zu erkennen« (ThNT 215), allerdings mit dem Unterschied, daß das Wissen des Gewissens im Gegensatz zum Wissen des Geistes nicht ein »aus sein auf« einschließt, sondern gerade dieses »aus sein auf« beurteilend und reflektierend in den Blick faßt (ThNT 217).

Auch spielt das Gewissen eine entscheidende Rolle bei der Konstituierung des menschlichen Subjekts. Denn dieses wird gerade dadurch das, was es ist, daß es die Verantwortung eines ihm von einer transzendenten Instanz überantworteten Lebens auf sich nimmt:

> »Gerade in der συνείδησις angesichts einer ihr transzendenten Macht konstituiert sich das Ich als je meines« (ThNT 219).

6. DAS »MITEINANDERSEIN«

In Hinblick auf die Thematik der Sünde ist auch das »Miteinandersein« der Menschen besonders wichtig. Bultmann ist der Überzeugung, daß das Sein des Menschen »von vornherein ein Sein mit Anderen« und das Ich–Du-Verhältnis eine ursprüngliche Gegebenheit des menschlichen Daseins ist (GV I, 231). Gerade das moralische Handeln des Menschen – ein Handeln, dessen sittlicher Charakter »in seinem Gehorsam gegen den im Jetzt erklingenden Anspruch« liegt (ebd.) – steht immer zu diesem »Miteinandersein« in Beziehung. Dies geschieht konkret in einem Ich–Du-Verhältnis, das keineswegs etwas ist, »was erst hergestellt werden muß«: Das »Miteinandersein« ist von vornherein gegeben, und daher muß das sittliche Handeln aus der *»primären Verbundenheit von Ich und Du heraus«* verstanden werden (ebd).

Sonst würde man, so Bultmann, »die Menschen als isolierte Subjekte, wie in einem leeren Raum« verstehen. Es wäre, als ob der Mensch erst nach einem Du, nach dem Nächsten fragen müßte, um mit ihm in Beziehung treten zu können. In einem solchen Fragen mißverstehe »ich das Ich, als sei es je ohne das Du; und ich mißverstehe das Du, als sei es ein vorhandenes Weltphänomen, das es zu beobachten und zu behandeln gibt«, als könnte ich hier Fragen stellen. Deshalb ist schon das Fragen nach dem andern, »Wer ist denn mein Nächster?«, ein falsches Handeln an ihm und ein Mißverständnis (ebd.).

Gerade aus diesem »Miteinandersein« geht die Forderung sittlichen Handelns, geht die Ethik (GV I, 233 f), geht das Gesetz (»Paulus« 1037) hervor. Auf diese Situation des Miteinanders bezieht sich auch das Recht (GV I, 194). Gerade in dem Miteinander von Ich und Du und besonders dann, wenn dieses Miteinander als Begegnung mit dem Du durch christlichen Glauben und christliche Liebe qualifiziert ist, erreicht uns die Frage des Wortes der Vergebung, ob wir zum neuen Äon gehören wollen (GV I,110). Gott »begegnet immer neu und in neuer Gestalt in den Begegnungen des menschlichen Miteinander, in denen jeweils meine Entscheidung gefordert wird, – meine Entscheidung für den Begegnenden als den jeweils ›Nächsten‹ zu sein« (GV II, 136).[97]

---

97   Für Bultmann kann die Ethik die sittliche Situation nur existential, nicht existentiell interpretieren (GV I, 234).

Dieses Miteinandersein gehört zum Wesen des Menschen; in ihm gewinnt der Mensch seinen eigentlichen Cahrakter und schließlich ist es auch durch dieses Miteinandersein, daß menschliches Sein geschichtliches Sein ist:

> »Das Sein des Menschen ist ein zeitlich-geschichtliches Miteinandersein« (GV I, 235);
>
> »..., weil der Mensch seinen eigentlichen Charakter durch sein Verhalten im Miteinander von Mensch und Mensch gewinnt« (GV I, 194);
>
> »Menschliches Sein ist *Miteinandersein*, und damit ist es *geschichtliches* Sein im Unterschied vom Sein der Natur« (GV I, 231).

Zusammenfassend können wir über die existentiale Anthropologie Bultmanns sagen, daß er die auf das Erreichen der Eigentlichkeit ausgerichtete menschliche Dynamik, in der sich das menschliche Verstehen und die Bewegung des Wollens vereinen, als das wesentliche Merkmal des Menschen betrachtet – wobei das Wissen um diese Eigentlichkeit zur menschlichen Existenz als solcher gehört (KuM I, 36), sie selbst aber nur als eine Gabe empfangen werden kann. Dies wird von Bultmann auch wie folgt formuliert: Der Mensch stellt nicht nur Fragen, ist nicht nur voll von Fragen: »der Mensch *ist* Frage« (GV IV, 54) und kann nicht aufhören, Frage zu sein. In der Frage, die das gesamte menschliche Leben durchzieht, kommt das Geschaffensein des Menschen zum Ausdruck (s. ThNT 378 f; GV II, 120).

Zudem steht der Mensch aufgrund seiner Natur selbst vor zwei grundsätzlichen Möglichkeiten: vor der der Eigentlichkeit und vor der der Uneigentlichkeit. Diese Tatsache findet ihre ontische Konkretisierung darin, daß der Mensch sich entweder von Gott ausgehend als Geschöpf versteht oder daß er statt dessen von sich selbst ausgeht und sich an die Stelle Gottes stellt.

DRITTES KAPITEL:
DIE ONTISCHE KONKRETISIERUNG
DES MENSCHLICHEN DASEINS: DIE SÜNDE

Nach Bultmanns Auffassung wissen wir durch die Offenbarung, und nur durch die Offenbarung, daß der Mensch von Anfang an in seinem Versuch gescheitert ist, Eigentlichkeit – seine Geltung vor anderen, sein »Leben« – zu erlangen: »Darin zeichnet sich ab, daß Paulus der Meinung ist: *der Mensch hat immer schon sein eigentliches Sein verfehlt*, sein Trachten ist von vornherein ein verkehrtes, böses« (ThNT 227). Und wenn die Existenz des Menschen schon immer ein »Miteinandersein«, ein »Sein zu anderen« beinhaltet, dann bedeutet das, daß ihm auch schon immer die Forderung der Liebe auf die eine oder andere Weise bekannt ist – daß er auch schon immer eine Art Vorwissen um das christliche Liebesgebot besitzt. Allerdings wurde nach Bultmann diese Grundgegebenheit auch immer schon falsch verstanden, und daher zielt der natürliche Mensch »auf die Durchsetzung des Ichs gegenüber dem Du« (GV I, 237 f und 231).

Aber genau dies ist Sünde, Schuld vor Gott. Denn, so Bultmann, das Neue Testament sieht den Menschen stets als vor Gott gestellt (ThNT 228).

1. DER VOR GOTT GESTELLTE MENSCH

Nach Bultmann ist Paulus in einem gewissen Sinne der Meinung: »Die ontologische Möglichkeit, gut oder böse zu sein, ist zugleich die ontische Möglichkeit ein Gottesverhältnis zu haben« (ThNT 228). Wenige Zeilen später fährt er fort:

> »Die ontologische Möglichkeit, gut oder böse zu sein, ist ontisch die Wahl, den Schöpfer anzuerkennen und ihm zu gehorchen, oder den Gehorsam zu verweigern. Die ... Forderung des Guten ist die Forderung Gottes ...; und der Ungehorsam ist deshalb Sünde« (ThNT 228).

Zuvor hatte er schon geschrieben:

> »*Paulus sieht den Menschen stets als vor Gott gestellt* ... und Gott ist für Paulus nicht die mythologische Bezeichnung für einen ontologischen Sachverhalt, sondern der persönliche Gott, der der Schöpfer des Menschen ist und von ihm Gehorsam verlangt« (ebd.).[98]

Zu diesem Verständnis des Menschen als jemand, der stets vor Gott gestellt ist, gehört auch, daß dieser Mensch von Anfang an die Möglichkeit der Gotteserkenntnis besaß (ThNT 229), daß er Gott als Schöpfer und daher auch sich selbst als ein vor Gottes Anspruch gestelltes Geschöpf hätte erkennen können (ThNT 228 f). Der Aufruf zu einer eigentlichen Existenz, »der Ruf, der je aus der Situation an den Menschen ergeht, ist der Ruf Gottes« (GesEsch 50).

Als Geschöpf steht der Mensch also von Anfang an zu Gott in einer Beziehung. Bultmann redet dann auch von einem »ursprünglichen Schöpfungsverhältnis«, dem eine »natürliche Offenbarung« entspricht, die nur »ein Wissen des Menschen um sich selbst« enthalte (GV III, 26). Anders gesagt: Jenem Schöpfungsverhältnis entspricht eine »Schöpfungsoffenbarung« (EvJoh 26 f), durch die der Mensch ursprünglich über die Möglichkeit verfügte, Gott zu erkennen und sich selbst als Geschöpf zu verstehen (EvJoh 22 und 25).

Als Schöpfer ist Gott das »Woher« des Menschen. Zudem ist er der Gott der Zukunft, der dem Menschen in der »Situation«, im »Augenblick« als Zukunft, die in sich die Gabe der Eigentlichkeit birgt, entgegentritt.

Hier müssen wir hervorheben, daß nach Bultmanns Meinung Gott nicht »objektiv« erkannt werden kann, denn er kann für den Menschen kein »Objekt« sein, das als »einfach vorhanden« betrachtet werden könnte. Gott kann man nicht als einen Sachverhalt, als ein »Was« erkennen: Er ist ja »der persönliche Gott, der der Schöpfer des Menschen ist und von ihm Gehorsam verlangt« (ThNT 228). Sein Wesen ist nach Bultmann primär Wille (GV III, 59) und er wird durch den Willen des Menschen erkannt.[99] Was dem Menschen im Augenblick – und im »menschlichen Miteinander« (GV II, 136) – begegnet, ist gerade der Wille, die Forderung Gottes, die der Mensch durch das Phänomen seines Gewissens erkennen kann.

Weil der Mensch »vor Gott gestellt« ist, ist das Scheitern des Menschen von Anfang an in seinem Versuch, seine Eigentlichkeit zu erlangen, nicht nur – wie es nach hellenistischem Verständnis der Fall sein würde – ein Verfehlen des Menschen, sondern auch *Sün-*

---

98 Bultmann sieht ein solches Verständnis des »Menschen vor Gott« weiter auch noch bestätigt von der Bedeutung, die Paulus den Begriffen »Mensch« und »Schöpfung« gibt und in der auch eine gewisse Beziehung zu Gott mitenthalten ist (ThNT 230 f; »Paulus« 1031, 1034 f).

99 R. Bultmann, Reich Gottes und Menschensohn: ThR 9 (1937) 19.

de, d. h. Schuld vor Gott, Rebellion gegen Gott. Allerdings wird sie als solche nur durch den Glauben vom Menschen erkannt. Nur das im Glauben angenommene Wort der Offenbarung sagt dem Menschen, daß er Sünder ist.

Man kann Bultmann nicht verstehen, wenn man nicht darauf achtet, daß für ihn das, was die Offenbarung über die Sünde mitteilt, mehr ist als die reine Kommunikation eines nur die Vergangenheit berührenden Wissens. Nach seiner Meinung können ja Glaube und Sünde nur in ihrer paradoxen – dialektischen[100] – Beziehung verstanden werden. Dabei handelt es sich hier um eine Grundüberzeugung Bultmanns, die eine Schlüsselbedeutung hat, will man sein Denken verstehen (GV I, 22 f).

Zudem betont Bultmann seit 1922 mit Nachdruck, daß es keine Erfahrung, kein Gefühl der Sünde gibt, daß sie also nicht historisch-empirisch wahrgenommen werden kann. Um die Sünde und die Radikalität, mit der sie Mensch und Welt bestimmt, wissen wir nur, weil die Offenbarung uns Entsprechendes sagt.[101] Zwei Jahre bevor Bultmann dies in seiner Rezension von Barths Kommentar zum Römerbrief schrieb, hatte er schon darauf hingewiesen, daß das Ausmaß der Sünde nicht vom Sittengesetz bestimmt wird, denn die Sünde transzendiert die Dimension des Moralischen. Die Offenbarung dagegen läßt die Sünde vom Standpunkt Gottes aus sehen. Demnach ist der Sünder unrein vor dem ganz anderen.[102]

2. DIE SÜNDE ALS »SELBSTBEHAUPTUNG« DES MENSCHEN

Die Offenheit des Menschen der Zukunft gegenüber bedeutet auch, daß er von Unsicherheit und Angst befallen ist. Diese Situation kann der Mensch, so Bultmann, nicht ertragen. Daher läßt er sich von seinem Verlangen nach Sicherheit leiten, und er verfällt dabei der Täuschung, daß er sich diese Sicherheit selbst verschaffen kann (NTuMyth: KuM I, 28). Der Mensch hält es nicht aus, »in der Ungesichertheit vor Gott zu leben« (GV III, 42). Hierbei handelt es sich dann letztlich um »die Angst vor Gott, der immer der kommende Gott ist« (GV III, 163, vgl. GesEsch. 110). So besteht das Grundverhalten des »natürlichen Menschen« gerade darin, sich selbst die Sicherheit seines Daseins beschaffen zu wollen, das Ungesichertsein nicht auszuhalten, nicht zu ertragen, daß Gott immer der kommende Gott ist (GV III, 42).

Der Mensch will eine eigene Sicherheit haben und sich an ihr festhalten (GV I, 140; »Paulus« 1032). Diese Sicherheit meint er dadurch zu erlangen, daß er sich für ein bestimmtes Selbstverständnis entscheidet, in dem er sich ausgehend von sich selbst versteht und behaupten will. Das heißt aber im Grunde, daß er sich selbst gegen Gott behauptet. In dieser Selbstbehauptung ausgehend von sich selbst – und in der entsprechenden Ausrichtung seines Lebens – verschließt der Mensch sich der Zukunft: Faktisch meint der Mensch, dazu verführt durch seine Geschichtlichkeit, über seine Zukunft verfügen zu können. Dabei müßte gerade diese Geschichtlichkeit den Menschen erkennen lassen, »daß sein eigentliches Selbst ihm immer nur als Geschenk von der Zukunft entgegengebracht werden kann« (GesEsch 179). Statt dessen weckt aber die Geschichtlichkeit als Verantwortlichkeit für die Zukunft im Menschen den Wahn des Verfügenkönnens über

100 Siehe unten s. 91 f.
101 BULTMANN, K. Barths Römerbrief 321.
102 BULTMANN, Ethische und mystische Religion 724.

die Zukunft, in der er sein eigentliches Sein besitzen werde. Dadurch vergißt er aber, daß er sein »Selbst« nur erlangen kann, indem er es als ein Geschenk empfängt (GesEsch 179). So vergißt er auch, daß er nur aus der Gnade leben kann (Urchr 200). Diesbezüglich hält uns dann die Offenbarung gerade folgendes vor Augen,

> »daß es die erste und die letzte Sünde des Menschen ist, aus eigener Kraft er selbst sein zu wollen, und daß diese Sünde auch noch in dem Willen zur Selbstpreisgabe steckt, sofern sich das Selbst durch sie gewinnen will« (GV II, 272).

Die Radikalität der Sünde wurzelt in der Verfallenheit des Menschen, des Selbst des Menschen – sein Wille ist verdorben. Daher ist auch alles Handeln des Menschen das Handeln eines »verfallenen« Subjekts (NTuMyth: KuM I, 36 ff).

Die »Ursünde« ist also in eine »Urtat«[103] des Selbstverständnisses und der Entscheidung für die Selbstbehauptung gegeben, wodurch der Mensch sich anmaßt:

– »sich von sich selbst her (zu) verstehen« (GV III, 24);
– »selbst sein zu wollen« (GV II, 11; »Paulus« 1035);
– »selbst sein Leben in die Hand nehmen zu wollen« (GV II, 11; vgl. Exeg. 208);
– durch sich, von sich aus zu existieren (vgl. GV I, 31 f);
– *zusammenfassend*: wodurch er sich selbst behaupten (GV I, 140 und 196) und sein Selbst durch sein eigenes Handeln erlangen will (KuM I, 125).

Nun ist diese Anmaßung, sich von sich selbst her verstehen zu wollen, auch ein »Vergessen« (GV III, 26): Der Mensch vergißt den ursprünglichen, ihn dauernd bestimmenden Zustand seiner »Geschöpflichkeit« (»Paulus« 1035). Das aber ist Hochmut und ein »Sich-an-Gottes-Stelle-Setzen« (GV III, 25), ein »Sein-wollen wie Gott« (Exeg 208; GV II, 11). Diese Anmaßung ist »der Glaube des Menschen an sich selbst, also der Gegensatz zum Gottesglauben« (GV II, 17).[104]

3. DIE SÜNDE ALS ABFALL VON GOTT

Wenn der Mensch sich von sich selbst her verstehen will, dann tut er das trotz des Anspruchs Gottes, der »den Menschen in seinem gegenwärtigen Hier und Jetzt trifft« (Jesus 176, 181 f), trotz der in jedem gegebenen Augenblick offenen Möglichkeit, Gott als Schöpfer anzuerkennen (ThNT 251; GV III, 26; GV I, 136). Der Mensch könnte ja zu der auch eine Anerkennung Gottes enthaltenden Erkenntnis gelangen, daß die Welt

---

103 Da Bultmann die Sünde eine »Tat« nennt, könnte man die »Ursünde« eine »Urtat« nennen. Man sollte allerdings auch der Tatsache Rechnung tragen, daß nach Bultmanns Meinung die Sünde auch eine Pervertierung der »Tat« ist und diese dadurch zum »Werk« wird (ThNT 251 f; vgl. GV I, 310; III, 26).

104 Für die Theologie ist »Unglaube« das, was die Philosophie unter Freiheit versteht: als die ursprüngliche Freiheit, in der sich die menschliche Existenz konstituiert und in der diese Existenz ihre Eigentlichkeit zu besitzen meint (GV I, 309 f). Als eine solche Freiheit ist der Unglaube die Grundverfassung des menschlichen Daseins (ebd. 309). Wenn es auch stimmt, daß wir nur durch den Glauben die Sünde wirklich erkennen, ist zweifelsohne auch sicher, daß die Philosophie ein gewisses *Vorverständnis* der Sünde besitzt. Sie besitzt ein solches Vorverständnis, weil sie ein gewisses Verständnis der Problematik hat, welche der menschlichen Existenz und Freiheit eigen ist und welche aus der in Freiheit getroffenen Entscheidung hervorgeht, durch die sich die Existenz des Menschen konstituiert – und die die Theologie als Unglauben versteht (ebd. 309 f). Dieser Unglaube ist, so Bultmann, »von vornherein auf den Glauben angelegt« (ebd. 311). Die Philosophie aber muß sich nach seiner Meinung auf die Analyse der ontologischen Möglichkeiten beschränken.

von Gott erschaffen worden ist, und dementsprechend »Gott die Ehre geben«: »Es gibt also eine ›natürliche Offenbarung‹, oder es *gab* sie wenigstens« (GV III,26). Daher ist die Entscheidung des Menschen, sich von sich selbst aus zu verstehen und selbst sein Leben in die Hand nehmen zu wollen, die Sünde »des Abfalls vom Schöpfer« (ThNT 251), wobei der Mensch »seine Geschöpflichkeit vergißt« (»Paulus« 1035).[105] Sie ist, so Bultmann,

> »die in jeder Gegenwart sich wiederholende Ursünde des Abfalls, angesichts der für jede Gegenwart offenstehenden Möglichkeit der Gotteserkenntnis« (ThNT 251).

Dieser Akt der Entscheidung für ein verfehltes Selbstverständnis ist also die Umkehrung – die Inversion – des Verhältnisses Schöpfer–Geschöpf: Er ist Ungehorsam und Empörung gegen Gott (Urchr. 198). Bultmann spricht hier wiederholt von einer »Ursünde«, d. h. einer Sünde, die jeder anderen Art von Sünde zugrunde liegt (GV III, 24). Nach Bultmanns Meinung besitzt der Mensch eine Art Vorwissen über Gott, indem er um ein eigenes, beunruhigendes Stehen »im Rätsel und im Unheimlichen« weiß (GV I, 302). In seiner Angst aber vor dem eigenen Ungesichertsein – und in seinem Streben nach Sicherheit – maßt er sich an, über jene Macht zu verfügen, von der er sich auf die eine oder andere Weise abhängig weiß (GV I, 300). Der Mensch hat »Angst, zunichte zu werden, wenn man nicht selbst etwas aus sich macht« (GV II, 48). Er kann es nicht ertragen, nur von Gottes Gnade zu leben und will daher nur aus eigener Kraft, von sich aus leben. Das ist aber Empörung gegen Gott, Angst vor Gott, Haß gegen Gott, der der Gott der Gnade ist (GV II, 48).

4. DIE SÜNDE ALS EIN »SEIN AUS DEM VORHANDENEN«

Der sündige Mensch versteht sich von sich selbst her und will aus eigener Kraft sein eigentliches Selbst erlangen. Das heißt nicht nur, daß er sich von seinem Schöpfer abwendet, von ihm abfällt, sondern auch, daß sein Selbstverständnis radikal dadurch geprägt ist, daß er sein Sein ausgehend von dem Geschaffenen und »Vorhandenen, Geleisteten, Greif- und Aufweisbaren versteht« (»Paulus« 1035). Dadurch stellt er seine Beziehung zur Schöpfung auf den Kopf, denn er will sein eigentliches Sein aus dem Geschaffenen herleiten und »vergißt«, daß er es nur als ein Geschenk von seinem Schöpfer empfangen kann. Das aber bedeutet die Abwendung vom Schöpfer und die *Hinwendung zur Schöpfung* (ThNT 239, 241, 232 f; vgl. 210).

Die Folge ist, daß der Mensch weiterhin dem Verfallensein und der Ungesicherheit ausgesetzt ist, denn das innerweltlich »Vorhandene«, auf das er sich stützt, ist vergänglich und hinfällig (»Paulus« 1032, 1035):

> »Indem er (= der Mensch) sich aus dem Vergänglichen, Vorläufigen versteht, ist sein Sein kein eigentliches Sein, sondern ein dem Vergehen Verfallenes« (»Paulus« 1032).

Der Mensch hat also über das Innerweltliche verfügen wollen, um seine Sicherheit zu erlangen, und hat dabei sein Geschaffensein vergessen. Er bleibt aber dem Innerweltlichen

---

105   Nach Bultmann ist die »Verfallenheit«, von der die Philosophie redet, »erst vom Glauben her als aversio a Deo sichtbar (weil erst dem Glauben Gott als Person begegnet)« (KuM I, 124). Für die Philosophie ist der »Zustand der Verfallenheit« nicht die »Freiheit«, für Bultmann aber kann man durchaus den »Unglaube« mit »Freiheit« in der Philosophie gleichsetzen, siehe Anm. 104.

und daher auch der Unsicherheit unterworfen (GV I, 139 f). In diesem Kontext bedeutet der paulinische Ausdruck »nach dem Fleisch« in Verbindung mit einem Verb, daß das
»Fleisch« – das Innerweltliche als die spezifisch menschlich-irdische Sphäre des menschlichen Lebens – zur Norm des menschlichen Verhaltens geworden ist. »Nach dem Fleische leben« bezeichnet dann das Leben – die Dynamik – des Menschen, insoweit dieses
sich nur auf das »Nur-Menschliche, Irdisch-Vergängliche« ausrichtet (ThNT 238; vgl.
236).

Die Zeit »vor dem Glauben« wird von Paulus als eine Zeit, in der die Angst herrschte,
als eine »Zeit der Knechtschaft« bezeichnet (ThNT 243; vgl. Röm 8,15). Der Mensch
will sein Leben gestalten, indem er über das Weltlich-Greifbare verfügen will, aber er
»macht sich in Wahrheit von dem abhängig, worüber er verfügen zu können meint«
(ThNT 244)[106]: »So kommt darin die ganze Paradoxie zutage, daß der scheinbar sich
selbst gehörende, über sich verfügende Mensch ein Sklave ist . . .
Ja, man könnte sagen, wer κατὰ σάρκα lebt, der macht die σάρξ zu seinem Gott« (ThNT
244; vgl. 245).

5. DIE SÜNDE UND DIE UMKEHRUNG
DER MENSCHLICHEN DYNAMIK

Wie wir gesehen haben, trägt die theologische Anthropologie Bultmanns besonders
der dem menschlichen Dasein eigenen Dynamik Rechnung: Das Wesentliche am Menschen ist sein Wille, der auf ein eigenes Ziel ausgerichtet ist, das zugleich in dem besteht,
was der Mensch *verlangt*, und in dem, was er *braucht*. Zudem ist Bultmann der Auffassung, daß eine richtige Interpretation des Neuen Testaments zu denselben Einsichten
führt. Das Grundelement dieser menschlichen Dynamik nennt er »Geltungsbedürfnis«,
und diese »Geltung«, die der Mensch braucht und anstrebt, setzt er dem biblischen Begriff »Gerechtigkeit« gleich, insoweit dieser als ein forensischer Begriff verstanden wird.
In der Tat schreibt Bultmann, daß

– dieses Geltungsbedürfnis auch immer das Bedürfnis ist, vor anderen zu gelten und von
  ihnen (und im Grunde auch von der letzten Instanz, d. h. von Gott) anerkannt zu werden (GV II, 151); daß es sich bei diesem Bedürfnis um eine Grundgegebenheit des
  menschlichen Lebens handelt und dieses immer damit zu tun hat, daß der Mensch mit
  anderen leben muß, daß also dieses Bedürfnis nur im entsprechenden »Urteil anderer«
  befriedigt werden und der Mensch ohne eine solche Geltung gar nicht existieren kann
  (GV II, 152);

– daß diese Geltung vor anderen, die der Mensch anstrebt und braucht, genau das ist,
  was von dem paulinischen (und alttestamentlichen) Begriff »Gerechtigkeit« bezeichnet wird, wenn dieser im forensischen Sinn gebraucht wird, wenn dieser also eine Relation und nicht eine ethische Qualität meint (ThNT 273; vgl. Urchr. 49; »Paulus«
  1038);

– daß es zudem die Geltung vor der höchsten, letzten Instanz ist, die dem Menschen
  sein »Recht« gibt und ihn »bestätigt gegenüber aller Selbstunsicherheit und allen

---

106 Auch ist Bultmann der Auffassung, daß der Mensch, der sich von sich her versteht und so Gott »vergißt«, sich dadurch auch von einem falschen Ursprung, nämlich von dem Nichts her versteht, denn
     der Mensch existiert entweder ausgehend von Gott oder vom Nichts.

Zweifeln« an sich selbst; daß der Mensch sich seiner selbst im Urteil anderer Menschen sicher werden will und er seine letzte Selbstsicherheit im Urteil der letzten Instanz zu gewinnen hofft (GV II, 152).

Zudem setzt Bultmann zur Bezeichnung des Zieles der menschlichen Dynamik folgende Begriffe einander gleich:

- »Geltung« und »Gerechtigkeit«, wenn dieser Begriff im forensischen Sinn gebraucht wird (ThNT 273); »Geltung« und »Selbstbewußtsein« (GV II, 152);
- »Gerechtigkeit« und »Eigentlichkeit« (»Paulus« 1037);
- »Gerechtigkeit«, »Heil« und »Leben« – allerdings spezifiziert Bultmann für diese Begriffe bei Paulus: »Genau genommen ist die Gerechtigkeit die Bedingung für den Empfang des Heils, des Lebens« (ThNT 272);
- »Gerechtigkeit«, »Geltung« und »Ehre« (GV II, 152).

Nun ist diese Dynamik im Menschen, »das Geltungsbedürfnis . . . als solches nichts Perverses, sondern dem Menschen, der mit anderen und vor anderen leben muß, angemessen« (GV II, 152). Es ist aber ein »Grundmißverständnis«, wenn dieser Mensch meint, aufgrund eigener Aktivität – »Leistung«, »Werk« – ein Recht, einen Anspruch auf Geltung – vor den anderen und vor der letzten Instanz – begründen zu können (GV II, 152-153; vgl. GV II, 159 f; »Paulus« 1035; GV II, 272). Wer sich von sich selbst her versteht, versteht sich ausgehend von dem, was er tut, und will auch sein Leben von sich aus gestalten. Dadurch aber verkehrt er die in ihm wie in jedem Menschen existierende Dynamik: Aus dem »Geltungsbedürfnis« wird dann, so Bultmann, »Geltungsdrang« (GV II, 152-153).

Verschiedene Ausdrücke bezeichnen die negative Seite dieser Dynamik, die dann gegeben ist, wenn der Mensch sich durch eigene Leistung, durch die eigenen Werke Geltung verschaffen will. Die wichtigsten sind:

- »Geltungsdrang«, »Geltenwollen« (GV II, 152);
- zu meinen, »aus eigener Kraft . . . seine Geltung vor Gott gewinnen zu können«; hierbei handelt es sich um die »Ursünde« des sich vor Gott rühmen Wollens (Urchr. 199; ThNT 383 f);
- die Anmaßung, die »Gerechtigkeit« vor Gott durch »gute Werke« zu erlangen; diese Anmaßung ist die Wurzel der »Ursünde« (Urchr. 199 f, 49, 195);
- »Sich-rühmen« (GV II, 152), » seinen Ruhm suchen« (GV II, 151);
- »aus eigener Kraft leben wollen« (GV III, 42);
- »Selbstseinwollen« (»Paulus« 1035);
- »das ›Rühmen‹ und ›Vertrauen‹, das sich auf all das gründet, was durch die Schätzung oder Leistung des Menschen als Wert gilt« (»Paulus« 1032);
- »durch seine Leistung seinen Ruhm vor Gott zu suchen (Exeg 217);
- die »Grundsünde« des »Sichrühmens« vor Gott; der Anspruch sich aus eigener Kraft vor Gott ein Recht begründen zu können (GV III, 162; GesEsch 110).

Bei dieser Pervertierung der menschlichen Dynamik spielt das *Verlangen des Menschen nach Sicherheit* eine wichtige Rolle. Der Mensch braucht Sicherheit und erträgt nicht das Ungesichertsein seiner Situation vor Gott, der immer der Gott ist, der kommt, und die eigene Unsicherheit als geschaffenes Wesen, das seine Eigentlichkeit nicht selbst erlangen, sondern nur als Geschenk empfangen kann. Daher verfällt er dem Fehler, sein Leben von sich selbst her gestalten zu wollen – und dabei sich von sich selbst her zu verstehen – und zu glauben, daß er durch eigene Kraft und Leistung Sicherheit erlangen kann (»Paulus« 1035; vgl. GV I, 221 f: »Aber das ist im Grunde die Sünde der Welt überhaupt: *sich und Gott aus Leistung und Werk zu verstehen*«).

Das Wesen der Sünde liegt, so Bultmann, nach der Auffassung von Paulus und Johannes gerade darin, daß er seine Ungesichertheit vor Gott nicht aushält und sich die Sicherheit seines Daseins selbst beschaffen will, sei es ausgehend von der verfügbaren Welt, sei es durch formale Gesetzeskorrektheit (GV III, 42). Dieses Festhalten am Verfügbaren – auch an den eigenen guten Werken – ist Zeichen des Strebens nach Sicherheit und der Angst, sich auf den Weg zur Zukunft zu machen – der Angst vor Gott, der immer der kommende Gott ist (GV III, 162 f; GesEsch 110): Der eigentliche Kern der Sünde ist die Angst (GV II, 71). Das, was der Mensch im Grunde will, ist sich festhalten und festklammern (GV III, 163) und der bleiben, der er ist. Darin eben besteht das Wesen der Sünde (GesEsch 50).

Auf diese Weise bleibt der Mensch in »seiner eigenen Vergangenheit, die ihm anhaftet« und die er in gewisser Weise selbst ist (GesEsch 108). Er will nicht von ihr befreit werden (GesEsch 50) und verschließt sich der Zukunft (GV II, 71), denn er will es nicht riskieren, sich der Zukünftigkeit Gottes auszusetzen (GesEsch 110). Dadurch aber »bleibt er der Alte, durch seine Vergangenheit Determinierte« (GesEsch 179 f). Dadurch verschließt er sich aber auch dem Augenblick und der Forderung des Augenblicks und schreckt vor der damit verbundenen Verantwortung und Entscheidung zurück (GV I, 304), sei es, daß er in irgendeiner Weltanschauung Zuflucht sucht, sei es, daß er sich der einen oder anderen Form der Flucht vor der Welt hingibt (GV II,8). Zudem verschließt er sich so gegenüber Gott und dem Nächsten – dem »anderen« –, deren Anspruch ihm gerade im »Augenblick« begegnet (GV I, 304; II,8; KuM I, 27–29). Auch ist die Sünde ein Sichisolieren (Urchr. 49).

Kurzum: Wer aus dem lebt, was er schon ist, von seiner Vergangenheit her, tut nichts anderes, als sich immer mehr auf seine Sünde festzulegen (GV II, 70).

Die Pervertierung der menschlichen Dynamik zeigt sich auch unter den beiden folgenden Formen: die »Tat« wird zum »Werk«, und der Mensch, der Frage ist, gibt sich selbst die Antwort.

Bultmann betrachtet ja das negativ als »Werk« bezeichnete Verhalten des Geltenwollens aufgrund eigener Leistung als den Gegensatz zum Glauben (GV II, 153 f) und schreibt wenig später weiter: »Beim Werk bleibe ich der, der ich bin; ich setze es aus mir heraus, ich trete neben es« (GV II, 156). Während hier beim »Werk« das wirkende Subjekt neben das treten kann, was er tut, indem er es objektiviert und aus einer gewissen Distanz betrachtet, kommt er dagegen in der »Tat« zu sich selbst: »In der Tat *werde* ich überhaupt erst; ich finde mein Sein in ihr, ich lebe in ihr und stehe nicht neben ihr« (ebd.). Wollte der Mensch nun auf sich und seine Tat blicken und sie daher objektivieren wollen, so degradierte er sie zum Werk (ebd.).

In diesem Kontext ist der Glaube der Verzicht darauf, sich rühmen und etwas gelten zu wollen (GV II, 152 f). Er verzichtet auf jedes »Werk« (GV II, 156), denn er ist »die *Entscheidung* des Menschen gegen sich und für Gott« (ebd.).

Außerdem vergißt der Mensch, der sich aus eigener Kraft Ehre und Geltung verschaffen will, daß er ein geschaffenes Wesen und daß er zudem in seinem ganzen Sein Frage ist (GV I, 221 f; ThNT 383 f). Die Suche-Frage, die der Mensch ist, wird dann verkehrt, wenn der Mensch in seinem verfehlten Selbstverständnis sich selbst die Antwort zu geben anmaßt (GV I, 304) und meint, in dem Vorverständnis, das in seinem Fragen nach Gott enthalten ist, ein positives Wissen über Gott zu besitzen (GV II, 94,99).

6. DIE SÜNDE ALS VERKEHRUNG
DER ZWISCHENMENSCHLICHEN BEZIEHUNG.
DIE SÜNDE ALS MACHT

Der Mensch, der sich von sich her versteht, verschließt sich dem Augenblick und dem Anspruch des »Hier und Jetzt«. Das Ich sucht sich zu verwirklichen, tut dies aber so, daß dadurch das »Miteinandersein«, das »Ich–Du-Verhältnis« angetastet wird (vgl. GV I, 231): Der »natürliche Mensch« neigt in seinem Leben zu Zerstörung und Zersetzung und dies bedeutet in Wirklichkeit, daß das Ich sich gegenüber dem Du durchsetzt (GV I, 237 f). Und dies geschieht sowohl, wenn man den moralischen Imperativ aus einem ethischen Ideal herleiten will, als auch, wenn man die Liebe als Eros versteht. Im ersten Fall nimmt man den »im Jetzt erklingenden Anspruch« nicht wahr (GV I, 230). Im zweiten wird die Liebe verstanden als »das Verlangen nach dem, was der Mensch noch nicht hat«, als »Drang nach der Steigerung meines Lebens« (GV I, 237).

Nach Bultmanns Auffassung war es zwar immer möglich, den Anspruch der Liebe wahrzunehmen, in Wirklichkeit aber ist dieser immer mißverstanden worden (GV I, 237 f).

Aus diesem »Miteinandersein« des Menschen gehen das Gesetz und das Recht hervor (»Paulus« 1037). Weil aber dieses Miteinandersein mißverstanden wird, wird auch die Bedeutung des Gesetzes und des Rechts, wird das gesamte Geflecht der zwischenmenschlichen Beziehungen, in der Sprache des Neuen Testaments »kosmos«, »Menschenwelt« (ThNT 255, 257, 367; vgl. GV I, 140), verkehrt. Hierdurch wird »Menschenwelt« in einem gewissen Sinne synonym mit »Fleisch«, insoweit »Fleisch« »die ganze Sphäre des Irdisch-›Natürlichen‹ bedeuten kann« (ThNT 234 im Kontext 234 f). Die zwischenmenschlichen Beziehungen müßten von der Liebe inspiriert sein, sind aber von Mißtrauen, Egoismus und Haß geprägt (GV I, 242 f; vgl. 104). Das Recht, das im Dienst des »Du« stehen müßte, wird zu einem formalen Legalismus im Dienst des »Ich« (GV I, 194). Die »Welt« – und dabei handelt es sich bei Paulus vor allem um eine Seinsweise, ein »Wie«, des Menschenlebens (»Paulus« 1032) – ist nicht mehr einfach die von Gott erschaffene Welt der Menschen, sondern ist die von der Sünde bestimmte Menschenwelt (vgl. »Paulus« 1032, 1035) bzw. fleischliche Menschheit, die »nach dem Fleisch« lebt (GV III, 24 f; vgl. I, 129 ff.). Nun bezeichnet »leben nach dem Fleisch« im wesentlichen ein Leben, in dem der Mensch sich von sich her versteht und sich durch das, was er herstellt, durch seine Leistung, sichern will (GV III, 24); aber: »Wer κατὰ σάρκα lebt, der macht die σάρξ zu seinem Gott« (ThNT 244).

Die Konstituierung der Sünde als Macht
Die Pervertierung der zwischenmenschlichen Beziehungen führt dazu,
»daß der ›kosmos‹, die Menschenwelt, die durch das, was die Einzelnen sorgen und tun, konstituiert wird, seinerseits zum Herrn über die Einzelnen wird« (ThNT 257).

Ferner gibt Paulus den Begriffen Fleisch, Welt und Sünde, die er öfter als Subjekte auftreten läßt, dennoch keine mythologische Bedeutung. In solchen Fällen ist es seine Absicht, die Mächte zu benennen, denen der Mensch verfallen ist (ThNT 244 f), wie es übrigens auch Johannes tut, wenn er das Wort »Welt« in einem typischen Sinn gebraucht (GV I, 135 f). Damit stehen wir vor einer sehr wichtigen Vorstellung des Neuen Testaments: der Vorstellung von der Sünde als Macht.

Wie wir schon sahen, wurzelt die Sünde in einem falschen Selbstverständnis, das von entsprechenden Entscheidungen begleitet ist und in dem der Mensch sich von sich her versteht (»Paulus« 1034 f). Zusammen mit der Tatsache, daß das Miteinandersein wesentlich zum Menschen gehört und daß bei der Verkehrung der zwischenmenschlichen Beziehungen eine Menschheit entsteht, die »nach dem Fleisch« lebt, führt dies dazu, *daß die Sünde sich als eine Macht konstituiert*, die das Leben eines jeden Menschen bestimmt und deren Wirkung jeden Menschen erfaßt, der auf diese Welt kommt (vgl. GV I, 135 f; »Paulus« 1032, 1035).

Nach Bultmann ist gerade dieses Verständnis der Sünde als einer den Menschen beherrschenden Macht ein charakteristisches Element der Theologie des Johannes und des Paulus. Denn sowohl Paulus als auch Johannes stellen sich den konkreten Einfluß der »›kosmischen‹« Mächte auf die historische Existenz des Menschen wie folgt vor:

> »Faktisch spürbar werden sie als *die Mächte des ›Fleisches‹, des Gesetzes, der Sünde und des Todes*« (Urchr. 209; vgl. 210 f).

Nach Bultmanns Auffassung wurde nach Paulus und Johannes in der Entwicklung, aus der die »alte Kirche« hervorging, sehr schnell das Verständnis der Sünde als einer Macht und so auch die Vorstellung von einer radikalen Verfallenheit des Menschen an die Macht der Sünde aus den Augen verloren, so daß die Sünde nur noch vor allem als eine moralische Übertretung verstanden wurde (ThNT 553).

Zusammenfassend kann man sagen, daß der Mensch in einer Welt lebt, die immer schon durch ein falsches Selbstverständnis des Menschen geleitet wird, in das sich der Mensch, auch wenn er sich von ihm befreien will, immer mehr verstrickt (»Paulus« 1035). Paulus interpretierend schreibt Bultmann:

> »Da menschliches Leben ein Leben im Miteinander ist, wird durch *eine* Lüge das gegenseitige Vertrauen zerstört und das Mißtrauen – und damit die Sünde – aufgerichtet; durch *eine* Gewalttat wird Gewalt als Gegenwehr hervorgerufen, und das Recht wird als organisierte Gewalt dem Interesse der Einzelnen dienstbar gemacht« (ThNT 253 f).

Diese Worte bringen auch die Auffassung zum Ausdruck, daß die Sünde als Tat und die Sünde als Macht sich gegenseitig bedingen.

7. DIE GEGENSEITIGE BEDINGTHEIT VON SÜNDE ALS TAT UND SÜNDE ALS MACHT. DIE »ERBSÜNDE«

Man kann erst dann radikal versthen, was das Wesen der Sünde ist, wenn man auf die gegenseitige Beziehung und Wechselwirkung zwischen der Sünde als Tat des Menschen und der Sünde als Macht, der der Mensch verfallen ist, achtet. Denn, so interpretiert Bultmann die Auffassung des Paulus, nicht das Eingreifen irgendeiner mythischen

Macht, sondern die Sünde des Menschen, sein Akt des Ungehorsams liegt der Sünde in der Welt zugrunde (ThNT 251).[107]

Wie wir gesehen haben, bekommt »Welt« durch die Sünde als Akt eine neue Tragweite. Mit dem Wort wird dann nicht mehr nur die Menschheit, die Menschenwelt, in ihrer Geschaffenheit bezeichnet, sondern »die ›Welt‹ wird zu dem, was die Menschen aus ihr machen. Der Mensch konstituiert sie, und sie konstituiert ihn« (GV I, 136; vgl. ThNT 254). Das geschieht aufgrund der Tatsache, daß der Mensch sich in der Erbsünde von Gott abgewandt hat (»Paulus« 1032). Auch die Verwendung des Begriffes »Fleisch« bei Paulus wird von Bultmann ähnlich interpretiert (vgl. Urchr. 209).

Die so konstituierte Welt (Fleisch) umfängt als Macht jeden einzelnen Menschen (»Paulus« 1032). Indem er sich aus dem »Vorhandenen«, dem Hinfälligen heraus versteht, bleibt der Mensch diesem als einer ihn bestimmenden Macht verfallen (ebd. 1035). In den Worten Bultmanns: Jeder Mensch kommt »in eine Welt . . ., die immer schon durch ein falsches Selbstverständnis des Menschen geleitet ist« (ebd.) und die als das Heideggersche »man« ihre Wirkung auf ihn ausübt:

> »Die Welt ist die Menschheit im Sinne des ›man‹, das jeder ist und das keiner ist« (GV I, 136).

So verfügt nach Bultmanns Auffassung die Welt-Menschheit über ihre Traditionen und Formen, ihre Sicherheit und ihre Ideale. Zur Analyse und Beurteilung der Dinge hat sie ihre Prinzipien und Normen. In ihr hält man die Gesetze.[108] Es ist »die Welt des gesunden Menschenverstandes, der verfügbaren Möglichkeiten«, der alles »als lächerlich, absurd oder gottlos« erscheint, was außerhalb ihrer Grenzen liegt – und was sie im Grunde auch nicht kennt. Daher schließt diese Welt von vornherein die Möglichkeit aus, daß etwas wirklich, authentisch neu sei (GV I, 137).

Wenn diese »Welt« einerseits vom Menschen konstituiert ist, kommt andererseits der Mensch »zu allem, was er tut, von der Welt her, als einer, der selbst Welt ist« (GV I, 136);[109]

> »Die ›Welt‹ wird so durch jeden Mensch mitkonstituiert, und eben die so sich konstituierende Welt wird zur Macht über den Einzelnen« (Urchr. 211).

Es gibt also eine Wechselwirkung zwischen der Sünde als Tat und der Sünde als Macht:

> »Der Mensch konstituiert sie (= die Welt), und die konstituiert ihn« (GV I, 136; vgl. ThNT 257).

Die »Erbsünde«

In seiner Interpretation der Theologie des Paulus beschäftigt sich Bultmann anläßlich der Erörterung der Sünde Adams (Röm 5,12–19) auch mit der Bedeutung des Begriffes

---

107 Vgl. ThNT 377, wo gesagt wird, daß auch bei Johannes die Sünde nicht auf einen mythischen Grund zurückgeführt wird. Für Bultmann gibt es einen tiefen Zusammenhang zwischen dem Verständnis der Sünde in Röm 5 und den Verweisen auf die Sünde Adams im Röm 1,18–3,20 und Röm 7,7 ff. Im ersten Fall, Röm 1,18–3,20, wird der der Sünde verfallene Mensch als jemand dargestellt, der der moralischen Unordnung preisgegeben ist »als Strafe für die Ursünde des Abfalls vom Schöpfer«, jenes schuldhafte Vergehen, das sich »in jeder Gegenwart . . . angesichts der für jede Gegenwart offenstehenden Möglichkeit der Gotteserkenntnis« wiederholt. Im zweiten Fall, Röm 7,7 ff, wird die Sünde auf das Gesetz bezogen, das die im Menschen »schlummernde Sünde weckte« (ThNT 251).

108 Dabei handelt es sich allerdings um eine rein formale Legalität (»Legalismus«) im Dienst des »Ichs«.

109 So bezeichnet der Ausdruck »aus der Welt« auch den bestimmenden Ursprung (ebd.).

»Erbsünde«, wobei er weiß, daß er seine eigenen Schlußfolgerungen mit einer gewissen Freiheit zieht (ThNT 251). Nach Bultmann geht die Vorstellung von der Erbsünde auf die Erfahrung zurück, daß der Mensch sich in einem Prozeß der Pervertierung des menschlichen Lebens befindet:

> »Dem Gedanken der Erbsünde liegt die Erfahrung zugrunde, daß jeder Mensch in eine Menscheit hineingeboren wird, die immer schon von einem falschen Trachten geleitet ist, und daß niemand von vorne anfängt. Das dadurch bestimmte Daseinsverständnis umfängt von vornherein jeden Menschen, der es in der konkreten παράβασις ausdrücklich übernimmt und dadurch dafür mitverantwortlich wird« (ThNT 253; vgl. 254).

Bultmann interpretiert auch die Sünde Adams und ihre Folgen ausgehend von dem von Paulus in Röm 5,12–19 angestellten Vergleich, der die Wirkung des »Gehorsams« Jesu hervorhebt, und schreibt: »Durch Adam ist für die adamitische Menschheit die *Möglichkeit* der Sünde und des Todes beschafft worden, die erst durch das verantwortliche schuldhafte Verhalten des Einzelnen realisiert wird.« Er fügt aber auch hinzu: »Ob man das als den eigentlichen Gedanken des Paulus ansehen darf, muß allerdings fraglich bleiben« (ThNT 253).

8. DIE UNIVERSALITÄT UND RADIKALITÄT DER SÜNDE. IHRE EIGENART ALS VERHÄNGNIS UND SCHULD

Für Bultmann steht außer Zweifel, daß Paulus in Röm 5 die universale Reichweite der Sünde hervorheben will:

> »Für ihn (= Paulus) steht ... die faktische allgemeine Verfallenheit der adamitischen Menschheit außer Frage« (ThNT 253).

Dieser Gedanke wird von Bultmann öfter wieder aufgenommen, wobei er die Allgemeinheit der Unterwerfung der Menschen unter die Sünde und die Allgemeinheit und Universalität der Herrschaft der Sünde gut zum Ausdruck bringt:
- jeder Mensch in der Welt steht unter der Allherrschaft der Sünde (»Paulus« 1035; GV I, 136 f);
- das Neue Testament führt die Universalität der Sünde nicht auf einen mythischen Ursprung zurück, sondern stellt sie einfach als Tatsache fest (ThNT 377, 251);
- die ganze Welt ist schuldig vor Gott (GesEsch 46);
- jeder Mensch kommt schon aus einer Geschichte her, die von der Sünde bestimmt ist (GV III, 26 f).[110]

Diese universale Herrschaft der Sünde trifft den Menschen in aller Radikalität, denn:
- der gesamte Mensch wird in seiner Totalität von der Sünde bestimmt (ChW 36 [1922] 330; Jesus 165);

---

110 In seinem Kommentar auf das paulinische Verständnis des jüdischen Legalismus schreibt BULTMANN: »Es ist klar, daß Paulus die typisch jüdische Haltung im Auge hat, ohne darauf zu reflektieren, daß es Ausnahmen oder Modifikationen geben mag. Sein Bild des Juden ist sozusagen sein eigenes Bild vor seiner Bekehrung (vgl. Phil. 3,4 ff.)« (Ges Esch 51). Scheint es hier in diesem Reden von »Ausnahmen« keinen Widerspruch zu geben zu Bultmanns sonstiger Auffassung, daß nach Paulus alle Menschen ohne Ausnahme der Sünde verfallen sind? Siehe S. 45 besonders den dort zitierten Text aus ThNT 249.

– nach Johannes ist »der Mensch in seinem Wesen ein Sünder . . ., bestimmt durch die Unwirklichkeit, das Nichts« (ThNT 377);

– nach Paulus ist »der *ganze* Mensch in der Sünde gefangen« (GV III, 162; vgl. »Paulus« 1035);

– »*Die Macht der Sünde* wirkt nicht nur darin, daß sie den ihr verfallenen Menschen völlig beherrscht, sondern auch darin, daß sie ausnahmslos alle Menschen in die Knechtschaft zwingt« (ThNT 249);

– in der Verkündigung des Wortes wird der ganze Mensch in Frage gestellt (GV I, 19). Auch kann die Radikalität, mit der die Sünde den Menschen bestimmt, so groß sein, daß *»die Sünde mit innerer Notwendigkeit in den Tod«* führt: »Wer aus dem Vergänglichen das Leben schöpft, muß mit dem Vergehen des Vergänglichen selber vergehen« (ThNT 247). Zudem geschieht dies, so Bultmann, schon in der Gegenwart, »denn der unter die Sünde ›verkaufte‹ Mensch hat sich selbst verloren, ist nicht mehr bei sich selbst« (ThNT 249).

Die Sünde und die Verantwortung des Menschen

Manchmal scheint Bultmann die Sünde als eine Notwendigkeit zu verstehen (»Paulus« 1035; vgl. ThNT 250). Aber er wiederholt auch öfter, daß die Sünde des Menschen und die Konstituierung der Sünde als Macht etwas »Faktisches« sind, daß es sich dabei also um eine existentielle Konkretisierung des menschlichen Lebens handelt (ThNT 357, 248, 251, 227) und die Verantwortung des Menschen eine Rolle spielt.[111] Die Sünde ist eine wahrhafte, echte Schuld: Wie wir gesehen haben, hat sie ihren Ursprung im Ungehorsam des Menschen (ThNT 251). Dies geht sehr deutlich aus dem Vergleich des Christentums mit dem Gnostizismus hervor, denn gegenüber dem gnostischen Dualismus hat das Urchristentum die Anschauung von der Schöpfung der Welt und von der Verantwortung des Menschen vor Gott nie preisgegeben (Urchr. 208). Der Gnostizismus versteht die Situation des Menschen in der Welt als Schicksal und Verhängnis, nach urchristlicher Auffassung dagegen ist sie »zwar auch dieses, aber zugleich *Schuld«* (ebd.). Nach Bultmanns Meinung wird so im Christentum an zwei, nicht vereinbar erscheinenden Aussagen festgehalten: einerseits wird von der Sünde wie von einem Verhängnis geredet, wie z. B. Röm 5,12, andererseits wird sie als etwas dargestellt, was die Verantwortung des Menschen voraussetzt, nämlich in Röm 1,18 ff und 2,14 ff. Besteht also ein Widerspruch im neutestamentlichen Denken? Nein, sagt Bultmann, denn ausgehend vom Neuen Testament könne man folgendes sagen: »Die Lösung des Widerspruches ist die: *dem Menschen wird seine Schuld zum Schicksal«* (Urchr. 209–210).[112]

---

111 Sich auf KuM I, 37 beziehend schreibt M. BOUTIN – nach meiner Meinung zu Recht –, daß bei Bultmann »prinzipiell« immer »existential-ontologisch« und »faktisch« immer »existentiell-ontisch« bedeutet: BOUTIN 484, Anm. 45; vgl. 582, Anm. 13.

112 Hier ist die Frage berechtigt, ob die paradoxe Behauptung, »dem Menschen wird seine Schuld zum Schicksal«, wirklich eine theologisch verantwortete »Lösung des Widerspruches« ist. Sicherlich betont Bultmann, daß die Sünde Schuld ist, da der Mensch vor Gott verantwortlich ist (Urchr. 208). Es ist aber auch seine Meinung, daß der der Sünde verfallene Mensch nicht die »ontische Freiheit« hat, sich von ihr zu befreien, und ihm eine solche Freiheit nur als Gnade im Ereignis der Offenbarung geschenkt wird. Scheint es dann nicht so zu sein, daß sich Verantwortung und Schuld auf die »Erbsünde« konzentrieren, denn wie sollte eine Situation der Sünde vom Menschen verschuldet sein, wenn er nicht die »ontische«, d. h. faktische Freiheit hat, sich der Schicksalhaftigkeit dieser Situation zu entziehen? (Siehe unten S. 48 f).

9. DIE SITUATION DES DER SÜNDE VERFALLENEN
MENSCHEN. DIE ENTZWEIUNG DES SUBJEKTES

Vor allem in seiner Interpretation von Röm 7 erörtert Bultmann, wie radikal die Sünde die Situation des ihr verfallenen Menschen bestimmt. Für ihn besteht kein Zweifel daran, daß Paulus an dieser Stelle von der Perspektive des Glaubens aus die Situation des noch nicht durch den Glauben an Christus befreiten, noch unter dem Gesetz stehenden Menschen und den in diesem, noch der Sünde unterworfenen Menschen existierenden inneren Zwiespalt beschreibt (Exeg. 198; vgl. 198–209).

Es wäre keine angemessene Interpretation dieses Zwiespalts, wenn man in ihm einfach nur den Konflikt zwischen dem Tun des Bösen und dem dagegen protestierenden Gewissen sähe (Exeg. 199), denn dann ginge man von einem Verständnis der Sünde als Übertretung des Gesetzes aus und würde das paulinische Denken in seiner Tiefe nicht verstehen: Für Paulus ist auch schon die Absicht, durch Gesetzeserfüllung vor Gott gerecht zu werden, Sünde (200). Nach dem anthropologischen Verständnis des Paulus, so Bultmann, transzendiert das menschliche Sein die Sphäre seiner Bewußtheit, und Paulus versteht den Menschen gar nicht primär als bewußtes Subjekt (201). Dementsprechend müssen das »Wollen« und »Tun« in Röm 7,14 ff nicht notwendigerweise als zwei »Strebungen seiner (= des Menschen) Subjektivität« (201) verstanden werden, die zueinander in Widerspruch stehen können: Das »Wollen« und das »Tun« haben eine transsubjektive Bedeutung. Nach der Ansicht des Paulus ist das Wollen »die transsubjektive Tendenz der menschlichen Existenz überhaupt«, deren Ziel nicht die Erfüllung des Gesetzes, sondern das Erlangen des »Lebens« – bzw. der »Gerechtigkeit«, des »eschatologischen Heilsgutes« oder der »Eigentlichkeit« – ist (202 f). Das »Tun« dagegen in 7,15 »ist . . . – genau wie V. 13, wo es von der Sünde gesagt wird, – ebenso transsubjektiv wie das θέλειν . . ., d. h. es bezieht sich gar nicht auf die empirische Tat der Übertretung, sondern auf das Ergebnis des Tuns, das für die gesetzliche Existenz bei *jeder* Tat herauskommt: auf den Tod« (207). Es handelt sich hier also nicht um einen Konflikt zwischen »Fleisch« und »Geist« (*nous*), als ob das »Fleisch« das Subjekt des »Tuns« und der »Geist« des »Wollens« wäre, denn beide Ausdrücke bezeichnen den gesamten Menschen. Dabei bezeichnet »Fleisch« den Menschen in seiner puren Vorhandenheit als innerweltliches Wesen, das sich aufgrund eines falschen Selbstverständnisses vom »Vorfindlichen, zutage Liegenden« her versteht und der so »dem Fleische nach« lebt (»Paulus« 1034). Dagegen bezeichnet »Geist« (*nous* im Sinne des »Denkens«) den Menschen, insofern dieser sich selbst verstehen, d. h. um die Möglichkeiten seiner Existenz – Eigentlichkeit oder Uneigentlichkeit, Heil oder Verderben, Leben oder Tod – wissen und sich entsprechend entscheiden kann (»Paulus« 1034 f).

Nach Bultmanns Interpretation besteht der in Röm 7 dargestellte Konflikt darin, daß der Mensch, der als »Geist« das »Leben« will, in Wirklichkeit »nach dem Fleische« lebt und seine Werke ihm den Tod bringen. Man kann also von »zwei Subjekten« reden: von einem, das das Leben will, und von einem, das in den Tod führt. Es handelt sich dabei allerdings jeweils um den gesamten Menschen, und nicht etwa um Teile seines Wesens.

Man kann beim Menschen von einem »eigentlichen Ich« sprechen, das das Leben will, und von einem »faktischen Ich«, das tatsächlich im Menschen bestimmt und von Paulus »Sünde« genannt wird: »Als aber das Gebot kam, wurde die Sünde lebendig, ich aber starb« (Röm 7,9b–10a); »Wenn ich aber tue, was ich nicht will, so tue nicht ich es, sondern die Sünde, die in mir wohnt« (7,20). Der Mensch sucht zwar das Leben, aber er sucht es in der Anmaßung des »Selbst-sein-wollens« und wird so zum Sünder. Die Sünde selbst wird dann zu einer Macht, die im Menschen als ein »faktisches Ich« wirkt und diesen Menschen in den Tod führt. Bultmann schreibt:

> »Aber gerade weil in dem Selbst-sein-wollen das Eigentlich-sein-wollen, wenngleich verkleidet und verdreht, enthalten bleibt, ist es möglich, von jenem Zwiespalt so zu reden, daß das eigentliche Ich dem faktischen Ich entgegengestellt wird« (Exeg. 208).

Der im Menschen, der der Sünde verfallen ist, bestehende Zwiespalt setzt auch ein bestimmtes Verhältnis zwischen dem Gesetz und der Sünde voraus. Die Sünde gab es schon, bevor der Mensch das Gesetz kennenlernte – der Mensch ist Sünder von Anfang an. Es ist das Ziel des Gesetzes, den Menschen zum Leben zu führen. Bultmann betont, daß Paulus in Röm 7,7–21 das Gesetz als Mitteilung von Gottes Forderung an den Menschen verteidigen will (Exeg. 204 f). Aber gerade in der Begegnung des Menschen mit dem Gesetz wird die Sünde offenbar. Das Gesetz tritt also dem Menschen als Anspruch Gottes: »Du sollst (nicht)!« entgegen und »will ihn seiner eigenen Verfügung entnehmen«, um ihn Gott zur Verfügung zu stellen (208). Stattdessen wird die Sünde durch das Gesetz wieder geweckt und zeigt sich im Gesetz lebendig. Der Mensch will die Verfügung über sich selbst nicht verlieren, wobei die Sünde doch gerade »das Selbstverfügen-wollen des Menschen, das Selbst-anspruch-erheben, das Sein-wollen-wie-Gott ist« (208).

Kurzum: Der Zwiespalt, von dem Paulus in Röm 7 als dem »die gesetzliche Existenz begründenden Vorgang« spricht, liegt jenseits des Bewußtseins des Subjektes, »jenseits der Subjektivität und des psychischen Geschehens« (208). Es handelt sich bei dieser Entzweiung des Subjektes um »transsubjektive Vorgänge«, die sich einerseits im Menschen, der der Sünde verfallen ist, abspielen, die aber andererseits nur im Glauben erkannt werden (208 f).

Anderenorts beschreibt Bultmann diesen Zwiespalt und den mit ihm verbundenen Verlust des Subjektseins mit Hilfe des Heideggerschen Begriffes »man«:

> »In der konventionellen, offiziellen Gemeinschaft, im ›man‹, wie der Philosoph sagt, verliert der Mensch sein Selbst, spielt er nur eine Rolle, trägt er nur eine Maske« (GV II, 265).

Diese pervertierte Form menschlicher Gemeinschaft gab es sowohl im Nationalsozialismus – in dem menschliche Gemeinschaft zur tierischen degradiert wurde (GV II, 262 f) –, als auch im totalitären Staat – der »dem Einzelnen die größtmögliche Sekurität zu garantieren scheint« und dafür als Preis »die Freiheit und eigene Verantwortung der Person« fordert (267) –, als schließlich auch im Rechtsstaat, aus dem »der sogenannte Kulturstaat und gar ein Versorgungsinstitut wird, so daß alle Individuen und alle Interessen- und Weltanschauungsgruppen ihre privaten Ansprüche . . . durchzusetzen suchen« (266).

10. DIE ÄUSSERSTE MÖGLICHKEIT DER SÜNDE

Aufgrund seines falschen Selbstverständnisses, d. h. seines Selbstverständnisses von sich her, wird der Mensch zur »Welt« und bleibt dadurch der Sünde unterworfen.

Nun ist es in diesem Kontext nach Bultmann »der Gipfel des Wahns . . ., daß sich der Mensch von der ›Welt‹ meint unterscheiden, sich in ein überweltliches Sein bringen zu können«, ob er dies durch eine aufgrund eigener Leistung vor Gott erworbene »Gerechtigkeit« – der »Jude« – oder durch seine »Weisheit«, aufgrund derer er ein »Vollkommener« zu sein glaubt, erreichen will – der »Pneumatiker« –(»Paulus« 1032). Es ist ja typisch für das Verhalten des »Juden«, daß er das Gesetz – in dem er dem von ihm Gehorsam fordernden Anspruch Gottes begegnet – nicht im Gehorsam annimmt, sondern es in ein Instrument zur Erlangung eigener Gerechtigkeit verwandelt: Er meint sich aus eigener Kraft durch die Erfüllung dieses Gesetzes von der Sünde befreien zu können. Ähnlich meinen die von Paulus angegriffenen »Pneumatiker von Korinth« sich des Evangeliums bedienen zu dürfen, um sich von den Sündern und ihrer Welt abzugrenzen. Dadurch machen sie aus dem Evangelium ein Instrument ihrer Selbstverherrlichung.

So wiederholen die Menschen in ihrem Versuch, sich aus eigener Kraft von der Sünde zu befreien, die »Ursünde«, die darin besteht, die eigene Ehre zu suchen und Gott nicht die Ehre zu geben, die ihm zukommt. Dadurch wird die äußerste Möglichkeit der Sünde erreicht, und dies zeigt sich gerade in der Begegnung des Menschen mit dem Gesetz:

> »Und sofern gerade das Gesetz bei dem sich falsch verstehenden Menschen diese äußerste Möglichkeit provoziert, . . .« »Wie die Juden das Gesetz, so benutzen die Pneumatiker das Evangelium zu ihrem Ruhme und meinen, sich aus der Linie der sündigen Menschen herausstellen zu können« (»Paulus« 1037).[113]

11. DIE VERLORENE FREIHEIT ODER DIE »OHNMACHT DES WILLENS«

Mit der radikalen Unterwerfung des Menschen unter die Sünde verliert er auch auf radikale Weise seine Freiheit. Diesbezüglich schreibt Bultmann:

– Jeder Mensch kommt in eine Welt, die immer schon von einem falschen Selbstverständnis des Menschen geleitet ist und von der er sich nicht aus eigener Kraft befreien kann. Sollte er es versuchen, verstrickt er sich nur um so mehr in sie, denn er wiederholt damit die Ursünde, selbst sein zu wollen (»Paulus« 1035; GV III, 26 f).

– Die radikalste Erneuerung der Predigt Jesu gegenüber den im Judentum herrschenden Vorstellungen besteht darin, daß der Mensch seine Sünden nicht durch Werke der Buße ausgleichen und wiedergutmachen kann. Denn wer durch die eigene Entscheidung zum Sünder wird, wird von der Sünde total beherrscht und verliert seine Freiheit (Jesus 169).

– Dadurch, daß die Juden die Offenbarung zurückweisen und so in der Sünde beharren, geht ihnen die Freiheit verloren. Das zeigt sich darin, daß sie Jesus töten wollen (EvJoh 336, 339).

Hier sollte man der Tatsache Rechnung tragen, daß das Thema des Unvermögens des Willens ein entscheidendes Element ist, das *das Neue Testament* von den anderen damals existierenden Auffassungen über den Menschen *unterscheidet*, nämlich von

– *der alttestamentlich-jüdischen Tradition*: Der Mensch kann seine Übertretungen nicht mit guten Werken kompensieren (Urchr. 199; Jesus 169);

---

113 Siehe für die Pervertierung der Bedeutung des Gesetzes bzw. der Schrift, wenn sie zum Instrument des Geltungsbedürfnisses werden: EvJoh 204 f, 209, 234 f, 236. Für das Verständnis des Guten als das Böse s. EvJoh 339.

– *dem Hellenismus*: Die Verfehlung des Wollens kann nicht durch eine Vervollkommnung der Vernunft, die dann entsprechend den Willen leitet, korrigiert werden, wie es
der Hellenismus meint. Denn nach dem Neuen Testament liegt das eigentliche Wesen
des Menschen im Willen (Urchr. 196), der nicht nur zum Bösen neigt, sondern der
selbst böse ist: »Der Mensch ist sein Wille! Ist sein Wille dem Bösen verfallen, wie in
der Tat das Neue Testament durchweg meint, so ist der ganze Mensch dem Bösen
verfallen und kann sich nicht von seinem Willen distanzieren und ihn vom Bösen zu-
rückrufen« (Urchr. 197);
– *und der Gnosis*: In der Frage des Unvermögens des menschlichen Willens besteht, so
Bultmann, sowohl Ähnlichkeit als auch Verschiedenheit zwischen den Auffassungen
des Christentums und denen der Gnosis. Beide stellen sich *»die Situation des natürlichen Menschen in der Welt«* auf ähnliche Weise vor (Urchr. 206), denn beide verstehen sie als ein »Versklavtsein unter feindselige kosmische Mächte, als ein durch den
Fall des Urmenschen über die Menschheit gebrachtes Verhängnis« (208). Zudem
teilt die Gnosis mit dem Christentum die Vorstellung, *»Ohnmacht und Angst* charakterisieren das vorchristliche Dasein« (206). Auch der Gnosis »liegt . . . der Gedanke
der Bildung, der Erziehung fern« (196). Und dennoch besteht ein entscheidender
Unterschied: Die Situation des Menschen, der nie der ist, der er sein muß, »ist nach
gnostischer Lehre *Schicksal, Verhängnis*, nach urchristlicher Auffassung zwar auch dieses, aber zugleich *Schuld*« (208). Das Christentum hat ja die Lehre von der Präexi-
stenz des menschlichen Ich ausgeschieden und die alttestamentliche Anschauung von
der Schöpfung der Welt und der Verantwortung des Menschen vor Gott nicht preisgegeben (208). Wie wir schon gesehen haben, spricht Paulus von der Sünde sowohl
wie von einem Verhängnis (vgl. Röm 5,12 ff) als auch wie von etwas, was mit der
Verantwortung des Menschen zu tun hat (vgl. Röm 1,18 ff; 2,14 f). Und wie wir
auch schon gesehen haben, meint Bultmann diesen Widerspruch dadurch zu lösen,
daß er schreibt »*Dem Menschen wird seine Schuld zum Schicksal!*«[114], um hinzuzufügen: »Es ist nämlich nun wesentlich zu sehen, wie sich Paulus (und ganz analog Johannes) das faktische Wirksamwerden jener kosmischen ›Mächte‹ in der geschichtlichen
Existenz des Menschen vorstellt. Faktisch spürbar werden sie als *die Mächte des ›Flei-
sches‹, des Gesetzes, der Sünde und des Todes«* (209; vgl. 210 f).
Zusammenfassend kann man sagen, daß nach Bultmanns Interpretation des Neuen Testaments
　　　　»der Mensch radikal dem Bösen verfallen ist und nicht gut wollen kann« (Urchr. 199),
denn das Ich des Menschen ist der Sünde verfallen und so ist
　　　　»in der Verfallenheit jede Bewegung des Menschen eine Bewegung des verfallenen Men-
　　　　schen« (KuM I, 37, bei B. hervorgeh.).

12. DIE SÜNDE ALS ANKNÜPFUNGSPUNKT DER GNADE

Die Verfallenheit des Menschen ist so radikal, daß die Offenbarung nur »der Widerspruch Gottes gegen den Menschen« sein kann (GV II, 120). »Aber«, so Bultmann,
»gerade *im Widerspruch wird in paradoxer Weise der Anknüpfungspunkt geschaffen«* (ebd.).

---

114 Siehe oben S. 45 und Anm. 112.

Nachdem von Bultmann die zwischen dem Bereich Gottes und dem des Menschen existierende Diskontinuität stark hervorgehoben wurde (119 f), vertritt er dennoch die Auffassung, daß der Mensch trotz seiner radikalen Verfallenheit nicht von der Frage nach dem, was er eigentlich ist, in Ruhe gelassen wird: »Die Bestimmung zum Selbst ist unverlierbar« (120). Wo Gott nun zum Widerspruch gegen den Menschen wird, der sich schon zuvor in den Widerspruch zu Gott gestellt hat, schließt dieser Widerspruch ein Verhältnis ein, und sei es auch ein verkehrtes: »einen Widerspruch gibt es nur, wo ein Verhältnis besteht; und ein verkehrtes Verhältnis ist auch ein Verhältnis« (ebd.). So kann man den Schluß ziehen, daß paradoxerweise der Widerspruch, der die Sünde gegen Gott ist, zum Anknüpfungspunkt wird:

>*Die Sünde des Menschen ist der Anknüpfungspunkt* für das widersprechende Wort von der Gnade« (ebd.).

Dies wird von Bultmann weiter dahingehend erörtert, daß »die Existenz des Menschen als ganze«, »die Sprache des Menschen«, »seine Religion, sein Gottesbegriff, seine Ethik, seine Philosophie« dieser Anknüpfungspunkt ist (121).

Auch ist in diesem Anknüpfungspunkt der Sünde die Möglichkeit gegeben, daß der Mensch das Wort Gottes verstehen kann: »Die Möglichkeit des Verständnisses (= des verkündigten Wortes) ist gerade darin gegeben, daß er (= der Mensch) Sünder, daß er im Tode ist« (ThNT 270).

Die Predigt setzt ja die Möglichkeit, daß sie verstanden wird, voraus. Sie setzt also voraus, daß der Mensch über eine Art Vorverständnis verfügt, das es ihm ermöglicht, sich im Glauben als »Sünder, dem Gott Rechtfertigung schenkt«, zu verstehen (GV I, 173, 177).[115]

Dieser Tatsache, daß die Sünde »Anknüpfungspunkt« der Gnade ist, entspricht, daß »Gott paradoxerweise der Geschichte der sündigen Menschheit den Sinn gibt, die sachgemäße Vorbereitung auf die Gnade Gottes zu sein« (GesEsch 47)[116]: Die Gnade soll und kann »gerade da wirksam werden, wo die Sünde wirksam geworden ist«(46).

In der Vorstellung des Paulus von der Geschichte, in der das Geschichtsbild der Apokalyptik der zwei aufeinanderfolgenden Äonen bewahrt wird, diese Äonen aber im Sinne der paulinischen Anthropologie gedeutet werden, zeigt sich deutlich, daß der Mensch nur von der Gnade Gottes leben kann, daß der Mensch diese Gnade nur empfangen kann, wenn er vor Gott zunichte geworden ist, »und daß die Sünde, in der der Mensch verloren ist, die Voraussetzung für die Gnade ist« (GesEsch 47). Dementsprechend bekommt auch die »Vergangenheit« in ihrer Beziehung zur Zukunft eine positive Bedeutung, und so ist auch »die Geschichte der Menschheit unter der Sünde und dem Gesetz sub specie Dei eine sinnvolle … So hat die Sünde eine positive Bedeutung« (ebd.).

115 BULTMANN schreibt, daß nach der Anschauung des Paulus die Hörer der Verkündigung in der Tatsache, daß sie unter dem Gesetz, dem »Zuchtmeister auf Christus hin« (Gal 3,24), stehen, über das zum Verstehen des Verkündigers notwendige Vorverständnis verfügen (GV I, 177); bei den Heiden sei diese Voraussetzung im Phänomen des Gewissens gegeben (ebd. Anm. 2): »Das Gesetz sollte in die Sünde führen, damit die Gnade zur Herrschaft kommen könnte« (177), so daß der Mensch verstehen lernt, was »Gnade« ist (182).

116 »Insofern weiß Paulus von einem *Sinn der Geschichte*, der ihr aber nicht eigen ist …, sofern sie in sich betrachtet wird, … sondern der ihr von Gott gegeben wird, da Gott paradoxerweise der Geschichte der sündigen Menschheit den Sinn gibt, die sachgemäße Vorbereitung auf die Gnade Gottes zu sein« (GesEsch 47).

13. DIE BEFREIUNG VON DER SÜNDE. DER GLAUBE

Der Mensch muß von seiner radikalen Unterwerfung unter die Sünde – von seiner Vergangenheit, seinem falschen Selbst – befreit werden (GesEsch 108).

Er kann aber diese Freiheit nur erlangen, wenn er sie im Ereignis, in dem Gott seine vergebende Gnade offenbart, als Geschenk annimmt (109). Nach Bultmanns Verständnis der Offenbarung besteht das Ereignis der Offenbarung vor allem darin, *daß der Mensch von dem an ihn gerichteten Wort* angeredet wird und dieses Wort ihn fragt, ob er in der Sünde, in seinem Bestimmtsein durch das Nichts – im Unglauben – bleiben und beharren will oder ob er sich für ein neues Sein, für sein eigentliches Sein – den Glauben – entscheidet (ThNT 376).

Die wichtigsten Elemente dieses Verständnisses von der Offenbarung sind folgende:
– sie ist die eschatologische Tat Gottes, die das »Jetzt« in den »Augenblick der Entscheidung« verwandelt, indem sie den Menschen vor die Last seiner Verantwortung stellt (EvJoh 270 f);
– sie hat ihren Ursprung in Jesus, seiner Verkündigung und seinem Kreuz (GV I, 204 f; ThNT 421; GV II, 154);
– sie wird im Kerygma, in der christlichen Verkündigung, fortgeführt (GV I, 208);
– in ihr ist das Entscheidende das »Daß« (EvJoh 189; Exeg. 103; ThNT 418 f);
– ihr Inhalt ist das Urteil, daß die Welt in der Sünde liegt (GV I, 14; Exeg. 103 f; ThNT 419 ff), bzw. ein Wissen um die Geschöpflichkeit des Menschen (GV III, 29; GV II, 272);
– in ihr öffnet sich dem Menschen die Möglichkeit, auf andere Weise zu sein; sie erlöst ihn von sich selbst und befreit ihn zu sich selbst, indem sie ihn Gott gegenüber zum Du macht (GV II, 271 f);
– durch die »Erlösungsoffenbarung« lernt der Mensch neu, sich so zu verstehen, wie er sich angesichts der Offenbarung in der Schöpfung schon immer verstehen sollte, nämlich als Gottes Geschöpf (GV III, 29; vgl. EvJoh 22, 26, 379, 400, 413); in ihr wird die Welt wieder zur Schöpfung (EvJoh 450).[117]

Nach Bultmann gehört zur Offenbarung die Paradoxie, »daß sie, um Gnade sein zu können, Ärgernis geben muß und so zum Gericht werden kann. Um Gnade sein zu können, muß sie die Sünde aufdecken« (EvJoh 259 f). Das Wort ist ein an den Menschen gerichtetes Nein (EvJoh 270): »Darstellen läßt sich die Offenbarung nur als die Vernichtung alles Menschlichen« (Exeg. 104).

Die Offenbarung stellt ja den Menschen vor die Alternative, entweder sein falsches Selbstverständnis abzulegen und zu bekennen, daß er Sünder ist, oder die Offenbarung zu verwerfen und dadurch an seiner »Vergangenheit« festzuhalten. Diese zweite Möglichkeit bedeutet auch, daß er in seinem Sünderdasein beharrt und somit die Sünde eine neue Bedeutung bekommt: Zuvor hatte die Sünde in der Offenbarung in Jesus die Bedeutung von etwas Vorläufigem bekommen, denn durch sie wurde die ursprünglich gegebene Möglichkeit, den Schöpfer anzuerkennen, wiederhergestellt (GV III, 29); in der

---

117 Bultmann redet von der Schöpfungsoffenbarung wie von einer verlorenen Möglichkeit, die er von der Heils- bzw. Erlösungsoffenbarung unterscheidet: »Die Heilsoffenbarung bringt die verlorene Möglichkeit der Schöpfungsoffenbarung zurück« (EvJoh 26).

»zweiten« Ablehnung dieser Möglichkeit, die die erste Ablehnung aktualisiert, wird aber die Sünde definitiv zur Sünde (EvJoh 260).

Die Annahme der Offenbarung durch den Menschen bedeutet die Anerkennung der Sünde und den Zugang zum Glauben, ein neues Selbstverständnis und eine neue Orientierung des Willens.

14. DER CHRIST UND DIE SÜNDE

Durch den Glauben eröffnet sich dem Menschen der Zugang zur eschatologischen Existenz, und er wird von der Sünde befreit. Bultmann hebt die Auffassung des Neuen Testaments hervor, daß der Gläubige nichts mehr mit der Sünde zu tun hat, um aber darauf hinzuweisen, daß sehr früh ein offener Konflikt zwischen dieser Anschauung und der konkreten Erfahrung der Sünde entstand. Schon die erste Generation der Christen fühlte sich mit diesem Konflikt konfrontiert, und sie sah sich daher vor die Aufgabe gestellt, theologisch zu erklären, wieso sie einerseits durch die eschatologische Tat Gottes von der Sünde befreit war und dennoch andererseits weiterhin irgendwie Sklave der Sünde blieb (Exeg. 386).

Auch meint Bultmann im Ersten Johannesbrief im Thema der Unterscheidung der Sünde einen Lösungsversuch für diesen Konflikt entdecken zu können. In diesem Brief scheint, vielleicht zum ersten Mal, die Problematik der von den Christen nach der Taufe begangenen Sünden angesprochen worden zu sein. Der Brief versuche hier durch die Unterscheidung zwischen »Sünden, die zum Tode sind« und »Sünden, die nicht zum Tode sind«, eine Antwort zu finden, in der sich schon die spätere Unterscheidung im Hebräerbrief (6,6; 10,26; 12,16; 13,4) und im Hirten des Hermas zwischen vergebbaren und nichtvergebbaren Sünden abzeichne (Exeg. 385).

Zudem habe sich in der der Unterscheidung zwischen zwei Kategorien von Sünden entsprechenden Praxis allmählich eine Entwicklung auf das Bußsakrament hin vollzogen, in dem man meinte, die Wirkung der Taufe erneuern und das, was durch die Sünde wieder verlorengegangen war, wiederherstellen zu können (ThNT 565).

Das würde aber voraussetzen, daß die Sünde nicht mehr als eine Macht, die den Menschen beherrscht, sondern vor allem im moralischen Sinn als die Übertretung eines Gesetzes verstanden wird (ThNT 565). Dadurch verfällt man, so Bultmann, sozusagen in einen Moralismus, welcher sich zudem mit einem Sakramentalismus verbinde, der die Gnade zwar als eine geistliche Kraft versteht, aber auch meint, sie solle »von einer kirchlichen Institution verwaltet werden« (ThNT 565), und der schließlich zum Bußsakrament geführt habe (565, 583 f).

Bultmann sieht darin eine höchst negative Entwicklung, denn mit der Unterscheidung zwischen zwei Arten der Buße und mit der Einführung der kirchlichen Institution des Bußsakramentes mußte »der Charakter der Kirche als Heilsanstalt . . . vollständig werden« (584). Zudem meint Bultmann: »Die Unterscheidung von leichten und schweren Sünden gefährdet von vornherein das radikale Verständnis der Sünde, wie es von Jesus, Paulus und Joh erfaßt worden war« (ThNT 583; vgl. 582).

Gerade im ersten Johannesbrief zeigt sich, so Bultmann, die Spannung zwischen jenem Verständnis der Sünde, das zwischen verschiedenen Sünden unterscheidet, und der johanneischen Auffassung über die Existenz des Christen und sein Verhalten der Sünde gegenüber zum ersten Mal. Dort sei das Thema von der »Unterscheidung der Sünde« von der kirchlichen Redaktion hinzugefügt worden (Exeg. 384 f), so wie die Vorstellung, auch im Leben des Christen gebe es nacheinander Sünde und Vergebung, einer späteren Redaktion zuzuschreiben sei (Exeg 107,114). Dagegen reflektiere die vom Verfasser benutzte Vorlage auf entschiedene Weise die Vorstellung von einer paradoxen *Gleichzeitigkeit* vom »Wandeln in der Wahrheit« und dem »Bekennen der Sünde«, zwischen dem sittlichen Verhalten des Gläubigen und seiner Wahrnehmung der Schuld (Exeg. 106): Der Gläubige steht dauernd unter der Vergebung (Exeg. 107; ThNT 432).

So hat die Antwort, die die Vorlage des ersten Johannesbriefes auf die Frage nach der Sünde des Christen gibt, nichts mit einer »Unterscheidung der Sünden« zu tun, denn, so Bultmann, »hier wird das christliche Sein als ein ständiges Sein unter der Vergebung verstanden, indem das paradoxe Miteinander von Gottesgemeinschaft und Sündenbekenntnis gezeichnet wird: Gottesgemeinschaft und Wandel im Licht gehören notwendig zusammen, aber ebenso notwendig gehört dazu das Sündenbekenntnis, das sich der Vergebung getrösten darf« (Exeg. 385). Demnach wird in 1 Joh zum Ausdruck gebracht, daß der Christ sich vor Gott nicht auf ein Recht berufen kann, sondern gerade das Bekenntnis, Sünder zu sein, die Gemeinschaft mit Gott ermöglicht, wobei allerdings nur die entsprechende Veränderung des sittlichen Lebens das Bewußtsein von einer solchen Gemeinschaft mit Gott rechtfertigt (Exeg. 106). – »Der Gottesglaube ist ja nie ein Besitz, sondern stets Entschluß« (GV II, 13) –.

Der Grund dafür liegt in dem dem Verfasser eigenen »dialektischen Verständnis des christlichen Seins« (Exeg. 385). Dementsprechend wird die Sündlosigkeit des Christen nicht als eine ehtische Qualität verstanden, sondern als ein Geschenk, das als ständig geschenktes auch nur in der Vergebung gegenwärtig ist (385): Das Sein des Christen steht ständig auf dem Spiel, es steht ständig vor einem radikalen Entweder-Oder (386).

Johannes habe also in seiner radikalen Aktualisierung des eschatologischen Geschehens, bei der die eschatologische Zeitperspektive keine Rolle spielt, die eigentümliche Dialektik richtig gesehen, »die darin besteht, daß es einerseits gilt: der Glaubende sündigt nicht (1 Joh 3,9; 5,18); andererseits aber: ›ἐὰν εἴπωμεν ὅτι ἁμαρτίαν οὐκ ἔχομεν, ἑαυτοὺς πλανῶμεν καὶ ἡ ἀλήθεια οὐκ ἔστιν ἐν ἡμῖν‹ (1 Joh 1,8)« (ThNT 432).

So reflektierte Johannes als einziger das Thema der Freiheit von der Sünde »im Blick auf das faktisch immer wieder erfolgende Sündigen der Glaubenden« (ThNT 432; vgl. 1 Joh 1,8; 3,9; 5,8). Gerade er hat die Dialektik des christlichen Lebens in einer bestimmten Frage zum Ausdruck gebracht, die Paulus noch nicht in den Blick gefaßt hatte: »Es ist die Dialektik von *Freiheit von der Sünde* und Notwendigkeit des ständigen *Sündenbekenntnisses* bzw. der ständigen Vergebung« (GesEsch 55). Auch wenn Paulus in bezug auf das Paradox der christlichen Existenz der gleichen Meinung ist wie Johannes – und Jesus –, hat er dennoch die paradoxe Gleichzeitigkeit des Glaubens und der Sünde des Glaubenden nicht in dem Maße gedanklich durchdrungen, wie es Johannes getan hat (ThNT 432).

Fassen wir zusammen. Die Problematik der Sünden nach der Taufe kann theologisch auf zwei verschiedene Weisen erklärt werden: entweder ausgehend von einer »Unterscheidung der Sünden« bzw. von einem Verständnis von Sünde und Vergebung als aufeinanderfolgenden Momenten im Leben eines Christen oder ausgehend von der »paradoxen Gleichzeitigkeit« von Sünde und Vergebung, nach der der Glaubende gleichzeitig Gerechter und Sünder (simul iustus et peccator) ist. Bultmann ist der Überzeugung, daß die zweite Erklärung die einzige ist, die die Radikalität der Sünde, wie sie Jesus, Paulus und Johannes verstehen und wie letzterer sie in 1 Joh verdeutlicht hat, nicht aus dem Blick verliert. Zudem ist er der Auffassung, daß beide Erklärungen sich gegenseitig ausschließen, denn die Unterscheidung der Sünden »würde das Entweder-Oder«, vor dem der Glaubende immer steht, »völlig zerstören« (Exeg. 386).

ZUSAMMENFASSUNG DES ERSTEN TEILS

Die systematische Darlegung hat erstens die *ontologische Struktur* des Menschen in seiner Offenheit gegenüber zwei grundsätzlichen Möglichkeiten, der der Eigentlichkeit und der der Uneigentlichkeit, aufgezeigt. Zweitens ist sie auf die *Sünde* als die ontische Verwirklichung dieser Struktur eingegangen. Auf der Grundlage dieser Darlegung sind folgende wesentliche Punkte hervorzuheben:

1. DIE ONTOLOGISCHE STRUKTUR DES MENSCHEN

a) Der Mensch hat immer mit einer Erfahrung seiner *Begrenztheit* zu tun. Diese Erfahrung wird ihrerseits zu einem dynamischen Faktor, der den Menschen über sich hinaustreibt.

b) Die im Menschen existierende Dynamik findet ihren angemessenen Ausdruck in der *Geschichtlichkeit* des Menschen: Nur im »Augenblick«, in dem der Mensch die aus der »Situation« hervorgehende Aufforderung zur Entscheidung erfaßt und auf diese Aufforderung antwortet, verwirklicht sich seine Existenz auf wahrhafte Weise. Zu diesem »Augenblick« gelangt der Mensch als ein »intentionales Wesen«, das im Horizont seiner Suche nach Eigentlichkeit von der Frage nach seinen Möglichkeiten vorangetrieben und zur *Entscheidung* gedrängt wird. Das heißt aber nicht einfach, daß der Mensch zwischen verschiedenen Möglichkeiten wählen muß, denn es handelt sich an erster Stelle darum, *daß der Mensch sich selbst wählt*: Der Mensch hat nicht nur Möglichkeiten, *sondern er ist selbst Möglichkeit*, »*Sein-können*«. Es ist sein Sein selbst, das auf dem Spiel steht.

c) In seiner Entscheidung wählt der Mensch ein *bestimmtes Selbstverständnis*, in dem sich in einer untrennbaren Einheit Entscheidung und Verständnis gegenseitig bedingen: Die *Entscheidung* ist ja Entscheidung für ein bestimmtes Selbstverständnis, wie umgekehrt das *Verständnis*, das der Mensch von sich selbst als einem geschichtlichen Wesen, einem »Sein-können« hat, sich nur in der Entscheidung verwirklicht. Bultmann faßt dieses zusammen, indem er den Menschen als ein »verstehendes Trachten«, d. h. als ein intentionales Subjekt beschreibt, das seine Möglichkeiten in der intelligenten Bewegung seines Willens verwirklichen will.

d) Die Vorstellung von der menschlichen Existenz als einer offenen Dynamik beinhaltet auch, daß man den Menschen als ein Wesen versteht, *das von seiner Natur aus in bestimmten Beziehungen steht*. So bedeutet die Leiblichkeit des Menschen, daß dieser auf konstitutive Weise eine Beziehung zu sich selbst hat: daß er sich selbst besitzen oder auch einer fremden Macht unterworfen sein kann.[118] Auch der Ausdruck »Gewissen« weist auf eine Beziehung des Menschen zu sich selbst hin, insoweit dieses Gewissen das eigene Verhalten des Menschen und die Unterscheidung von Gut und Böse in einer Einheit wahrnimmt. Zudem gehört auch das Ich–Du-Verhältnis seit jeher zum Menschen, d. h. daß er immer in einer Beziehung zu den anderen steht, immer auch von einem »Miteinandersein« bestimmt ist.

e) Die Dynamik, in der eine der Möglichkeiten des Menschen verwirklicht werden soll, entfaltet sich immer vor dem Horizont der Frage nach der *Eigentlichkeit*. Das zeigt, daß es für die menschliche Existenz auch eine andere wesentliche Möglichkeit gibt: die der Uneigentlichkeit: Wenn der Mensch sich für ein falsches Selbstverständnis entscheidet, dann bedeutet dies, daß er scheitert. Dementsprechend kann auch die faktische Wirklichkeit der Beziehungen, von denen der Mensch wesentlich bestimmt ist, teilhaben an seiner Eigentlichkeit oder pervertiert sein.

f) In dieser Eigentlichkeit erlangt das Individuum sein wahres »Subjektsein«, sein authentisches »Selbst«. Bultmann setzt die vom Menschen angestrebte Eigentlichkeit der »Geltung« gleich, die er vor den anderen zu besitzen hofft. So versteht er auch die Eigentlichkeit als eine Form der Beziehung zu den anderen.

g) Das Phänomen des Geltungsbedürfnisses gehört konstitutiv zum Wesen des Menschen, und Bultmann sieht in diesem Phänomen ein Zeichen dafür, daß der Mensch auf die Transzendenz hin orientiert ist: Das »Geltungsbedürfnis« vor den anderen Menschen ist im Grunde ein »Geltungsbedürfnis« vor der letzten Instanz, vor dem Transzendenten.

Auch im Phänomen des um Gut und Böse wissenden Gewissens läßt sich eine Beziehung zu dem Transzendenten erkennen.

h) Der Mensch steht also wesentlich »in einer Beziehung« mit sich selbst, mit den anderen Menschen und mit Gott. Diese Beziehung ist dann authentisch und wahr bzw. verzerrt und pervertiert, wenn das Selbstverständnis, für das der Mensch sich entschieden hat und das seine Existenz prägt, authentisch bzw. nichtauthentisch ist.

i) Bultmann geht davon aus, daß der Mensch seine Eigentlichkeit nur dann erlangen kann, wenn er sie wie eine Antwort, wie ein Geschenk annimmt: Sie kann ihm nur gegeben werden. Die Anmaßung, sie aus eigenen Kräften erlangen zu wollen, bedeutet ihre radikale Pervertierung. In diesem Sinn kann »Eigentlichkeit« – und »Geltungsbedürfnis« – als ein gleichwertiger Ausdruck für den paulinischen Begriff »Gerechtigkeit« betrachtet werden.

2. DIE ONTISCHE VERWIRKLICHUNG

a) Die Sünde als theologische Option

Der Mensch, der ontologisch zwei Grundmöglichkeiten seiner Existenz gegenüber offen ist, steht ontisch vor Gott[119] und gewinnt die von ihm angestrebte Eigentlichkeit,

118 Wie wir sahen, interpretiert Bultmann auf diese Weise das paulinische Verständnis vom Leib, vom Leibsein des Menschen. Wenn man aber das Leibsein des Menschen als einen Hinweis darauf, daß der Mensch eine Beziehung zu sich selbst ist, interpretiert, verliert man dann nicht seine Leiblichkeit als solche aus den Augen?

119 Der Mensch steht immer in einer Beziehung zu Gott, die aber so ist, wie sie sein muß, und wahr (= Glaube) oder verkehrt ist und unwahr (= Sünde).

wenn er Gott als seinen Schöpfer anerkennt und sich selbst als sein Geschöpf betrachtet, und wenn er dabei eingesteht, daß er die Eigentlichkeit nur dann erreichen kann, wenn er sie als ein Geschenk annimmt. Der Mensch hat jedoch immer die falsche Entscheidung getroffen: Durch sie will er die Eigentlichkeit aus eigener Kraft erlangen: er weigert sich, sein Geschaffensein und Gott als den Schöpfer anzuerkennen; er will die »Gerechtigkeit« durch eigene »Werke« verdienen, kehrt sich gegen Gott und wendet sich zu der Schöpfung hin. Dies ist die Ursünde, die wahre Sünde.

b) Die Sünde als Macht

Folge dieser »Ursünde« ist auch die Pervertierung der menschlichen Dynamik. Das »Geltungsbedürfnis« wird zum *»Geltungsdrang«*. Die Beziehungen der Menschen untereinander werden von Egoismus und Haß bestimmt; die Gesamtheit der zwischenmenschlichen Beziehungen wird getrübt und pervertiert, und so verwandelt sich die »Menschenwelt« zu einer Gott gegenüber feindseligen »Welt«, zu der *Sünde als Macht*, die alle beherrscht und die ihrerseits durch die Sünden aller konstituiert wird. Auch die Beziehung des Menschen zu sich selbst wird verzerrt und pervertiert: er ist der Sünde als einer Macht verfallen, die in ihm als das »faktische Subjekt« wirkt und so einen Zwiespalt hervorruft zwischen dem »wahren Subjekt«, das die Eigentlichkeit anstrebt, und dem »faktischen Subjekt«, das die Sünde wirkt.

Es ist darauf hinzuweisen, daß Bultmann die Universalität und Radikalität der faktischen Herrschaft und Macht der Sünde stark hervorhebt.

c) Die Sünde, Anknüpfungspunkt für die Gnade

Trotz seiner Sünde verstummt im Menschen nicht die Frage nach seiner Eigentlichkeit, und ebenso geht seine ontologische Orientiertheit auf sein eigentliches Selbst nicht verloren. Darüber hinaus ist die von der Sünde radikal geprägte Situation des Menschen *Anknüpfungspunkt* für das Wort der Gnade. Gerade weil der Mensch Sünder ist, verfügt er, so Bultmann, über die Möglichkeit, dieses Wort zu verstehen, »da Gott paradoxerweise der Geschichte der sündigen Menschheit den Sinn gibt, die sachgemäße Vorbereitung auf die Gnade Gottes zu sein« (GesEsch 47).

d) Der Christ und die Sünde. Die dialektische Beziehung zwischen Sünde und Vergebung

Die Offenbarung sagt dem Menschen, daß er Sünder und auf die Gnade angewiesen ist. Gleichzeitig *gibt sie ihm die ontische Freiheit*, einzugestehen, Geschöpf zu sein, in der Eigentlichkeit zu leben und zu einem neuen Selbstverständnis zu finden.

Nun ist ein Leben in der Eigentlichkeit kein Zustand, von dem die Sünde total abwesend ist, denn faktisch ist auch der Christ ein Sünder. So muß das Leben des Christen *eine dauernde Überwindung der Sünde sein*. Es ist von dem Paradox der *dialektischen Beziehung zwischen der Sünde und der Vergebung* geprägt: Der Glaubende ist »gleichzeitig Gerechter und Sünder«.

3. ZWEI FRAGEN

Bei diesen Ergebnissen der systematischen Darlegung von Bultmanns Theologie der Sünde werfen sich meiner Meinung nach zwei Fragen auf, die man dieser Theologie stellen muß: a) Wie weit reicht *die Radikalität der Sünde?* b) was bedeutet die *»Gleichzeitigkeit« von Sünde und Vergebung* und was *die dialektische Beziehung zwischen Sünde und Vergebung in der Existenz des Glaubenden?*

a) Bultmann betrachtet die Sünde als die ontische Verwirklichung der ontologischen Möglichkeit der Uneigentlichkeit. Als »Macht der Sünde« ist sie nach seinem Verständnis die faktische Wirklichkeit des Sünders und der »Welt«. Gelegentlich aber scheint er so weit zu gehen, daß er die radikale Bestimmtheit des Menschen und der Welt durch die Sünde als etwas *Totales* – es gäbe keine andere faktische Wirklichkeit mehr neben der Sünde – und als etwas *Unüberwindbares* – der Gerechte würde nie aufhören, Sünder zu sein – versteht. Die Sünde sei also faktisch immer gegeben und sie stehe dabei in einer Dauerbeziehung zu der Vergebung.

In diesem Kontext stellt sich die Frage: *Wie weit geht Bultmanns Verständnis von der Radikalität der Sünde?*

b) Auch im Leben des Christen ist die Sünde sichtbare und faktische Wirklichkeit. Bultmann sieht darin auch ein drängendes Problem der Urkirche. Nach seiner Meinung ist ein Verständnis von der Sünde und der Vergebung als zwei zeitlich aufeinanderfolgenden Stadien im Leben des Glaubenden keine richtige theologische Lösung dieser Problematik. Diese Lösung liege darin, daß der paradoxen Gleichzeitigkeit von Sünde und Vergebung, der Tatsache, daß der Sünder »simul iustus et peccator« ist, Rechnung getragen wird. So würde die faktisch gegebene Fortdauer der Sünde auch im Leben des Glaubenden immer richtig wahrgenommen werden in ihrer permanenten, dialektischen Beziehung zu der Vergebung, die sich ihrerseits auch immer auf die Sünde zu beziehen scheint.

Hier stellt sich die Frage: *Was bedeutet in der Existenz des Christen die Gleichzeitigkeit des »simul iustus et peccator«, und welche dialektische Beziehung besteht hier zwischen diesem »ein Sünder Sein« und »ein Gerechter Sein«?*

ZWEITER TEIL
VERSUCH EINER KRITISCHEN WERTUNG

EINFÜHRUNG

Gegen Ende des ersten Teiles wiesen wir auf das Verdienst Bultmanns hin, gezeigt zu haben, daß die Sünde in ihrem Wesen eine »theologische Option« ist, und dabei auch die Konstituierung der »Sünde als einer Macht« analysiert zu haben. Dabei haben wir zwei Fragen gestellt: Wie weit geht das Verständnis von der Radikalität der Sünde? Und: Was heißt die Gleichzeitigkeit von Sünde und Vergebung in der Existenz des Christen? Mit diesen beiden Fragen vor Augen will dieser zweite Teil die Ergebnisse der historischen und systematischen Darlegung des ersten Teiles kritisch bewerten.

Hierbei müssen wir auch einer Gegebenheit Rechnung tragen, die sich im Laufe jener Darlegung immer mehr abzeichnete: Die verschiedenen von Bultmann behandelten theologischen Themen: die Sünde, der Glaube, die Offenbarung, die Existenz des Christen ... stehen bei ihm in einer solchen Beziehung zueinander, daß es sich dabei um ein einheitliches und geschlossenes Ganzes handelt. Das Denken Bultmanns hat sicherlich systematischen Charakter.[120]

Dieser zweite Teil besteht aus zwei Kapiteln. Im ersten setzen wir uns mit drei Arbeiten auseinander, die die Theologie Bultmanns untersuchen. Wir werden dabei besonders auf die zwei von uns oben gestellten Fragen achten. Unter den unzähligen Arbeiten, die sich mit Bultmann beschäftigen, haben diese drei eine besondere Bedeutung, weil sie, von verschiedenen Perspektiven ausgehend, alle drei versuchen, das gesamte Denken Bultmanns als Einheit in den Griff zu bekommen. Im zweiten Kapitel folgen unsere eigenen Überlegungen und Schlußfolgerungen.

VIERTES KAPITEL:
DREI INTERPRETATIONEN: M. BOUTIN[121], B. DIECKMANN[122] UND T. KOCH[123]

A. DIE INTERPRETATION VON MAURICE BOUTIN

Die sehr ausführliche Arbeit von Maurice Boutin geht von der Kategorie »Relationalität« aus, deren Boutin sich als »Verstehensprinzip« bedient. Der Grund dafür liegt in

---

120 Das soll nicht heißen, daß die Theologie Bultmanns ein »theologisches System« wäre, das bestimmte dogmatische Sätze von zeitloser Gültigkeit enthielte – vgl. Butlmanns entsprechende Äußerungen GV I, 114 ff; ThNT 585. Nach meiner Meinung hat die Kritik recht, die sich gegen den Versuch wendet, Bultmanns Theologie in eine »Normaldogmatik« zu verwandeln, vgl. G.M. MARTIN, Vom Unglauben zum Glauben. Zur Theologie der Entscheidung bei R. Bultmann, Zürich 1976, 7.
121 M. BOUTIN, Relationalität als Verstehensprinzip bei R. Bultmann, München 1974 (= Boutin).
122 B. DIECKMANN, »Welt« und »Entweltlichung« in der Theologie R. Bultmanns, München/Paderborn/Wien 1977 (= Dieckmann).
123 T. KOCH, Theologie unter den Bedingungen der Moderne. W. Herrmann, die »Religionsgeschichtliche Schule« und die Genese der Theologie R. Bultmanns (maschinenschr. vervielf., München 1970; = Koch).

der Tatsache, daß nach Bultmanns Auffassung der Mensch vor allem ein Wesen ist, das von den verschiedenen Beziehungen, in denen es steht, bestimmt wird. Um seine Theologie zu verstehen, müsse man also von dieser Kategorie und nicht von anderen wie »Natur« oder »Substanz« ausgehen. Zudem verwirkliche sich die Existenz des Menschen als Relationalität vor allem nach dem Schema »Frage-Antwort«. Bultmann selbst stimmt der Bedeutung, die die Kategorie Relationalität und das Frage-Antwort-Schema in der Untersuchung Boutins bekommen, ausdrücklich zu (vgl. Boutin 19).

Das Werk hat vier »Abschnitte«. Der erste, »Der Mensch als Frage«, geht auf die anthropologische Bestimmung des menschlichen Seins ein. Der Zweite, »Frage und Antwort«, analysiert das Grundschema Frage-Antwort bei Bultmann. Der dritte, »Gottes fragende Antwort«, beschäftigt sich mit dem Wort Gottes als Widerspruch Gottes gegen den Widerspruch des Menschen gegen Gott. Der vierte, »Gottes bejahende Antwort«, handelt über das Wort Gottes als Gnade, die die Entscheidung des Glaubens möglich macht. Die Frage nach der Radikalität der Sünde wird im dritten Teil erörtert.

1. DIE RADIKALITÄT DER SÜNDE

a) Die Radikalität der Sünde und die Radikalität des Gottesverständnisses

Über Bultmanns Auffassung von der Sünde schreibt Boutin folgendes: »Sünde ist kein ›Etwas‹ im oder am Menschen . . . Nicht ›etwas‹ im Menschen steht unter der Herrschaft der Sünde« (Boutin 313). Es gibt im Menschen keinen »gesunden Kern« (318), keine positive Wirklichkeit, die Anknüpfungspunkt für die Offenbarung sein könnte (314). Der Mensch ist von der Sünde ganz bestimmt: *Er ist von Grund auf, radikal Sünder*.

Zudem habe die Radikalität der Sünde auch nichts damit zu tun, daß die menschliche Natur zum Teil oder ganz verdorben wäre (ebd.). Boutin glaubt hier sogar im Sinne Bultmanns die Behauptung wagen zu können, daß überhaupt nichts in der menschlichen Natur durch die Sünde anders wird (315). Die Sünde sei auch nicht etwas am empirischen Menschen Warhnehmbares (316).

Die Frage nach der Radikalität der Sünde bei Bultmann kann, so Boutin, nur dann beantwortet werden, wenn man von der Radikalität von Bultmanns Verständnis von Gott ausgeht: Gott ist »die *alles* im Menschen bestimmende Wirklichkeit« (317; vgl. 318, 320, 323 f, 327), und sein Anspruch ergeht in jedem Augenblick an den ganzen Menschen (317, 321). Daher bestimmt auch der Widerspruch gegen Gott, also die Sünde, den gesamten Menschen, d. h. die Totalität der menschlichen Existenz: »Den Menschen bestimmt die Sünde nach Bultmann *nur deshalb ganz*, weil sie Empörung, Widerspruch gegen *Gott* ist, und weil Gott die *alles* im Menschen bestimmende Wirklichkeit ist (vgl. GV I, 26)« (Boutin 317, im Kontext 317 f).

b) Die Folge der Sünde: Die Verkehrung der Beziehung zu den anderen und zu Gott

Der Mensch ist Geschöpf, und so verkehrt, pervertiert er durch seinen Widerspruch gegen Gott die ihn konstituierende Beziehung zum Schöpfer (Boutin 323). Dadurch wird nicht die menschliche »Natur«, wohl aber des Menschen Verhältnis zu Gott und damit auch das menschliche Miteinandersein und all das, was der Mensch tut, »verdorben« (326). Der Mensch würde ja seine Existenz als ein »Aus-sein-auf« auf authentische

Weise verwirklichen, wenn er in der Offenheit seines Seins aus Gott und für Gott und für die anderen leben würde. Stattdessen sucht der Mensch die von ihm noch immer angestrebte Eigentlichkeit dadurch zu erlangen, daß er Gott widerspricht, daß er sich in sich selbst verschließt und aus sich und für sich sein will, so daß er eigentlich nicht mehr »ek-sistiert«, sondern in Wirklichkeit »in-sistiert« (319, 326 f).[124]

Die Existenz des Menschen ist also in ihrer Offenheit Gott und den anderen Menschen gegenüber ein »Aus-sein-auf«, eine Dynamik, die durch die Sünde in das Gegenteil dessen, was sie sein soll, verkehrt wird.

c) Die Sünde als der Anknüpfungspunkt für das Wort Gottes

Weil die Sünde das ist, was sie ist, muß das Wort Gottes notwendigerweise ein Widerspruch sein gegen den Menschen, der Gott widerspricht.

So wird gerade dieser Widerspruch des Menschen gegen Gott zum »Anknüpfungspunkt« für das widersprechende Wort von der Gnade (319), das den Menschen trifft, der sich verschlossen hatte und aus und für sich sein wollte, ihn anspricht, sich seinem »falschen Selbstverständnis« entgegenstellt und ihn aufruft zu einer authentischen Existenz, »zu seinem echten Aus-sein-auf«, das trotz der Sünde seine eigentliche Bestimmung bleibt (320).

GV II, 120 und ThNT 270 zitierend weist Boutin auf das entscheidende Paradox hin: Gerade in seinem Widerspruch gegen Gott ergibt sich für den Menschen die Möglichkeit, das Wort Gottes zu verstehen, das ihm widerspricht (319). Wer diese Auffassung Bultmanns über das Verhältnis von Anknüpfung und Widerspruch nicht genügend beachtet, könne auch sein Verständnis der Sünde nicht richtig verstehen (320).[125]

d) Die Sünde als »Macht«

Bei seiner Erörterung des Sündenbegriffes betont Boutin auf treffende Weise die Verkehrung des Geltungsbedürfnisses in Geltungsdrang (291–299).

Auch behandelt er in einem Exkurs über die Erbsünde das Thema der Sünde als Macht (299–305, vor allem 301–303) und berücksichtigt dabei sicher die wichtigsten Äußerungen Butlmanns über die »Welt« als »Macht der Sünde«, um ihren Zusammenhang mit Bultmanns Verständnis der Erbsünde herauszustellen.

Allerdings sollte hier gesagt werden, daß das Verständnis der »Welt« als Macht der Sünde ein wesentliches Element in Bultmanns Verständnis der Sünde überhaupt ist, was in der systematischen Darstellung Boutins zu kurz kommt.

---

124 »Denn die Verkehrung des Gott-Mensch-Verhältnisses durch die Sünde bedeutet, daß der Mensch in seinem Aus-ein-auf, in seiner Ek-sistenz, nicht mehr auf Gott, sondern auf sich selbst aus sein will« (BOUTIN 326).

125 In diesem Kontext antwortet Boutin auf die Kritik von Marlé an Bultmanns Verständnis von der Radikalität, mit der die Sünde das Sein des Menschen pervertiert. Nach Marlé kann der Mensch seine Gottesebenbildlichkeit nicht verkehren, »mais la difficulté est toujours de savoir, si l'on peut véritablement penser cette histoire de la perversion de l'homme, et de la restauration par Dieu de la création et de l'»image«, sans admettre un ordre ontologique irréductible à cette historie«: R. MARLÉ, Bultmann et l'inteprétation du Nouveau Testament, Paris ²1966, 135. Boutin ist hier der Meinung, daß seine Überlegungen über das Gott-Mensch-Verhältnis bei Bultmann eine Antwort auf Marlés »unberechtigten Einwand« wenigstens andeuten (BOUTIN 336; vgl. 328–337). Siehe auch BULTMANNS Antwort auf Marlé: In eigener Sache: GV III, 178–189. Dort heißt es S. 186, daß Marlé die Dialektik des »simul verkennt.

2. DIE »GLEICHZEITIGKEIT« VON SÜNDE UND VERGEBUNG

a) Die Frage nach der »Einheit« des Subjekts in seinem »auf dem Wege«-Sein von der Sünde zur Gnade

Angesichts des Verständnisses der Sünde als einer Wirklichkeit, die den gesamten Menschen radikal bestimmt, stellt sich die Frage nach der Kontinuität im Menschen, der zum Glauben findet, oder, was dasselbe ist, nach der »*Einheitlichkeit* des menschlichen Seins auf dem Wege von der Situation unter dem Gesetz zur Situation unter der« Gnade, die Frage also nach der »Einheit« zwischen dem »alten« und dem »neuen« Menschen (577).

Im Heilsereignis begegnen sich Gottes »Heilshandeln« und die glaubende Annahme dieses Heilshandelns durch den Menschen. Nun ist die Offenbarung, die immer eine Gnade ist, »faktisch« gleichzeitig auch ein Gericht über den Menschen, der »faktisch« ein Sünder ist. Daher kann man in der Annahme der Offenbarung zwei Momente unterscheiden: einerseits die Anerkennung des Gerichtes und das Eingeständnis, Sünder zu sein, andererseits die Annahme der Gnade und der Zugang zu der neuen Existenz als Glaubender (578). Sollte man dementsprechend auch an ein zeitliches Nacheinander von Sünde und Glauben denken?.[126]

Boutin weist darauf hin, daß Bultmann ein solches zeitliches Nacheinander von Sünde und Glauben als unhaltbar zurückweist, denn die Rechtfertigung des Menschen kann keine Angelegenheit sein, die in einem Akt erledigt wird, der in einem ganz bestimmten Augenblick geschieht: »Denn *immer* bleibt der Mensch ein Sünder, und *immer* ist er ein Gerechtfertigter in Gottes Urteil« (GV I, 23; zitiert bei Boutin 579). Der Mensch ist »simul peccator simul iustus«. Was bedeutet diese Formel?

b) Ungenügende Antworten

Wenn die Sünde kein »Etwas« im und am Menschen ist, sondern den ganzen Menschen radikal erfaßt und bestimmt, dann kann man das »simul peccator et simul iustus« nicht so verstehen, daß der Mensch *zum Teil Gerechter und zum Teil Sünder wäre*. Denn diese Interpretation würde voraussetzen, daß neben dem von der Sünde bestimmten Teil des Menschen ein anderer Teil des Menschen namhaft zu machen wäre, der nicht von der Sünde bestimmt wäre, daß also der Mensch nicht total von der Sünde bestimmt ist. *Damit würde man aber das radikale Verständnis von der Sünde aus den Augen verlieren* (580).

Unbefriedigend ist auch ein Verständnis des »simul«, in dem von einer *rein äußerlich* verstandenen Rechtfertigung ausgegangen würde, »ohne daß die Sünde abgetan wäre«, so daß diese Sünde nach wie vor im Menschen gegenwärtig wäre und die Situation, in der der Mensch lebt, nach wie vor eine sündige bliebe (580 f).

c) Die Antwort von M. Boutin

Nach diesen beiden als unbefriedigend eingestuften Interpretationen des »simul«, stellt Boutin die Interpretation vor, die seiner Meinung nach die Bultmanns ist. Sie geht

---

126 Das Problem der Sünden der Christen war schon in der Urkirche ein brennendes Problem. Nach Bultmanns Auffassung setzte sich nach Paulus die nicht paulinische Antwort durch, die schließlich zur Institution der kirchlichen Buße führte und in der die Dialektik von Indikativ und Imperativ nicht mehr gesehen wurde (Boutin 578 f).

aus von der *Kategorie des »Seinkönnens«* – vom Menschen als einem Wesen, das zwei existential-ontologischen Grundmöglichkeiten gegenüber offen ist – und von der begrifflichen *Unterscheidung* von »Möglichkeit« und »Macht« der Sünde (582).[127]

Daß die Sünde eine Macht ist, bedeutet, daß sie für den Menschen eine *aktuelle* Wirklichkeit ist: »›Macht‹ weist also auf eine existentiell-ontische bzw. *faktische* Möglichkeit hin, die in der Entscheidung vom Menschen ergriffen wird« (ebd.). Die Verwirklichung einer ontischen Möglichkeit ist aber auch immer die ontische Verwirklichung – in der Entscheidung – einer ontologischen Möglichkeit. Diese Verwirklichung schließt aber die andere ontologische Grundmöglichkeit nicht aus, denn der Mensch bleibt weiterhin ein Seinkönnen. So bleibt die Sünde auch für den Gerechtfertigten eine existential-ontologische Möglichkeit, die von ihm jederzeit faktisch ergriffen werden kann (584). »Dieses für den Gerechtfertigten in seinem Gerecht*sein* stets Zur-Macht-werden-*können* der Sünde ist mit dem ›Simul peccator, simul iustus‹ gemeint« (585).

So bringt nach Boutin das »simul« bei Bultmann die im Gerechtfertigten gegebene Gleichzeitigkeit der *ontischen und aktuellen Verwirklichung des Glaubens* und die weiterhin gegebene *ontologische Möglichkeit der Sünde* zum Ausdruck, die von dem Gerechtfertigten zu jeder Zeit von sich aus[128] ergriffen werden kann.

d) Eine Bemerkung zur Interpretation von Boutin

Es ist sicher richtig, daß Bultmann sich im Zusammenhang mit der Formel des »simul« öfter darauf bezieht, daß die Möglichkeit der Sünde auch für den Gerechtfertigten weiterhin offenbleibt. Aber nach meiner Meinung versteht Bultmann diese Formel *an erster Stelle* als Bezeichnung für die in der Existenz des Glaubenden gegebene dialektische Beziehung zwischen dessen »Gerechtsein« und »Sündersein«. Zudem verwendet er die Formel auf entschiedene und radikale Weise, und eine angemessene Interpretation sollte auch dieser Tatsache Rechnung tragen. Mit dieser Frage werden wir uns im folgenden Kapitel beschäftigen, aber schon hier können wir darauf hinweisen, daß die Bedeutung des »simul« bei Bultmann in Aussagen wie den folgenden zu suchen ist: Eine Bedeutung dieser Formel ist: »totus iustus – totus peccator«[129]; das »simul« weist darauf hin, daß der Glaubende »Sünder in vollem Sinne« ist[130]; das »simul« bezieht sich auf einen Men-

---

127 »In Hinblick auf das Sein des Menschen als Seinkönnen kann eine nähere Charakterisierung des ›Simul‹ anhand der begrifflichen Unterscheidung von ›Möglichkeit‹ und ›Macht‹ der Sünde wie der Gnade gewonnen werden ... Anstelle von ›Macht‹ und ›Möglichkeit‹ könnte man also genauso gut von *aktueller* Wirklichkeit und *möglicher* Wirklichkeit sprechen« (BOUTIN 582).

128 Dies im Gegensatz zum Glauben, insoweit dieser eine »ontologische Möglichkeit« des Sünders ist. Der Sünder kann ja in seiner Entscheidung den Glauben nicht von sich aus ergreifen, sondern er kann dies nur dann, wenn ihm die Offenbarung dazu die Freiheit schenkt und der Glaube so von einer »ontologischen« auch zu einer »ontischen« Möglichkeit geworden ist (BOUTIN 584).

129 »Das ›Simul iustus-simul peccator‹ ist also zu übersetzen: ›Totus iustus-totus peccator‹. Wenn es auf den ersten Blick als ein theologisches Zugeständnis an das psychologisch Tatsächliche und Faßbare erscheinen könnte – etwa im Sinne des Erfahrungssatzes: keiner ist ganz schlecht und keiner ist ganz gut –, so zeigt es sich nun als die aller Erfahrung entgegengesetzteste Behauptung, die sich denken läßt«: W. JOEST, Gesetz und Freiheit, Göttingen ³1961, 59.

130 »Luther spricht ... von ›Überresten‹ der Sünde ... *in sich* sind diese reliquiae Sünde, und wer sie hat, ist Sünder in vollem Sinne. ... In den Regungen des Herzens ist die Sünde da – und sie ist hier wirklich Sünde, nicht harmloser ›fomes‹ –«: W. JOEST, Paulus und das Luthersche Simul Iustus et Pecca-

schen, »der ›im gleichen Augenblick‹ an zwei entgegengesetzten Welten Anteil hat«[131];
»in letzter Sicht ist es dieser und der kommende Äon, was in dem ›simul iustus ac peccator‹ gegeneinandersteht«.[132]

Diese Äußerungen deuten auf eine Radikalität des »simul« hin, die meiner Meinung
nach auch in Bultmanns Verständnis dieses »simul« gegeben ist, die aber zu sehr abgeschwächt wird, wenn man die Dialektik des »simul« auf die *aktuelle und ontische Verwirklichung des Glaubens* und die *weiterhin gegebene ontologische Möglichkeit der Sünde* reduziert, wie es bei Boutin der Fall ist.[133]

---

tor: KuD 1 (1955) 269–320 (= Joest), hier 299. In diesem Kontext merkt er an: »In der begrifflichen Kennzeichnung dieser Situation (= des faktischen Lebensvollzuges des Christen) weicht Luther
erheblich von Paulus ab … Paulus nennt den Christen nicht einen peccator in re, es sei denn angesichts ganz konkret vorliegender Tatbestände … Bei Luther aber ist dies ein integrierender Bestandteil seiner allgemeinen Formel für das Wesen des irdischen Christenstandes« (JOEST 301).

131 »So entsteht ein Mensch, der ›im gleichen Augenblick‹ an zwei entgegengesetzten Welten Anteil hat,
in der einen versinkt und auf die andere vertraut«: E. DE NEGRI, Offenbarung und Dialektik. Luthers
Realtheologie (aus dem Ital.), Darmstadt 1973, 49.

132 (JOEST, Gesetz 59). Über das »simul« in bezug auf zwei Ganzheiten bei Luther schreibt Joest: »Zahl-
reiche Aussagen Luthers weisen eindeutig in die Richtung des ›Totus iustus-totus peccator‹ … Die
logische und psychologische Begreiflichkeit solcher geradezu monströser Aussagen kümmert Luther
wenig; ›reim da, wer reimen kann‹ – so schreibt er und setzt in absichtlicher Antithese gegen den ari-
stotelischen Grundpfeiler der Logik, den Satz des Widerspruches, die Behauptung: ›duo contraria in
eodem subjecto et in eodem puncto temporis‹ … Allerdings gelten die beiden einander ausschließen-
den Prädikate: ›totus iustus‹ und ›totus peccator‹ von demselben Subjekte nun eben ›diverso respec-
tu‹: sie gehören zwei völlig verschiedenen Seinsebenen an. ›*Reputative* totaliter iusti – *revera* totaliter
peccatores‹, so unterscheidet Luther. … ›in relatione tam sanctus quam angelus – in qualitate plenus
peccato‹« (ebd. 58); »Wer glaubt, der ist zugleich ganz Sünder und ganz gerecht. Ganz Sünder ›sub
specie sui ipsius‹ – ganz gerecht ›sub specie Christi‹; ganz Sünder ›sub specie huius mundi‹ – ganz gerecht ›sub specie aeternitatis‹« (ebd. 59).
Zitieren wir auch noch einige Äußerungen, in denen davon die Rede ist, daß das »simul« *nur aufgrund
von Gottes Macht möglich ist.* So bezieht sich R. HERMANN auf die lutherische Vorstellung vom
»Heuchler, der in den Himmel kommt. … Solche Heuchler sind ›mali in speciem, boni autem in veri-
tate‹. … Die eigentümliche Doppelheit, die das ›Zugleich‹ anzeigt, verrät sich auch in dieser Redefi-
gur, ebenso aber die, wenn ich so sagen darf, Überlegenheit Gottes, durch die allein das Gegensätzli-
che zu einer Einheit, oder vielmehr zu einem ›Zugleich‹, werden kann«: R. HERMANN, Luthers These
»Gerecht und Sünder zugleich«, Darmstadt ²1960, 18. W. MAURER schreibt über die Anwendung
des »simul« auf Christus: »Die Spannung innerhalb der beiden Naturen des Gottmenschen ist damit
ins Unerträgliche gesteigert. Und sie ist dennoch überwunden durch den alles überwindenden Heils-
und Liebeswillen Gottes«: W. MAURER, Die Einheit der Theologie Luthers: ThLZ (1950)
245–252, hier 250. Bezüglich der Anwendung des »simul« auf Christus siehe unten S. 118 ff und
122 ff.

133 Nach Boutin bringt das »simul« die Spannung zwischen der Gnade als Macht – als einer »aktuellen
Wirklichkeit« – und der Sünde als Möglichkeit – als »möglicher Wirklichkeit« – zum Ausdruck (vgl.
BOUTIN 582). Zudem würde das »simul« auch bedeuten, daß die Sünde sich immer wieder in eine aktuell herrschende Macht verwandeln kann (vgl. 585). Ich meine aber, daß es einen entscheidenden
Unterschied gibt zwischen dieser Interpretation des »simul« und dem, was Boutin selbst gegen Ende
jenes Absatzes auf S. 585 schreibt, dabei eine Äußerung Bultmanns zitierend, die weit besser die radikale Paradoxalität des »simul« zum Ausdruck bringt: »Dem ›simul‹ korrespondiert ein ›immer‹, denn
›Glaube ist immer nur im Überwinden des Unglaubens‹ (GV I, 311), und der Glaubende ›steht immer in der Paradoxie des ⟨ich glaube, Herr, hilf meinem Unglauben (Mk 9,24)⟩‹ (ebda)« (BOUTIN
585).
Boutin ist vorgeworfen worden: »Viele kritische Diskussionspartner Bultmanns … werden als solche nicht einmal erwähnt oder … fast entstellend zustimmend … Boutins Versuch, einen Konsens

B. DIE INTERPRETATION VON BERNHARD DIECKMANN

Bernhard Dieckmann geht in einer ausführlichen Rezension[134] auf die Arbeit Boutins ein und macht dabei in einigen Punkten, z. B. in Hinblick auf die Bedeutung der Rechtfertigungslehre, seine abweichende Meinung deutlich.[135]

Hierbei sollte darauf geachtet werden, daß Dieckmann diese Rezension zwei Jahre nach der Annahme seiner eigenen Doktorarbeit schrieb, in der auch er sich mit der Theologie Bultmanns auseinandergesetzt hatte.[136] In dieser Dissertation war er von der Frage ausgegangen, wie Bultmann die Aufgabe des Christen zur Weltgestaltung interpretiert (Dieckmann 36). Im Mittelpunkt der Untersuchung stehen die Begriffe »Welt« und »Entweltlichung«, und sie wurde in der Überzeugung geschrieben, daß die Debatte über die Theologie Bultmanns, auch wenn sie die Lebendigkeit der Mitte der sechziger Jahre verloren habe[137], noch nicht abgeschlossen sei: »Inzwischen hat die Debatte ihre Dring-

---

zwischen Bultmann und seinen Kritikern ... zu schaffen, überschlägt sich da, wo er Bultmann vorwirft, dieser habe seinen Kritikern zu stark zugestimmt in ihrer Kritik an ihm (BOUTIN 438 Abs. 587)« (MARTIN, Vom Unglauben, 63, Anm. 4). Und DIECKMANN ist der Meinung: »So ist es symptomatisch ..., daß die einzige Kritik Boutins an Bultmann eine Selbstkritik Bultmanns als unberechtigte Konzession an die Kritiker zurückweist«: ThGl 66 (1976) 429, Anm. 3. Ein ähnlich wie Boutins Arbeit orientiertes Werk über Bultmann ist: G. HASENHÜTTL, Der Glaubensvollzug. Eine Begegnung mit R. Bultmann aus katholischem Glaubensverständnis, Essen 1963. Meiner Meinung nach unterliegen beide Werke, das Boutins und das Hasenhüttls, der Gefahr einer voreiligen Harmonisierung und Systematisierung (vgl. MARTIN, Vom Unglauben 7).

134 B. DIECKMANN, Eine neue Bultmanninterpretation?: ThGl 66 (1976) 426–437.

135 Sich neben Boutins Arbeit auch auf Hasenhüttls Werk beziehend, schreibt DIECKMANN: »Beide Arbeiten haben die gleiche Tendenz, die Funktion des objektivierenden Denkens und die Bedeutung der Rechtfertigungslehre zu übergehen« (ebd. 436 Anm. 7). Dieckmann stellt bei Boutin zudem ein Unvermögen, die Kritik an Bultmann zu verstehen, und eine harmonisierende Tendenz fest: »Wichtiger ist, daß Boutin die Anliegen der Bultmann-Kritik nicht verstanden hat ... Boutin ist es nicht gelungen, sie zu erschüttern, weil er Bultmann zu harmonisierend auf eine katholische Normaldogmatik bezieht« (ebd. 436).

136 Die Arbeit wurde 1974 von der katholischen theologischen Fakultät der Universität München angenommen und 1977 veröffentlicht (s. Anm. 122).

137 »Die Existenztheologie hat die Identität mit dem Zeitgeist verloren ... Seit der Mitte der sechziger Jahre hat sich ein Klimawechsel vollzogen ... Heute wird die Verantwortung des Glaubens für die Welt von vielen als das zentrale theologische Problem behauptet; es werden verschiedene, keineswegs einheitliche Programme einer ›politischen Theologie‹ entworfen ... Das ist meist mit einer Frontstellung gegen die Theologie Bultmanns verbunden« (DIECKMANN 35 f). D. Sölle hat sich zur Aufgabe gestellt, die positive Beziehung zwischen der existentialen Theologie Bultmanns und der politischen Theologie zu zeigen: D. SÖLLE, Politische Theologie. Auseinandersetzung mit Rudolf Bultmann, Stuttgart/Berlin 1971, 10 ff, 27. Die aus der liberalen Theologie hervorgegangene historisch-kritische Methode sei die Grundlage der Theologie Bultmanns (29; vgl. 19–27). Die emanzipatorische Bedeutung dieser Methode (20, 31, 47) sei zum Teil von der dialektischen Theologie entdeckt worden (51 f, 31, 40, 46). Die Autorin ist mit einigen Punkten der Theologie Bultmanns nicht einverstanden, z. B. mit dem Hinweis auf das reine »Daß« beim historischen Jesus (43), mit der »punktuellen Existenzialisierung« des Begriffes »Existenz« (59), mit der Konzentrierung auf einen nichtweltlichen »eschatologischen Augenblick« (60), mit der individualistischen Engführung der Perspektive Bultmanns (63 f), mit seiner Tendenz, die geschichtlichen Bedingungen, unter denen der Mensch lebt, als unabänderlich zu betrachten (79), mit der »heteronom dekretierten« Eigenart der Sünde (113). Hier würde eine politische Theologie anstelle einer »kerygmatischen Neoorthodoxie« die Konsequenzen ziehen, die in der für BULTMANNS Denken typischen Bezogenheit auf die Situation angelegt sind (33). Sölle scheint allerdings mit ihren Anschauungen und Absichten allein zu stehen: »D.

lichkeit verloren, ohne endgültige Klärung gebracht zu haben« (35). Auch weist Dieckmann auf den systematischen Charakter der Theologie Bultmanns hin (38).[138] Zudem will er ihre innere Einheit zeigen (vgl. 34) und er zeigt das, was er für ihre Grenzen hält, auf, etwas, was man bei Boutin vergeblich sucht.[139]

1. DIE RADIKALITÄT DER SÜNDE

a) Das Geltungsstreben und die Welt als Macht der Uneigentlichkeit

Um Bultmanns Verständnis von der Sünde darzustellen, geht Dieckmann von der Verkehrung des menschlichen Geltungsbedürfnisses aus. Dieses Geltungsstreben ist das Movens in allem Tun des Menschen (Dieckmann 136), wird aber zum Geltungsdrang (136 f), weil der Mensch diese Geltung aus eigener Kraft, durch Selbstbehauptung zu erreichen sucht (137). Der »natürliche Mensch« versteht sich selbst ausgehend von dem, was er kann und leistet: »So lebt der natürliche Mensch in und aus der Selbstbehauptung« (ebd.).

Das führt dazu, daß der Mensch aus dem »Verfügbaren« leben (137) und sich verstehen will – also aus der »Welt« als Raum der verfügbaren Möglichkeiten, die »objektivierendes Denken« erfassen und menschliches Handeln gestalten können (138). Dadurch bleibt er aber selbst dem Verfügbaren unterworfen (ebd.)

Zudem verkehren sich auch die Beziehungen zwischen den Menschen. Der »natürliche Mensch« will seine Geltung bei anderen durchsetzen. Die Welt wird zur Menschenwelt und zu einer den Menschen beherrschenden »Macht der Uneigentlichkeit« (139). Der Mensch ist weiterhin von seiner Vergangenheit bestimmt und »vergißt«, daß er ein »Seinkönnen« ist, das aufgerufen ist, in der Entscheidung sein Sein zu erlangen: »Das Sein des natürlichen Menschen ist schon immer entschieden« (142).

Sölle hat mit dieser captatio benevolentiae nach beiden Seiten wenig Erfolg gehabt, und ihr interessanter Versuch, Bultmanns methodische Prinzipien in metaethische Kategorien zu transponieren, hat zunächst keine Nachfolger gefunden«: W. Nethöfel, Strukturen existentialer Interpretation. Bultmanns Johanneskommentar im Wechsel theologischer Paradigmen, Göttingen 1983, 37, Anm. 65. A. Rizzi schreibt, daß D. Sölle eine ungewöhnliche Position einnimmt, da die anderen Autoren von einer Grundverschiedenheit, wenn nicht Unvereinbarkeit der existentialen Theologie und der politischen Theologie ausgehen: A. Rizzi, Il credente come soggetto di storia. Bultmann risponde ai »teologi politici«, Rom 1978, 38 f. Rizzi selbst meint, daß eine sorgfältige Lektüre Bultmanns die Aussage zuläßt, daß das Existentiale bei Bultmann nicht nur für das Politische offen ist, sondern daß es auch die Voraussetzung für die Authentizität des Politischen ist (9). Wenn auch das theologische Denken Bultmanns nicht »explizit politisch ist, schafft es aber zweifelsohne die Möglichkeit dafür, daß die politische Theologie *Theologie* bleibt«: A. Rizzi, Riscoprire Bultmann: Rassegna di teologia 4 (1977) 376–383, hier 376. Seine eigenen Anstrengungen wertet Rizzi als eine »Rückkehr zu Bultmann« (Rizzi, Il credente 8).

138 »Er vermag, jede Fragestellung mit seinem Grundsatz zu verbinden und in den Zusammenhang seiner Theologie einzufügen« (Dieckmann 38); »Eine Tendenz zur Einheit, zum systematisch geschlossenen Zusammenhang, ist für Bultmanns Denken charakteristisch«: B. Dieckmann, Die theologischen Hintergründe von Bultmanns Bildfeindschaft: Cath (M) 32 (1978) 270–298, hier 292 f. In diesem Kontext verdient die meiner Meinung nach richtige Bemerkung Dieckmanns Beachtung, daß die Theologie Bultmanns »zum mindesten seit der Mitte der zwanziger Jahre keine Wandlungen der Position mehr kennt« (Dieckmann 34).

139 Siehe Annm. 135 und 133.

Die Sünde hat ihren Ursprung in der Schuld des Menschen, in der Entscheidung für ein falsches »Woher seines Selbstverständnisses« (149; vgl. 147). Die Situation der Unterwerfung unter diese Sünde ruft den innerlichen Zwiespalt hervor zwischen dem, was der Mensch ontisch ist – nämlich der Uneigentlichkeit unterworfen – und dem, was er aufgrund der ontologischen Struktur seines Wesens wirklich will – die Eigentlichkeit (143). Dadurch ist er der Hinfälligkeit des Vergänglichen und dem Tod unterworfen (142).

Ferner ist die Angst, die auf besondere Weise die Unterwerfung des Menschen unter die Sünde zum Ausdruck bringt, auch »Zeichen der Selbstbehauptung wie Zeichen der Vergeblichkeit dieses Bemühens« (145).

Kurzum: In der Sünde überschreitet der Mensch seine Grenzen (138 f) und will wie Gott sein (145): »Die Sünde als Empörung gegen Gott ist die geheime Triebkraft und der verborgene Grund des so gegensätzlichen Treibens der Welt« (ebd.). Sowohl als religiöse Frömmigkeit und sittliche Korrektheit als auch als Gottlosigkeit und sittliche Verfehlung »ist die Sünde die eigentliche Wirklichkeit der Welt« (145, vgl. 147 f). Die »Sünden« – d. h. die sittlichen Verfehlungen – sind Folgen der Sünde, nämlich der Selbstbehauptung und Empörung gegen Gott, die auch im Falle moralischer Korrektheit gegeben sein kann (147).

Auf diese Art und Weise läßt sich also Dieckmanns Interpretation von Bultmanns Verständnis der Sünde zusammenfassen.

b) Die Radikalität der Sünde

Die Radikalität, die Bultmann der Sünde zuschreibt, ist daran abzulesen, daß seiner Meinung nach nur der Glaube ihre Tiefe erkennen läßt: »Die Erkenntnis der Sünde ist eine Bewegung des Glaubens« (151). Durch den Glauben wissen wir, daß die Sünde die Weltgeschichte allgemein beherrscht (148) und daß sie, auch wenn sie eine ontische Konkretisierung, nämlich die Entscheidung für ein bestimmtes Selbstverständnis ist, dennoch alle Menschen erfaßt: »Alle Menschen sind Sünder« (148, vgl. 149–151).

Darüber hinaus ist der Mensch der Sünde so verfallen, daß er sich nicht von seiner einmal getroffenen Entscheidung, von seiner Vergangenheit, befreien kann: Der »natürliche Mensch« hat seine Freiheit verloren (152, vgl. 152–158).

c) Die Kritik an Bultmann

Die Kritik Dieckmanns an Bultmann richtet sich gegen Bultmanns Auffassung von der *Universalität der Sünde,* die ein wesentlicher Aspekt seines Verständnisses von der Radikalität der Sünde ist.

Die Sünde hat sich zur »Welt« konstituiert, die als die Macht der Sünde wirkt, universalen Charakter hat und die gesamte menschliche Geschichte beherrscht: »Alle Menschen sind Sünder« (Dieckmann 148). Daher muß die Erfahrung eines Verderbens, das das Leben des einzelnen Menschen überschreitet, aus der Sicht des Glaubens als die Erfahrung einer wahrhaft universalen Wirklichkeit der Sünde gedeutet werden. Nach Dieckmanns Meinung sind aber einige Aspekte einer solchen Anschauung problematisch.

So läßt sich kaum einsehen, wie die Universalität der Sünde eine Erfahrungssache sein soll, da ja eine Totalität wie die Gesamtheit der Menschen nicht erfahrbar ist (150). Zudem sind nach den sonstigen Voraussetzungen von Bultmanns Denken Aussagen, die vom Glauben aus formuliert werden, nie allgemeine Wahrheiten, da sie ja nicht nur immer aus einem Hören auf die Offenbarung hervorgehen, sondern sich auch immer auf eine ontische Wirklichkeit, d. h. auf eine faktische, existentielle Verwirklichung der Existenz beziehen. Deshalb fragt Dieckmann sich, ob ein glaubendes Reden über die Sünde auch ein Urteil über die Gesamtheit der Geschichte als eine radikal von der Sünde bestimmte Geschichte, in der die faktische Situation des Menschen auch immer eine Situation der Sünde wäre, miteinschließen kann (vgl. 150 f). Auch geht Dieckmann ein auf das Bultmann eigene Thema einer unheilbaren Bestimmtheit des Menschen durch seine sündige Vergangenheit, die nur durch die Begegnung mit der Offenbarung überwunden werden kann (155 f), und merkt an, daß dadurch der Mensch nicht nur als jemand erscheint, der der Sünde verfallen und ohne Freiheit ist und der sich schuldhaft der »Begegnung« mit der Offenbarung verschließt, sondern daß dadurch die faktische Situation des Sünders auf eine problematische Weise als eine Situation des Verderbens hervorgehoben wird, in der der Mensch sozusagen auf die Begegnungen wartet, die ihm die Freiheit bringen können.[140]

Nach Dieckmanns Meinung hängt Bultmanns Darlegung von der radikalen Unterwerfung des Menschen unter die Sünde von der theologischen Voraussetzung ab, daß die Eigentlichkeit nur als die Begegnung Gottes mit dem Menschen in der Geschichtlichkeit dieses Menschen möglich ist. Dies beinhaltet auch, daß »Geschichtlichkeit« ein spezifisch theologischer Begriff ist, da sie nur in der Begegnung mit Gott wirklich gegeben ist (158).

2. DIE »GLEICHZEITIGKEIT« VON SÜNDE UND VERGEBUNG BEIM GLAUBENDEN

Das »Gerechtfertigtsein« des Menschen bedeutet nicht, daß er in einen neuen Zustand eintritt bzw. daß bei ihm eine »Qualitätsverbesserung« (196) stattgefunden hat, sondern diese Rechtfertigung ist immer ein Geschenk, das der Mensch empfängt, und es wäre eine Verfälschung, wenn man diesen relationalen Charakter nicht wahren würde. Nach Dieckmann ist dies die Bedeutung von Bultmanns Verständnis der Formel »simul iustus et peccator«, mit der so zuerst gesagt wird, »daß der Glaubende stets auf Gottes rechtfertigende Gnade angewiesen ist« (197). Folglich »bedeutet ›peccator‹ nicht, daß der Glaubende positiv versagt; es weist nur auf den Sachverhalt hin, daß der Glaubende als Geschöpf mit allem, was er ist und tut, vor Gott nichtig und auf ihn angewiesen ist« (ebd.).

Zudem will Bultmann mit dem »simul« sagen, daß die Rechtfertigung Sündenvergebung ist, daß die Gnade als Vergebung dem sündigen Geschöpf gilt, das dann auch deshalb »simul iustus et peccator« ist, weil es seine erlöste Existenz nur richtig verstehen kann, wenn es seine Vergangenheit in der Sünde nicht vergißt (197). »Das ›simul iustus et peccator‹ besagt nicht, daß der Glaubende ein Sünder ist; sein Sein ist ein durch die Gnade bestimmtes Gottesverhältnis, und darin *ist* er gerecht (GV III, 31), aber es weist

---

140 »Es geht doch nicht darum, daß der sündige Mensch Begegnungen nicht hat – negativ –, sondern daß er sie nicht haben kann, weil er sich positiv gegen sie verschlossen hat! Begegnungen nicht zu haben, ist Schicksal; sie nicht haben zu wollen, das ist Schuld!« (DIECKMANN 157).

darauf hin, daß die Rechtfertigung bleibend Sündenvergebung ist« (198). »Als simul iustus et peccator existiert dieser (= der Glaubende) in der ständigen Überwindung des natürlichen Menschen« (202).

So bedeutet nach Dieckmann die simul-Formel bei Bultmann vor allem zweierlei: 1. daß die Rechtfertigung immer relationalen Charakter hat und der Glaubende immer von der Gnade Gottes abhängt, und 2. daß sie als Überwindung der sündigen Vergangenheit eine ständige Vergebung der Sünden ist.

Hier könnte man anmerken, daß diese Interpretation der faktischen Wirklichkeit, in der der gläubige Sünder lebt, nicht genügend Rechnung trägt. Wenn es zum Beispiel darum geht, den relationalen Charakter der Rechtfertigung zu wahren, schreibt Dieckmann: »So bedeutet ›peccator‹ nicht, daß der Glaubende positiv versagt; es weist nur auf den Sachverhalt hin, daß der Glaubende . . . vor Gott nichtig und auf ihn angewiesen ist« (197). Wenn er aber über die Rechtfertigung als »Vergebung der Sünden« spricht, räumt er ein, daß das »simul« sich auf den Glaubenden als Sünder bezieht, allerdings in dem Sinn, daß in ihm die sündige Vergangenheit ständig gegenwärtig ist und »nicht zuerst deshalb, weil er faktisch immer wieder sündigt« (ebd.). Als Beleg verweist Dieckmann hier auf einige Stellen bei Bultmann, aber von wenigstens einer dieser Stelle, ThNT 432, läßt sich ableiten, daß das »simul« sich »auf das faktisch immer wieder erfolgende Sündigen der Glaubenden« bezieht (ThNT 432). Mit der Formel des »simul« will Bultmann also auch das Paradox erklären, daß der Christ noch Sünden begeht, was in Dieckmanns Interpretation nicht ausreichend berücksichtigt wird.

3. DIE »MITTE« DER THEOLOGIE BULTMANNS

a) Die Rechtfertigungslehre

Dieckmann hebt stark hervor, welche entscheidende und wichtige Rolle die Rechtfertigungslehre im Denken Bultmanns spielt. So schreibt er, daß »das ›Verstehensprinzip‹ der Rechtfertigung aus Glauben, nicht aus Werken das Denken Bultmanns durchgehend« formt.[141] »In ihr (= in der Rechtfertigungslehre) sind theologische Anthropologie, Schöpfungs- und Gotteslehre sowie das Verständnis von Sünde und Heil eine Einheit« (Dieckmann 266). Wichtige Themen in Bultmanns Theologie werden entweder aus ihr abgeleitet oder dienen ihrer Erklärung oder Übersetzung (vgl. 260, 266 ff).[142] Zudem: »Charakteristisch für Bultmann wird es, daß dieser Gegensatz (= der Gegensatz zwischen der Erfüllung des Gesetzes und der Gnade) zur *systematischen Mitte* der Rechtfertigungslehre wird«, die »durch die Alternative Eigentlichkeit aus Selbstbehauptung oder in Hingabe ausgelegt« wird (266). Auch im »Schlüsselbegriff« der »Nichtigkeit« des Menschen vor Gott sieht Dieckmann eine Bultmannsche Interpretation der Rechtfertigungslehre (vgl. 210).

---

141 DIECKMANN, Bultmanninterpretation 432. Dieckmann spielt hier auf Boutin an und sagt zudem, daß dieser die Rechtfertigungslehre Bultmanns nicht in ihrer vollen Bedeutung verstanden hat (ebd.).

142 Einen solchen Zusammenhang stellt Dieckmann fest bei Bultmanns Interpretation von »Selbstverständnis« (Dieckmann 260), bei seiner Schöpfungslehre (267) und bei seiner Behandlung der Thematik des objektivierenden Denkens (DIECKMANN, Hintergründe 292).

b) Die Nichtigkeit des Menschen vor Gott

Dieckmann zeigt auf überzeugende Weise, wie wichtig das Thema der »Nichtigkeit« des Geschaffenen vor Gott bei Bultmann ist (vgl. 144, 209 f, 265–269). Um dies darzustellen, weist er darauf hin, daß Bultmann in seiner Interpretation von »Heil« von der Tatsache ausgeht, daß der Mensch vor Gott steht und – in seiner Dynamik auf die Eigentlichkeit hin – von Gott radikal abhängig ist. Von sich aus ist der Mensch »nichtig« vor Gott: *»Nichtigkeit ist der Schlüsselbegriff, um das Gottesverhältnis nicht nur des Sünders, sondern auch des Geschöpfs zu verstehen«* (265). Nur indem er die Erfahrung seiner Nichtigkeit macht, kann der Mensch zur Eigentlichkeit gelangen (210). »Die Existenz des Menschen kann nur dann sinnvoll sein, wenn dieser die Sinnlosigkeit und Nichtigkeit der Welt« konkret feststellt (ebd.). »Es gehört zum Glauben, immer wieder in das völlige Dunkel des göttlichen Handelns einzugehen« (ebd.). Zudem vereinen sich in diesem Zugang zum Sinn auf dem Weg über das Paradox der »Entweltlichung«, so wie Bultmann diese versteht, »ein pessimistisches Weltverständnis, ein Heilsverständnis, das dies vor allem als Vergebung der Sünde beschreibt, und eine strenge Trennung der Transzendenz Gottes von der Welt« (ebd.). Schließlich stehen all diese Überlegungen im Dienste einer angemessenen Darstellung der Rechtfertigung, nämlich des Heiles, das »reine Gabe und deshalb streng von allen eigenmächtigen, innerweltlichen Möglichkeiten des Menschen zu unterscheiden« ist (ebd.).[143]

Wir können also mit Dieckmann sagen, daß der Kern von Bultmanns Theologie das Thema der »Begegnung« (vgl. 91 und 101) der Nichtigkeit des Menschen in seiner Selbstbehauptung mit der die menschliche Selbstbehauptung verneinenden Gottheit Gottes (209, vgl. 265–269, 277 f) ist und daß sich in dieser Begegnung die Rechtfertigung des Sünders ereignet.

c) Begriffsbestimmung durch Verneinung

Dieckmann weist darauf hin, daß die Hervorhebung der Nichtigkeit der Welt und des Menschen bei Bultmann oft damit zusammengeht, daß auf problematische Weise theologische Inhalte durch ihre Abgrenzung von der Uneigentlichkeit und der Selbstbehauptung des Sünders bestimmt werden. Auf diese Weise sei in folgenden Fällen verfahren worden:

- »Gott ist der ›ganz Andere‹ als Grenze der Eigenmacht und der Selbstbehauptung des Menschen« (265);
- »Deshalb kann die Geschöpflichkeit wie das Heil nur negativ als Nichtigung der Selbstbehauptung beschrieben werden« (265, 268 f, vgl. 262);
- »Die Entweltlichung ist im doppelten Sinne eine negative Bewegung . . .: Das eschatologische Heil eröffnet sich in der Weltabwendung als Preisgabe 1. des natürlichen Selbstverständnisses und 2. der innerweltlichen Kategorien von Glück und Leben« (263 f);
- die Offenbarung ist Gericht und Angriff auf die Welt und Ende des menschlichen Selbstverständnisses (166 f);

---

143 Auch noch: »Seine (= Bultmanns) Rechtfertigungslehre macht die Welt zum bedeutungslosen Raum« (Dieckmann 278).

– »So gewinnt die Betonung der Nichtigkeit des Menschen für das Verständnis seiner Gottesbeziehung zentrale Bedeutung und müssen Schöpfung und Heil als Nichtigkeit der Selbstbehauptung beschrieben werden« (269, vgl. 273, 277).

Bei der Feststellung eines solchen Vorgehens fragt Dieckmann, ob durch diese rein negative Abgrenzung von der Selbstbehauptung des Menschen überhaupt theologisch von Gott geredet werden kann (269). Denn wenn eine Wirklichkeit nur negativ durch ihre Beziehung zu einer anderen Wirklichkeit bestimmt wird, von der sie begrenzt wird und von der sie sich unterscheidet, dann wird dadurch nichts Positives über die erste Wirklichkeit gesagt, sondern es werden einzig und allein die Grenzen der zweiten Wirklichkeit bestimmt (274, vgl. 273–279). Dann besteht die Gefahr, daß die erste Wirklichkeit ausgehend von der zweiten gedacht wird (vgl. 270).[144]

d) Eine Bemerkung zu der Interpretation Dieckmanns

Nach Dieckmann ist »die Mitte von Bultmanns Denken: Gottes Gottheit und die Nichtigkeit des Menschen« (Dieckmann 209). Die »Nichtigkeit des Menschen vor Gott« ist der Schlüsselbegriff, um die Beziehung des Menschen zu Gott zu verstehen (265). »›Nichts‹ ist die ontologische Struktur, die Geschöpflichkeit, des Menschen. Will der Mensch diese nicht wahrhaben, indem er versucht, sich sein Heil selbst zu verschaffen, so ist er nichtig« (144). Demnach ist die Sünde, d. h. der Versuch, sich sein Heil

---

144 Dieckmann vertritt die Ansicht, daß es die Intention der Theologie Bultmanns ist, die Gottheit Gottes, also Gottes Transzendenz zu wahren, indem Gott in dieser Theologie als der »unverfügbare Ursprung der Eigentlichkeit« verstanden wird: »Die Gottheit Gottes soll gewahrt werden, indem die radikale Angewiesenheit des Menschen auf Gott . . . herausgearbeitet wird« (270). Aber Dieckmann fügt auch hinzu: »*Zwar wird so die Angewiesenheit des Menschen auf Gott gewahrt, aber zugleich wird Gott von der Heilsbedürftigkeit des Menschen her gedacht*« (ebd.). Auch in einer anderen Schrift geht Dieckmann auf das Thema der Negation bei Bultmann ein und bemerkt, daß Bultmann dabei die Absicht hat, »die Geschenkhaftigkeit des Heiles zu wahren. Das ist der zentrale Inhalt, auf den alle Begriffe konvergieren.« Diese Begriffe wie: Gott, Offenbarung, Glaube, Entscheidung, Begegnung . . . »sagen alle nur verschiedene Aspekte der Unverfügbarkeit von Heil und Leben aus« und das hieße, daß man in bezug auf »Leben« und »Heil« nichts Positives denken könne, daß man also nur ihre »Unverfügbarkeit«, nur das Unvermögen des Denkens, deren Wirklichkeit zum Ausdruck zu bringen, feststellen könne. Aber, so Dieckmann, »Bultmann zerstört gerade den Gedanken der Unverfügbarkeit von Heil und Leben, der sein Anliegen ist, und verwandelt ihn in den Nicht-Verfügbarkeit. Er verweist nur noch auf die Unfähigkeit des Begriffs, sein Unvermögen als solches« (Dieckmann, Hintergründe 290). Nach Dieckmanns Meinung liegt der Grund für dieses theologische Vorgehen darin, daß Bultmann »entsprechend dem Ansatz der dialektischen Theologie das Eigentliche, Gott und den Glauben, dadurch zu verstehen sucht, daß er sie als Aufhebung und Preisgabe der Welt beschreibt. Darauf wird die Theologie konzentriert, alle theologischen Begriffe werden von daher interpretiert, alle Phänomene menschlichen und religiösen Lebens kommen nur soweit in den Blick, als sie diesem Ansatz dienen« (291). Schließlich kommt Dieckmann in dieser Angelegenheit zu der Schlußfolgerung: »Indem Gott aber nur als Grenze der Welt und damit der Macht, die der Mensch in der Welt und über sie hat, zur Sprache kommt, wird von ihm allein gesagt, was er nicht ist. Seine Unverfügbarkeit wird zur Nicht-Verfügbarkeit, und alle theologischen Begriffe werden negativ.« Dabei sei eine solche negative Abgrenzung nur »eine sekundäre Aufgabe der Theologie . . ., weil durch Abgrenzung allein nur das Negierte noch einmal ausgesagt wird. . . . Bultmanns Denken ist ein Versuch, allein durch Negation Theologie zu treiben. Das Absurde dieses Versuches bleibt dadurch verschleiert, daß er von der Positivität, die seine theologischen Begriffe durch ihre christliche Tradition haben, getragen wird« (ebd.).

selbst zu verschaffen, der Grund, weshalb der Mensch »nichtig ist«: »›Nichts‹ ist dann seine ontische Uneigentlichkeit« (ebd.).

Hier muß man zwei Momente in der Bedeutung des Nichts unterscheiden: Erstens ist dieses Nichts ein Merkmal alles Geschaffenen, sozusagen seine »ontologische Struktur«; zweitens ist es die »ontische Uneigentlichkeit« des Sünders, der sich sein Heil selbst verschaffen will. An anderen Stellen, an denen Dieckmann dieses Thema erörtert (209 f, 265 ff) und es als theologische Mitte (209) bzw. als Schlüsselbegriff, um das Gottesverhältnis zu verstehen (265), qualifiziert, scheint vor allem das erste der beiden genannten Momente, nämlich das Nichts als Merkmal alles Geschaffenen, gemeint zu sein. Hier hätte klarer gesagt werden müssen, daß nach Bultmann die Sünde, d. h. das Nichts als ontische Uneigentlichkeit, der Schlüsselbegriff ist, um die Beziehung zwischen Gott und dem Menschen zu verstehen, daß, weiterhin nach Bultmann, diese Sünde zu dem Bereich der ontischen Verwirklichungen (ontologischer Möglichkeiten) gehört und daß der Mensch immer ein Sünder ist: Die Sünde bestimmt den Menschen so sehr, daß man sich den Bereich des Menschen und der Welt mit all den menschlichen Konkretisierungen des Denkens und Handelns als radikal sündig vorstellen muß.

Zwar hat Dieckmann dieses Denken Bultmanns verstanden, er hat es aber, so meine ich, nicht in all seinen Folgen durchdacht. In diesem Bezug scheint mir die Kritik von Traugott Koch an Bultmann, auf die wir im folgenden eingehen werden, vollständiger und gründlicher zu sein.

C. DIE INTERPRETATION VON TRAUGOTT KOCH

Im Jahr 1970 legte Traugott Koch der Evangelischen Theologischen Fakultät der Universität München seine Habilitationsarbeit vor, also bevor M. Boutin und B. Dieckmann 1972 bzw. 1974 ihre Dissertation bei der Katholischen Theologischen Fakultät derselben Universität einreichten.[145] In seiner Arbeit untersucht Koch Entstehen und Reifen des Denkens Bultmanns und kommt zu der Schlußfolgerung, daß dieser Prozeß im wesentlichen im Jahr 1929 seinen Abschluß fand (Koch 324), nachdem er folgende Stufen durchlaufen hatte:
– *die vordialektische Periode* mit den Themen der Theologie der Subjektivität und des Erlebnisses (W. Herrmann), mit der Feststellung, wie relativ die Ergebnisse der historischen Untersuchung (der religionsgeschichtlichen Schule) sind und mit der Trennung zwischen dem Bereich der Objektivität und dem der Subjektivität (W. Herrmann) (vgl. 170, 172 f, 214 f, 289, 294, 147 ff);
– *die Rezeption der »dialektischen Theologie«* vor allem auf der Grundlage von Barths Kommentar zum Römerbrief (vgl. 213 ff) mit den folgenden Themen: Gott als die Negation des Menschlichen und Endlichen, radikale Trennung zwischen Subjektivität und verdinglichender Objektivität, Feststellung einer verschlossenen Immanenz (vgl. 220 f, 289 f), das wahre »Subjektsein« des Menschen als eine im Glauben empfangene Gabe mit transzendentem Charakter (vgl. 219 f, 221, 237, 274);
– *die Ergänzung des Vorhergehenden durch die existentielle Theologie und die Theologie der Geschichtlichkeit* ausgehend von Heideggers Philosophie in »Sein und Zeit« mit dem

145   Beide berücksichtigen nicht die Arbeit Kochs, die allerdings bis heute nicht im Druck erschienen ist.

Thema der Existenz als Offenheit für ihre Möglichkeiten in der Geschichtlichkeit (289 f, 293 ff).

1. DIE LEHRE VON DER RECHTFERTIGUNG UND DIE THEOLOGIE DER NEGATION

Bei Koch findet sich wie bei Dieckmann sowohl die Feststellung, daß die Theologie Bultmanns eine systematische Einheit aufweist, als auch die Einschätzung der Rechtfertigungslehre als Mittelpunkt dieser Theologie: »Der Kern seiner theologischen Überzeugung liegt in dem Gedanken der Sündenvergebung, der Rechtfertigung des Sünders . . . als einem je aktuellen Geschehen« (Koch 287).

Auch zeigen beide Autoren, welche Bedeutung das Thema bzw. die Methode der »Negation« bei Bultmann hat. Wie wir oben gesehen haben, geht Dieckmann dabei vor allem auf die Tatsache ein, daß Bultmann einige entscheidende Begriffe *negativ*, d. h. durch ihre Abgrenzung zu anderen, mit ihnen im Gegensatz stehenden Begriffen bestimmt. So werden z. B. »Gott«, »Offenbarung«, »Heil« durch ihre negative Abgrenzung von der sündigen Selbstbehauptung des Menschen bestimmt (vgl. Dieckmann 273 ff). Koch geht dagegen vor allem auf die Tatsache ein, daß diese Begriffe nicht nur negativ bestimmt, sondern auch als die *Negation des Menschlichen und Weltlichen* definiert werden. Dies geschieht in folgenden Fällen:

– die Transzendenz wird als Negation des Bereiches des Menschlichen (Koch 224, 318), der Welt und des Menschen verstanden (219 f)[146];
– der Begriff Gott bildet sich durch Negation heraus (174) und wird als die »Negation« des Menschlichen und Endlichen gedacht (256)[147];
– die Beziehung Gottes zur Welt des Faktischen kann nur die der »Negation« sein (232 f); »Die einzig sinnvolle Theologie hat diese Negation zum einzigen Inhalt« (232)[148];

146 »Den Gewinn dieses ›Jenseits‹, von dem zwar kein positiver Inhalt angegeben werden kann, das aber eine totale Negation aller endlichen Wirklichkeit erlaubt, ohne dieser doch zu entfliehen, – diesen Gewinn bringt der Glaube dem Subjekt ein« (Koch 219). Die Theologie Barths »war für Bultmann Anlaß und Impuls, seinen Begriff der Religion – oder wie er nun sagt: des Glaubens – so zu konzipieren, daß die Negation der Endlichkeit den Glauben selbst wesenhaft definiert« (224). Nach Kochs Auffassung liegt der Grund für diese Betonung der Negation in Folgendem: »Der allein auf die Verneinung gestellte Gedanke des Jenseits gibt einen Punkt an, der um seiner Inhaltslosigkeit willen nicht mehr den Zweifeln der Relativität zu unterliegen scheint. . . . Der verneinenden Abgrenzung im Begriff des Glaubens entspricht der je aktuelle Vollzug der Weltverneinung durch den Glaubenden« (ebd.). »Bultmann vermag die Transzendenz des Glaubens nicht mit dem Begriff der Existenz zu verbinden; die Transzendenz scheint konstant nur als Negation des Menschseins formulierbar« (318).

147 Sich auf eine Homilie von 1917 beziehend (s. dazu MILLÁS 3 f und Anm. (3) 6) schreibt Koch »Die derart qualifizierte Einheit nennt diese Predigt – Gott; sie formuliert in diesem Horizont den Gottesgedanken teleologisch als Durchgang durch die Negation« (Koch 174). Sich auf Bultmanns Äußerung beziehend, »Und sofern die Zukunft Gottes ist, ist sie das Ende aller menschlichen Dinge und Zwecke«: ZevRU 36 (1925) 172, stellt Koch die Frage: »Inwiefern ist die Zukunft als diese totale Negation die ›Gottes‹?« (Koch 256), um über den Ursprung dieser Denkweise Bultmanns festzustellen, daß »die Definition Gottes als totaler Negation . . . ein Erbe der 2. Auflage des Barthschen Römerbriefes« darstellt (256, Anm. 99, dies entspricht Koch II, 79, Anm. 99).

148 »Weil die Relation Gottes zur Welt des Faktischen nur die der Negation sein kann, . . . weist Bultmann schon den Versuch, ›dem Glauben eine Begründung zu geben‹, als Verkennung seines Wesens

- die Welt wird so konzipiert, »daß die Rettung der Existenz allein als Negation des Faktischen gedacht werden kann« (Koch 232);
- die Offenbarung scheint nur die Verwirklichung des »›Daß‹ der Negation des Menschen« zu sein (242, vgl. 274, 318)[149];
- auch die Rechtfertigung wird nur ausgehend von der »Negation« verstanden (236) und in ein totales Jenseits verlegt (237)[150].

In all diesen Fällen werden zentrale Begriffe der Theologie als »Negation der Welt und des Menschen« definiert. Das hängt auch damit zusammen, wie Bultmann die Bestimmung der Welt und des Menschen durch die Sünde versteht.

2. DIE RADIKALITÄT DER SÜNDE

Nach Bultmann ist, so Koch, der Mensch immer bei der Verwirklichung seiner Existenz gescheitert (Koch 247).[151] Dieses Scheitern bestimmt so sehr die Wirklichkeit der Welt und des Menschen, daß diese als eine Totalität der Sünde in der gesamten Breite und Tiefe dieser Sünde erscheint.

Diese Auffassung Bultmanns wird von Koch an einigen, von ihm rigoros analysierten Elementen seiner Theologie aufgezeigt. Dabei weist Koch auf eine übertriebene Radika-

---

ab« (233). Die Äußerung Bultmanns, daß die Gnade und das Gericht Gottes »nie etwas Allgemeines« seien (GV I, 23), kommentiert Koch mit der Frage, ob »es etwas schlecht Allgemeineres, d. h. Abstrakteres, als Bultmanns monotone Behauptung der Gnade des Gerichts im Sinne der totalen Verneinung« geben könne (KOCH 336).

149 »Das limitierte ›Daß‹ der Negation des Menschlichen ist als Vollzug die Offenbarung und die einzige Seinsweise des Göttlichen« (242); »die Transzendenz erscheint konstant nur als Negation des Menschseins formulierbar« (318).

150 Über Bultmanns Auffassung: Die »Konzeption der Rechtfertigung gibt noch einmal zu erkennen, was das Beharren bei der Negation impliziert. . . . daß der Gerechtfertigte nicht mehr und nichts anderes weiß als sein Sündersein. . . . die nötige Kritik an einer Naturierung der Gnade legitimiert schwerlich eine Konzeption der Rechtfertigung, derzufolge diese keine qualitativ neue Wirklichkeit erschließt, auf die der Mensch sich als vor Gott real gerecht intentional zu beziehen vermag. Die reformatorische Abgrenzung der rechtfertigenden Gerechtigkeit vor dem Mißverständnis als empirische Bestimmung gefaßt zu werden, benutzt Bultmann dazu, der Gerechtigkeit selbst ihren eigenen Inhalt zu nehmen. Der Kerngedanke, die Gerechtigkeit als relationale Intentionalität, tritt bei Bultmann erst gar nicht in den Blick. Die Rechtfertigung wird ihm zu einem inexplikablen Behauptungstheorem« (236 f). »Wohl kennt Bultmann den Satz: ›im Glauben ist der Mensch ohne Sünde‹ (GV I, 17; vgl. Exeg. 44); aber er besagt laut Bultmann ›eine Unmöglichkeit auf Erden‹ (GV I, 17; vgl. 15). Weil die Glaubensgerechtigkeit ›auf Erden‹ ausgeschlossen ist, darum wird die Rechtfertigung in ein totales jenseits verlegt. . . . Das Dekret über die ›Unmöglichkeit‹ der Gerechtigkeit ›auf Erden‹ (GV I, 17) verlagert sie in ein abgetrenntes Jenseits und bringt ihren Inhalt auf eine leere Unbekannte herunter. Dem faktischen Menschen bleibt nur die Erkenntnis – und dazu dient der ganze Aufwand der Rechtfertigungslehre –, daß er Sünder ist. In Bultmanns Rechtfertigungslehre degeneriert das Jenseits zur Chiffre für ›unbekannt‹ und der Glaube zum einsichtslosen Beharren bei Assertionen« (237).

151 »Weil der faktische Mensch in jener Depravation, die das Denken und Reden notwendig mit sich bringt, nicht in seiner Existenz ist, sondern sie verloren . . . hat . . ., darum kann er ›Gott‹ in ihr ›nicht sehen‹ . . . Wenn der Mensch von seiner Existenz redet, kann er vor ihr nur als von einer verfehlten, sündigen reden . . . Doch obschon der Mensch seine Existenz ständig verfehlt, bleibt sie ihm aufgegeben . . . Nun aber zeigte sich: die Reflexion läßt sich nicht vermeiden; weil wir objektivieren, verlieren wir unsere Existenz, unser Selbst unausweichlich«, und Koch fragt: »Gibt es einen Ausweg, eine Erlösung aus diesem Dilemma?« (247).

lität einiger, sich auf die faktische Konkretisierung der Sünde beziehender Äußerungen Bultmanns und ihre Folgen hin.

a) Die Selbstbehauptung

Die »Ursünde« – die »eigentliche Sünde«, die »Grundsünde« – scheint bei Bultmann als die »Selbstbehauptung« des Menschen definiert werden zu können (GV I, 19, 196, 140; ThNT 420 f).[152] Dazu meint Koch, sich dabei konkret auf GV I,19 beziehend: »Deklariert Bultmann die menschliche Selbstbehauptung als die ›Grundsünde‹ (19), so unterzieht er nicht nur die Selbstdurchsetzung des faktischen Menschen der theologischen Kritik, sondern damit in eins negiert er das Recht des Subjekts auf Individuation und Selbstverwirklichung. Er postuliert, daß der Mensch jenes Recht als sein eigenes aufgibt und an das Jenseits delegiert« (Koch 234, vgl. 232).

b) Die Reflexion

Die reflektierende Tätigkeit des Menschen wird von Bultmann, so Koch, als konstitutiv sündig betrachtet, da sie sich nur als »objektivistische Verdinglichung« vollziehe (243), die einen unüberbrückbaren Gegensatz zwischen dem Subjekt und seinem Objekt schaffe und die in ihrem Vollzug nicht nur für die Existenz tödlich sei, indem sie diese zu einer »Gegebenheit« pervertiere, sondern die zudem »strukturell in sich ›gottlos‹«, »nurendlich« sei (ebd.). Auch wenn wir unsere wahre Existenz in einem »Moment« besitzen können, »zeigte sich: die Reflexion läßt sich nicht vermeiden: weil wir objektivieren, verlieren wir unsere Existenz, unser Selbst unausweichlich« (247).[153] »Da Bultmann sie (= die Reflexion) als Sünde versteht«, identifiziert er »die Endlichkeit des Menschen, wie sie sich in der Diskursivität ausdrückt, mit dem Sündigsein« (246, vgl. 263).[154]

Auch macht Koch darauf aufmerksam, daß nach Bultmanns Verständnis der Glaubensakt frei von Reflexion bleibt (vgl. GV I,34)[155] und daß dies verschiedene Folgen hat: Trennung von Glaubensakt und Wissen (Koch 245), Trennung von Wahrheitsvermittlung und Einsicht (»da Bultmann die Wahrheitsvermittlung durch Einsicht aus-

---

152 Dieckmann betrachtet das Vorgehen Bultmanns, auf diese Weise die Sünde zu bestimmen, als etwas Problematisches, vgl. Dieckmann 261 f, 271 f, 278 f.

153 »Als Intention des Bultmannschen Angriffs auf die Reflexion erweist sich: er möchte das Sein, die Faktizität gewinnen und festhalten. Wirklichkeit ist nur als die unserer Existenz. Das ›Wirkliche‹ können wir ›allein‹ in einem ›Moment‹ haben, ›nämlich‹ in dem ›unserer eigenen Existenz‹ (GV I, 33). Sie ›allein‹ kann unserem ›Reden und Tun Wirklichkeit geben‹ (33 f). – Nun aber zeigte sich: . . . (weiter wie im Haupttext)« (247).

154 »Da Bultmann sie (= die Reflexion) als Sünde versteht, somit die Endlichkeit des Menschen, wie sie sich in der Diskursivität der Reflexion ausdrückt, mit dem Sündigsein identifiziert, wird ihm die Sünde zur faktisch notwendigen und unaufhebbaren Bestimmung des Menschseins« (246). Weiter in seiner Arbeit setzt sich Koch mit Bultmanns Anschauung auseinander, daß »das menschliche Reden als reflektierendes – Sünde ist« (263). In diesem Zusammenhang bemerkt Koch: »Eine Naturalisierung der Sünde versucht Bultmann dadurch zu vermeiden, daß er einräumt, es gehöre ›zum Wesen des Menschen . . ., von Gott her beansprucht zu sein‹ (Exeg 43). Diese Aussage leistet ihren Dienst unter der Bedingung, daß sie auch vom Wesen des Menschen her begreiflich zu machen ist« (Koch 246 Anm. 69, = Koch II, 75). Beachten wir auch folgende Äußerung Kochs: »›Wahrheit‹ und ›Existenz‹ schließen in Bultmanns Vorstellungen jede Distanz aus: die Reflexion ist von Übel« (Koch 257, siehe auch 244 f).

155 Vgl. Koch 247–249.

schließt«, 258), Bezeichnung des Göttlichen als des »Unverständlichsten« (276), Umwandlung der Offenbarung als »Tat Gottes« in etwas »Unsagbares« (276 f).[156]

c) Der »gegebene Augenblick«

Interessant und wichtig in der Kritik von Traugott Koch ist auch der Hinweis darauf, daß Bultmann jeden »gegebenen Augenblick« mit der Gewalt und der Sünde in Zusammenhang bringt.

In einer polemischen Auseinandersetzung über das Verhältnis zwischen Christentum und Recht (vgl. GV I, 16 f) erklärt Bultmann sich mit der Ablehnung der Meinung einverstanden, mit Hilfe des Evangeliums lasse sich alles rechtfertigen, was sich als Recht und Rechtsverhältnisse in einem gegebenen Moment darstelle, und fährt fort: »Gewiß! aber es ist ein Wahn zu glauben, daß es je Recht und Rechtsverhältnisse, abgesehen von einem gegebenen Moment, d. h. aber abgesehen von Gewalt, abgesehen von Sünde geben könne« (GV I, 16). Somit scheinen aber alle »in einem gegebenen Moment« existierenden Rechtsverhältnisse von Bultmann unvermeidlich als sündig betrachtet zu werden.

Dazu bemerkt Koch: »Die Identifikation des Gegebenen mit der Gewalt und der Sünde macht deutlich: Der Atheismus der Welt, ihre geschlossene Endlichkeit läßt ein christlich motiviertes Handeln nach Bultmann nicht zu; der Glaubende erkennt dies an und findet sich damit anerkennend ab, indem er diese seine reale Situation als Sünde zugibt (vgl. GV I, 14)« (Koch 238).[157] Zudem werde durch diese Identifizierung angezeigt: »In der faktischen Welt findet das Subjekt die Erfüllung, den Sinn seiner Existenz nicht« (ebd.).

d) Die Sünde als faktisch notwendige und unaufhebbare Bestimmung des Menschseins

In seiner Analyse von Bultmanns Einschätzung der Reflexion war Koch zu folgender Schlußfolgerung gekommen: »Da Bultmann sie als Sünde versteht, somit die Endlichkeit des Menschen, wie sie sich in der Diskursivität der Reflexion ausdrückt, mit dem

---

156   Über die Ablehnung der Reflexion durch Bultmann schreibt er: »Wiederum ist aber seine Intention deutlich: er möchte auf den ›Akt‹ (GV I, 26), das Ereignis eines Redens in Liebe hinaus. Doch kann man den ›Akt‹, den Vollzug haben, wenn man nicht wissen darf, *was* sich vollzieht, wenn die Möglichkeit, sich auf den Inhalt des Geschehens zu besinnen, und d. h. in bezug auf die Theorie: seine Bestimmbarkeit ausgeschlossen ist?« (245). »Da Bultmann die Wahrheitsvermittlung durch Einsicht ausschließt, fordert er, ›den Anspruch des Textes als Autorität zu hören, an der es sich zu entscheiden gilt‹« (258). Über Bultmanns Darlegung der »dialektischen« Bedeutung der Theologie schreibt Koch: »Doch der Vorbehalt, der sich ›dialektisch‹ konkretisiert, legt laut Bultmann selbst lediglich aus, ›daß es *so* nicht gemeint ist‹ (76). Wie aber ist es sachlich wahr ›gemeint‹? Das vermag er offensichtlich nicht auszuführen, ja seine ganze Erörterung läuft darauf hin, daß das göttliche Geschehen in seinem eigenen Sinn nicht dargelegt werden kann. Vielmehr wird es *als göttliches* gerade und allein dadurch inthronisiert, daß es zum ›Unverständlichste(n)‹ (84), zu dem allem menschlichen Begreifen Entzogenen erklärt wird« (276). Und über Bultmanns Verständnis von der Offenbarung heißt es: »Bultmann kann dem nicht entgehen, daß für ihn die Offenbarung als ›Tat Gottes‹ zum ›Unsagbaren‹ geworden ist, obschon er behauptet: ›ein Unsagbares ist für ihn (sc. den Menschen) überhaupt ein Nichts, mag es für das Tier auch das Herrlichste sein‹ (GV I, 84)« (276 f).

157   Koch fährt fort: »Deutlich ist ferner, was sich in der Rede von der ›Eigengesetzlichkeit‹, an die sich der Mensch preisgegeben hat, und in der Synonymität von ›Gewalt‹ und ›Sünde‹ (16) anzeigt: In der faktischen Welt findet das Subjekt die Erfüllung, den Sinn seiner Existenz nicht. Diese Vergeblichkeit ist mitgemeint, wenn Bultmann vom unabänderlichen Sündigsein des Menschen spricht« (238).

Sündigsein identifiziert, wird ihm die Sünde zur faktisch notwendigen und unaufhebbaren Bestimmung des Menschseins« (Koch 246). Zuvor hatte er schon, als vom »gegebenen Moment« die Rede war, den Schluß gezogen: »In der faktischen Welt findet das Subjekt die Erfüllung, den Sinn seiner Existenz nicht« (238). Dem fügt er anschließend hinzu: »Diese Vergeblichkeit ist mitgemeint, wenn Bultmann vom unabänderlichen Sündigsein des Menschen spricht. Indem er auf der Totalität des Sündigseins insistiert, erreicht er jedoch für die mentale Selbstinterpretation des Gerechtfertigten eine Einheitlichkeit. Weil der Glaubende seine Identität und Wahrheit im Jenseits hat, rückt alles Faktische gleichermaßen unter den einen Aspekt der Sünde und der Vergeblichkeit. Allem, was der Mensch real ist und was er tut, eignet die gleiche Dignität und kann unterschiedslos – als vergeben, aber nicht qualitativ verändert – distanziert werden« (238).

In diesem Kontext beruft Koch sich auf Th. Siegfried, der darauf hinweise, »daß auch bei Bultmann die Sünde zur notwendigen Bewußtseinsstruktur wird« (236 Anm. 35)[158].

e) Die Sünde, der dialektische Pol zur Gnade

Das im vorigen Abschnitt Dargestellte bekommt ein noch schwereres Gewicht durch die Feststellung, daß Bultmann die sündige Verfassung des Menschen als dialektischen Pol zur Gnade zu betrachten scheint. So schreibt er: »Nimmt man den Gedanken ernst, daß der Mensch nur auf Grund der χάρις vor Gott als Gerechtfertigter dastehen kann, so ist er auch *immer* als ἀσεβής ein Gerechtfertigter; sonst würde ja Gottes χάρις nicht mehr ihren Sinn als χάρις für ihn haben« (Exeg. 53). Dieser Text wird von Koch wie folgt kommentiert: »Dieser Satz definiert geradezu die Gnade durch die Sünde: Wenn die Sünde nicht wäre, hörte die Gnade als Gnade auf« (Koch 236).[159]

Kurzum: Im Werk Bultmanns erscheint die Sünde bzw. die sündige Selbstbehauptung des Menschen, die – nach dortiger Darstellung – immer die Reflexion und jeden »gegebenen Moment« bestimmt, als eine unabänderliche und unaufhebbare Verfassung des menschlichen Daseins und als der dialektische Gegensatz zur Gnade.

Es ist verständlich, daß, wenn jemand der Auffassung ist, die Bedingungen, unter denen der Mensch lebt, seien notwendigerweise immer sündig, er auch die Offenbarung als die »Negation des Menschlichen« interpretiert.

f) Die Offenbarung, »Negation des Menschlichen«

Wie wir oben gesehen haben, zeigt Koch, wie wichtig das Thema der »Negation« bei Bultmann ist. In diesem Kontext wird auch die Offenbarung als ein reines »›Daß‹ der Negation des Menschlichen« beschrieben (Koch 242, vgl. 221, 224, 256, 336).[160] Der Grund dafür ist: »So immanentistisch geschlossen, to total heillos steht Bultmanns Welt,

---

158 = Koch II, 71. Verwiesen wird dort auf Th. Siegfried, Das Wort und die Existenz. Eine Auseinandersetzung mit der dialektischen Theologie, Bd. 2: Die Theologie der Existenz bei Friedrich Gogarten und Rudolf Bultmann, Gotha 1933, 123, wo Siegfried tatsächlich schreibt: »In Wahrheit hat er (= Bultmann) die Sünde mißverstanden und ausgemerzt, indem er aus der Sünde eine notwendige Bewußtseinsstruktur macht.«

159 An dieser Stelle Exeg. 53 wird ein Verständnis von der Beziehung zwischen Sünde und Gnade deutlich, die meines Erachtens einer Bedeutung der lutherischen Formel »simul iustus et peccator« entspricht, die W. Joest für nicht akzeptabel hält, siehe Joest 309, 313, 317 ff, und auch 293 Anm. 84 und 301.

160 »Das limitierte ›Daß‹ der Negation des Menschlichen ist als Vollzug die Offenbarung« (242).

daß die Rettung der Existenz allein als Negation des Faktischen gedacht werden kann«
(232).[161]

Wenn Bultmann den Offenbarungsbegriff – und auch den Gottesbegriff – ohne einen
positiv erfaßbaren Inhalt als »Negation des Menschlichen« denkt, dann entzieht er ihn
zwar dadurch der Endlichkeit und Relativität (Koch 242)[162], aber daraus, so Koch, folgt
dann auch, daß »das limitierte ›Daß‹ der Negation des Menschlichen« sich in den Vollzug der Offenbarung verwandelt.[163]

g) Der Dualismus in Bultmanns Denken

Koch weist noch auf eine weitere Folge hin, die die Betonung der Negation und ihrer
Totalität durch Bultmann hat: auf den Dualismus des radikalen Gegensatzes zwischen
dem Menschen und der Transzendenz. Das faktisch Menschliche erscheint als radikal
und unüberwindbar sündig, als unheilbar der Transzendenz entgegengesetzt (vgl. 318,
238, 232 f, 336)[164]. Dementsprechend findet die Überwindung der Sünde als der Zugang im Glauben zu der eschatologischen Existenz statt, einem Bereich, der dem Endlichen und Relativen entzogen ist und jenseits des unheilbar sündigen faktisch Menschlichen liegt (219).[165]

Die Folge ist, daß es im Glaubenden, der als Mensch ein geschichtliches Wesen ist
und als Glaubender zum Eschatologischen schon Zugang gefunden hat, eine Spannung
gibt zwischen seiner eschatologischen Existenz – die aktuell in seiner Glaubensentscheidung gegeben ist und deren Ausweitung auf den Bereich des Faktischen ihre Verkehrung
bedeuten würde – und seinem faktischen Leben in der Geschichte, das auf unüberwind-
bare Weise sündig ist und bleibt (vgl. 281, 287, 318, 321).[166] Es besteht weiterhin ein

---

161 Zudem verfällt nach dieser Konzeption, so Koch, jedes Hinausgehen des Denkens der »Eigengesetz-
     lichkeit der Mächte . . . in dieser Welt« (242, vgl. 241); »Die einzige sinnvolle Theologie hat diese
     Negation zum einzigen Inhalt« (232).

162 »Konsequent sucht Bultmann einen Gottes– und Offenbarungsbegriff zu denken, ohne eine inhaltli-
     che Bestimmung zu geben, um ihn dadurch der Endlichkeit und Relativität zu entrücken« (242).

163 Siehe Anm. 160.

164 ». . . Bultmann (spricht) vom unabänderlichen Sündigsein des Menschen . . . er (insistiert) auf der To-
     talität des Sündigseins« (238); »die Transzendenz erscheint konstant nur als Negation des Mensch-
     seins formulierbar« (318).

165 »Vor allem enthält die einseitige Hervorhebung des Gehorsams in sich die Negation menschlicher
     Selbstheit . . . Das ›Auf-sich-nehmen‹ der Negation konstituiert den Glauben (Anf. I, 126, 128):
     ›Glaube ist Beugung unter Gottes Nein‹ (127) . . . Den Gewinn dieses ›Jenseits‹, von dem zwar kein
     positiver Inhalt angegeben werden kann, das aber eine totale Negation aller endlichen Wirklichkeit
     erlaubt, ohne dieser doch zu entfliehen, – diesen Gewinn bringt der Glaube dem Subjekt ein. Der
     Glaube hat es nicht mit der Welt, sondern ›mit Gott zu tun‹ (Anf. I, 121). Nicht mehr als jenes leere
     ›Jenseits‹, aber dies samt seiner funktionalen Bedeutung für die Verneinung der Welt ist expliziert,
     wenn Bultmann ›Gott‹ sagt. Die totale Negation hat die Vergleichgültigung aller weltlichen Inhalte
     zur Folge, von ihnen allen ist das Subjekt letztlich nicht betroffen« (Koch 219 f).

166 »In Bultmanns Begriff des Eschatologischen verdichtet sich mithin der problematische Grundzug sei-
     ner Theologie: die Unvermitteltheit, ja diastatische Entgegensetzung von Transzendenz und
     Menschsein und die Reduktion sinnhafter Wirklichkeit auf die Punktualität der existentiellen Dezi-
     sion« (321). Über die Beziehung zwischen Glauben und Erkenntnismoment bei Bultmann schreibt
     Koch: »Seine Vorstellung vom Kreationsakt des Glaubens erweist sich als perfekt, wo er dessen Ein-
     sichtslosigkeit mit der Punktualität der Dezision verbindet und begründet. Der Entscheidungsmo-
     ment stellt sein Refugium dar; indem er den Glauben darin situiert, ist er vor dem Denken salviert. . . .

Bruch zwischen dem Bewußtsein des Glaubenden als Glaubenden und der faktischen Verwirklichung seines Lebens, zwischen dem Christen und dem Menschen. Die genannte Kluft bezeugt nach Koch, »wie wenig die mentale Einheit in der Perspektive der Bultmannschen Rechtfertigungslehre fähig ist, die Einheit der Existenz zu konstituieren. Im Gegenteil, sie setzt den Bruch zwischen dem glaubenden Bewußtsein und dem faktischen Lebensvollzug, zwischen ›Christ‹ und ›Mensch‹ (ib. [= GV I, 15])« (238 f, vgl. 321).[167]

Weisen wir schließlich darauf hin, daß Koch nicht nur einen Dualismus im Denken entdeckt, sondern auch, daß er meint, diesen Dualismus in Verbindung bringen zu können mit einem aktualistischen Verständnis der Offenbarung und des Glaubensvollzuges (vgl. 321, 278, 287, 271 f, 179, 259, 302 f)[168] und mit Bultmanns Christologie, die

---

Ist nun aber dieser Glaube als einsichtslose Anerkenntnis installiert, so eignet ihm die Erkenntnis durchaus. . . . Bultmann kann auf das Erkenntnismoment im Glaubensbewußtsein nicht verzichten, da er die ›Intentionalität des Glaubens‹ bewahren möchte (GV I, 88, vgl. 89 f). Der Widerspruch, der sich auftut, zwischen der behaupteten Einsichtslosigkeit des Glaubens und seiner Erkenntnishaftigkeit, wird Bultmann nicht bewußt, da er beide Theoreme in jeweils verschiedenem Kontext und unter getrenntem Aspekt behandelt: dem der Genesis des Glaubens und dem seiner sekundären Explikation, die nicht seinen immanenten Gehalt und sein im Denken zu erhebendes Wahrheitsrecht zu begreifen sucht, sondern ihn als Gesetztsein anerkennt. . . . Die ›Wahrheitsfrage‹ wird kategorisch nur innerhalb der Setzung des Glaubens zugelassen (88)« (Koch 281 f).

167 Diesem Text ging voraus: »Der Mensch ist der Urteilsnotwendigkeit und damit dem Bewußtsein der Ambivalenz seiner Praxis enthoben. Die Theologie erklärt sich für unzuständig anzugeben, was zu tun geboten ist. Doch die Tatsache, daß Bultmann diese Unterscheidungsbestimmung betont dem Menschen und nicht dem Christen zuweist (GV I, 15), bezeugt, wie wenig . . .«: weiter wie im Text.

168 »Die Offenbarung ›findet nur statt, wo das Wort einen trifft. Nur im Angesprochensein ist die Möglichkeit offen: nicht vorher und nicht nachher‹ (GV I, 144). Der Akt, in dem sich der Glaube konstituiert, kommt mithin ausdehnungslos punktuell zu stehen« (321). Koch weist auf die aktualistische Orientierung von Bultmanns Denken hin, sagt aber auch, daß die Äußerungen darüber, daß der Mensch in der Entscheidung seine Zukunft ergreift, wenn auch in ihnen eine Inhaltsbestimmung fehlt, über diesen Aktualismus hinausgehen (Koch 271, 272). In diesen Fällen würde Bultmann über die »Diastase der Negation« hinausgehen und »sein Residuum, den limitierten Aktualismus der pur momentanen Entscheidung« hinter sich lassen (271). Koch geht darauf ein, daß, wenn Bultmann die Konkretheit der Erfahrung betont, seine Theologie sich auf den exklusiv individuellen Akt eines Erlebnisses zu versteifen scheint und dadurch auch alle Formulierungen, mit denen sie sich mitteilen ließen, unmöglich scheinen (Koch 302). Zudem redet er von der »Limitation der Wahrheit auf die momentane Augenblickssituation« und von der »reine(n) Momenthaftigkeit einer . . . existentiellen Situation«, Betrachtungsweisen, mit denen man der Frage nach der Wahrheit der Theologie aus dem Weg geht (ebd.). Zudem kann sich, so Koch, die Gnade »nicht in der Augenblicklichkeit erschöpfen« (ebd.). Weiter noch einige Äußerungen Kochs über den »Aktualismus« bei Bultmann: ». . . er (überführt) den Gedanken der teleologischen Einheit, den Gottesbegriff, in die Zyklik und den unabschließbaren Aktualismus des Erlebens« (Koch 179); die Kritik richtet sich auf ChW 31 (1917) 572–579. »Der Aktualismus des ›Ereignisses‹ löst in seiner Konsequenz die Geschichte in diskontinuierliche, gegenwärtige Entscheidungsereignisse auf, die Geschichte ist dann nur wirklich, sofern sie auf den einzelnen ›wirkt‹« (Koch 259; es wird hier auf Anf. II, 58 angespielt). Bultmann habe auch Recht, wenn er die Abstraktion der traditionellen Lehre in ihrer Ferne von der Verwirklichung der menschlichen Subjektivität korrigiert, »Doch die Eingrenzung der menschlichen Wirklichkeit auf die existentielle Punktualität erweist sich als grundlos« (Koch 303). Die Betonung Bultmanns, daß die Entscheidung sich immer neu ereignet, geschieht aus der richtigen Absicht, hervorzuheben, daß die Subjektivität sich die Wahrheit nur dann aneignen kann, wenn sie die Spontaneität nicht ausschließt, und daß es nur Wahrheit gibt, wenn sie ihre Verwirklichung in der Erfahrung des einzelnen motiviert, aber: »Freilich, überwunden wäre die Punktualität des Bultmannschen Existenzverständnisses,

die christologische Vermittlung der Gegenwart Gottes in der Welt aus den Augen zu
verlieren droht (221; vgl. 287, 289).[169]

---

das ›Wirklichkeit‹ nur als Entscheidungsaugenblick kennen will, allererst dann, wenn das Bedenken
der Stetigkeit die Verdrängung der Vergangenheit nicht länger gestattete« (Koch 320). Koch bezieht sich hier auf den »punktuellen« Charakter des Glaubens und auf das Verständnis der Offenbarung als »momentaner Aktualität« bei Bultmann (321; vgl. 278), und geht so weit zu sagen: »Erfaßt
aber der Glaube keine motivierende Wahrheit, so enthält er keine Dynamik. Der ›jeweils neue (. . .)
Anfang‹ – und damit auch Bultmanns Aktualismus – erweisen sich als statisch« (287).

169 »Der durch die Negation bestimmte Begriff des Glaubens verbietet, die christologische Vermittlung
der Gegenwart Gottes in dieser Welt anzunehmen« (Koch 221), ». . . Glaube wird limitiert auf die
Gottesrelation des einzelnen, auf die verbale Sündenvergebung der Rechtfertigung und die zentrale
Distanz der Entweltlichung; die christologische Vermittlung hat sich zersetzt« (289); »der Kern seiner (= Bultmanns) theologischen Überzeugung liegt in dem Gedanken der Sündenvergebung, der
Rechtfertigung des Sünders (GV I, 109 f) als einem je aktuellen Geschehen, und ein konstitutiver Zusammenhang zwischen diesem Gedanken und der Christologie wird von Bultmann an keiner Stelle
dargelegt. Daß dem ›Faktum Jesus Christus‹ als einem chronologischen, lokalisierbaren Ereignis in
der Geschichte eine eigenständige Relevanz zukommen soll, dagegen spricht bereits seine Beschrän-
kung der Theologie auf das ›Wie‹, auf die ›Seinsart‹ oder ›Seinsweise‹, auf die ›Existenzqualifika-
tion‹, auf den ›Charakter‹ – gegen das ›Was‹ als ein ›Seiendes‹, als eine ›Gegebenheit‹« (Koch
288 f). Traugott Koch weist auf die Konzentrierung der Christologie Bultmanns auf das reine »Daß«
von Jesus hin, das die Offenbarung »konstituiert« und mit der »Verkündigung« identifiziert werden
kann, die ihrerseits als Interpellation, als Aufruf zur Entscheidung definiert wird (Koch 331); die Bedeutung des Kreuzes konzentriert sich in der Forderung, der Mensch solle sich selbst preisgeben
(Koch 333). Besonders wichtig ist folgende Bemerkung Kochs: »Meistens argumentiert Bultmann
mit der These, daß zum christologischen ›Faktum‹ das verkündigende Wort ›gehört‹ (GV III, 21,
vgl. I, 157, 160, 161, 179, 180, 208). Nun ›gehört‹ zu allem Seienden, das in das Motivationsbe-
wußtsein des Menschen eingeht, die sprachliche Artikulation. Worauf Bultmann hinaus will, ist nicht
dieser Konnex, sondern er transponiert ihn ohne weiteres zu einer Identität: ›beides‹, Christus und
das Wort, ›ist eines‹ (GV III, 31) « (Koch 331, Anm. 58, = Koch II, 101). Erwähnen wir auch
noch folgende Äußerungen bezüglich der christologischen Problematik: daß ». . . das Nomen ›Christus‹, inhaltlos bleiben muß . . .« (Koch 222); die einzige Erklärung der christologischen Lehre »ist
die, ›den historische(n) Jesus‹ als ›Symbol‹ zu verstehen (Anf. I, 138), als Symbol dafür, daß jede
Gegenwart Gottes in der endlichen Anschaulichkeit – also das Thema der Christologie – gerade ausgeschlossen ist« (ebd.); »Jesus symbolisiert . . . die inhaltslose Jenseitigkeit – und damit korrespondie-
rend: die inexplikable Augenblicklichkeit – der Offenbarung Gottes« (ebd.); »Bultmann spirituali-
siert Jesus zur ›gewaltigte(n) Predigt Gottes‹ (Anf. I, 139)« (ebd.); »Symbol des tragisch ›geadel-
te(n) Lebens‹ ist ›das Bild des gekreuzigten Christus‹ (ChW 31 (1917) 578, vgl. 577« (Koch 178);
»Das geschichtliche Datum Jesus Christus wird zum Exponent der je aktuellen Geschichtlichkeit des
göttlichen Handelns und damit zu einem Fall unter anderen« (Koch 288). Hier sollte man der Tatsache Rechnung tragen, daß Koch seine Untersuchungen faktisch auf die bis 1930 veröffentlichten
Werke Bultmanns beschränkt, siehe Koch II, 122. Allerdings kann man meines Erachtens seine Aussagen über die Christologie Bultmanns auf die Christologie im gesamten Werk Bultmanns ausdehnen,
siehe unten S. 92–96. *Zum Schluß unserer Darlegung der Kritik Kochs* an Bultmann ist es nicht unwichtig, auch auf Äußerungen Kochs zu achten, in denen er die Intention und einige Aussagen der
Theologie Bultmanns zustimmend erwähnt und positiv wertet: »Bultmanns Theologie (ist) geprägt
. . . von der Intention gegenwärtiger Wirklichkeit und Rezipierbarkeit, das macht sie zu einer im be-
sten Sinne modernen« (Koch 325); »doch ist er von dem, was zu bedenken wäre, so weit entfernt
nicht, wenn er an einer Stelle bemerkt – aber nur an einer und nur bemerkt: ›Der Glaubende sieht . . .
erst den Anderen als seinen Nächsten und versteht sich, indem er den Nächsten versteht (GV III,
30)« (336); »Bei Bultmann finden sich ansatzweise Ausführungen, die über die Diastase der Negation . . . hinausführen. Das geschieht an den Stellen, an denen er sein Residuum, den limitierten Aktualismus der pur momentanen Entscheidung verläßt« (271); Bultmann (und W. Herrmann) protestiere
gegen die Dissoziierung »zwischen Allgemeinheit und konkreter Individualität«, und das geschehe

ZUSAMMENFASSUNG DES VIERTEN KAPITELS

Ziehen wir Bilanz: Bei jedem der drei von uns behandelten Autoren zeigt sich klar, daß die Radikalität der Sünde eine streng theologische Frage ist. Boutin bringt dies auf folgende Weise zum Ausdruck: Die Ursünde ist der Widerspruch gegen Gott, das Wesen, das den Menschen radikal und ganz bestimmt. Daher muß der Widerspruch gegen Gott auch den Menschen radikal bestimmen: es verkehrt sich sein Verhältnis zu Gott – und zu den anderen Menschen. In seiner Darlegung trägt Boutin aber dem Thema der Sünde als Macht und der Problematik, die durch die extreme Radikalität der Äußerungen Bultmanns über die Sündigkeit der faktischen Wirklichkeit des Menschen und der Welt entsteht, nur zum Teil Rechnung.

Dieckmann weist bei seiner Behandlung des Themas der Radikalität und Universalität der Sünde darauf hin, daß einige diesbezügliche Äußerungen Bultmanns entgegen seiner Auffassung, daß eine theologische Wahrheit sich immer auf eine ontische Verwirklichung bezieht, den Charakter allgemeiner Wahrheiten zu bekommen scheinen (vgl. Dieckmann 150). Auch achtet Dieckmann bei seiner kritischen Erörterung der »Selbstbehauptung« und des »objektivierenden Denkens« auf die Folgen des radikalen Verständnisses der Sünde für das Verständnis der faktischen Verwirklichung der Existenz.

Allerdings ist in diesem entscheidenden Punkt meines Erachtens die Kritik von Traugott Koch umfassender. Dies zeigt sich vor allem in seiner Analyse des Bultmannschen Begriffes der Reflexion, die mit der Feststellung schließt, daß bei Bultmann »die Sünde zur faktisch notwendigen und unaufhebbaren Bestimmung des Menschseins« wird (Koch 246). Im Zusammenhang damit vermerkt er auch, daß Bultmann so weit geht, die Sünde als »die Negation des Menschlichen« (242) und die Beziehung Transzendenz–Welt als die Beziehung zwischen Gott und einem Bereich des total der Sünde Verfallenen zu verstehen. Auch sei für Bultmann der Gerechtfertigte jemand, der, insoweit er ein »neues Ich« (219 f) bekommen hat, dem faktischen Bereich der Welt entzogen und in die Transzendenz gestellt sei. Wenn dies stimmt, dann stellt sich selbstverständlich auch

»im Namen des Individuums und dessen Recht auf einen Lebenssinn« (213). Folglich versuche Bultmann, den Relativismus in der Frage der Religion zu überwinden, »indem er deren Reduktion auf den konkreten, einzelnen Akt forciert. Darin scheint beides gewonnen zu sein: die Konkretion und die Absolutheit der Religion«, wozu Koch allerdings selbst meint: »diese Konzeption läßt . . . eine inhaltliche Entfaltung nicht zu; sie würde die unvermittelte Identifizierung von Konkretheit und Notwendigkeit ausschließen« (214); »er (situiert) in der Religion eine Erfüllung für das menschliche Subjekt . . ., die dieses in der Kultur nicht erlangt« (225); das Bultmannsche Verständnis von der Verkündigung »schließt . . . eine naturalistische Transsubstantiation oder bloß subjektivistische Erregung aus« (287); »Er wendet sich gegen die Abstraktion der traditionellen Lehre, gegen ihre Ferne vom Vollzug der menschlichen Subjektivität. Insofern Bultmann an dieser Stelle (Koch bezieht sich auf GV I, 116) ein Korrektiv aufstellt, hat er m. E. die Wahrheit auf seiner Seite«, wobei Koch hier allerdings einschränkend weiterführt: »Doch die Eingrenzung der menschlichen Wirklichkeit auf die existentielle Punktualität erweist sich als grundlos« (303). Siehe auch 305, Anm. 19 (= Koch II, 95), wo auf die Kritik Bultmanns an einem »positivistischen Faktenwissen« hingewiesen wird, und 312, wo Koch bemerkt, daß die Reduktion »auf die Entscheidungsaktualität« darauf hindeutet, daß auch »das inkommensurable, nicht faßbare Einzelne der unwiederholbaren Erfahrungssituation und der immer auch vereinzelten Person« zur konkreten Verwirklichung des menschlichen Lebens gehören, um allerdings hinzuzufügen, daß dies eine angemessene Thematisierung nicht ausschließen muß.

die Frage nach der »*Kontinuität*« zwischen dem Menschen vor dem Glauben und nach dem Glauben, zwischen seinem »alten Sein« und dem »neuen«.

Boutin hat richtig festgestellt, daß Bultmann diese Frage mit Hilfe der Formel des »simul« beantworten will. Aber es ist ihm nicht gelungen, die Bedeutung dieser Formel voll zu ergründen, denn er versteht sie vor allem als die Gleichzeitigkeit zwischen der Sünde als einer ontologischen Möglichkeit und dem Glauben als einer ontischen Verwirklichung (Boutin 581 f). Dadurch trägt er aber einem zentralen und entscheidenden Element der in der Existenz des Glaubenden nach Bultmanns Auffassung gegebenen Dialektik ungenügend Rechnung: die Dialektik zwischen dem eschatologischen Vollzug des Glaubens und der faktisch-historischen Wirklichkeit der Sünde.[170]

Unbefriedigend ist auch Dieckmanns Interpretation der Formel »simul iustus et peccator« bei Bultmann. Er versteht sie vor allem als Ausdruck der Tatsache, daß die Rechtfertigung ein bleibendes, andauerndes Geschenk ist, und daß die Vergebung der Sünde die Überwindung der Vergangenheit ist. Dadurch wird aber nach meiner Ansicht die von der Formel zum Ausdruck gebrachte Dialektik zwischen Sünde und Glauben nicht voll berücksichtigt.

Koch geht in seiner Kritik implizit auf die Frage nach der Gleichzeitigkeit von Sünde und Gnade ein, wenn er darauf hinweist, daß die Sünde zum dialektischen Gegensatz zur Gnade wird (vgl. Koch 236) und daß die faktische Dimension, in der der Gerechtfertigte bleibt, notwendigerweise Sünde ist (Koch 238).[171] Explizit behandelt Koch dieses Thema aber nicht.

Ich meine allerdings, daß er das hätte tun müssen, wenn er feststellt, daß die Rechtfertigungslehre Bultmanns unfähig ist, »Die Einheit der Existenz zu konstituieren« (Koch 238) oder daß bei Bultmann ein »Bruch zwischen dem glaubendem und dem faktischen Lebensvollzug, zwischen ›Christ‹ und ›Mensch‹« existiert (238 f)[172]. Denn Bultmann sieht gerade in der Tatsache, daß der Glaubende simul iustus et peccator ist, eine Überwindung dieses »Bruches« und die Wahrung der »Kontinuität« im Menschen in der Bewegung von der Sünde zum Glauben (vgl. Boutin 577 ff).

Im folgenden Kapitel wollen wir zeigen, daß die Formel des »simul« zudem ein zentraler und wesentlicher Bestandteil von Bultmanns Theologie ist und so zur Mitte dieser Theologie gehört.

---

170 Siehe oben S. 62 f.

171 Das ist auch der Fall bei der Behandlung der Thematik des »neuen Subjekts«: »Das Interesse Bultmanns gilt der Identität des anschaulichen Ichs, das der Mensch faktisch ist, mit jenem unanschaulichen Ich – eine Identität, die den Widerspruch zwischen beiden Bestimmungen nicht aufhebt, sondern ihn betont und ihn funktional auf die Distanzierungsmöglichkeit bezieht. . . . Bultmann meldet sein Interesse an der Akzeptation des theologisch Behaupteten durch das Subjekt immer wieder an, ohne es systematisch entfalten zu können: ›Glauben‹ meint ›das *Innewerden* jener Identität des anschaulichen mit dem unanschaulichen Subjekt‹ (Anf. I, 131)« (220).

172 Schon in seiner Antwort auf G. Kuhlmann redet Bultmann vom Glaubenden als simul iustus et peccator: ZThK 11 (1930) 346 f. Koch hat diesen Aufsatz analysiert (vgl. Koch 344 ff); aber er bringt das simul iustus et peccator nicht ausdrücklich mit der Kontinuität zwischen dem »alten« und »neuen Sein« in Zusammenhang.

FÜNFTES KAPITEL:
KRITISCHE BEMERKUNGEN

1. DIE SÜNDE IN DER THEOLOGIE BULTMANNS

a) Die Sünde, eine theologische Entscheidung

In der geschichtlichen und systematischen, vom letzten Kapitel zusätzlich bestätigten Darlegung dieser Arbeit, zeigte sich deutlich, daß Bultmann das Thema der Sünde immer in einer streng theologischen Perspektive angeht. Der Ursprung und die wahre Tragweite des Bösen entziehen sich den Möglichkeiten des menschlichen Verstehens. Die Bedeutung der Sünde wird in all ihrer Tiefe nur vom Glauben im Angesicht der Offenbarung verstanden: Ihr Wesen wird erst dann offenbar, wenn der Mensch anerkennt, daß er vor Gott steht und lebt.

Die »Ursünde« besteht gerade darin, *daß der Mensch sich gegen Gott wendet*, ihn als Schöpfer verwirft, seine Situation als Geschöpf »vergißt« und sich der Welt des rein »Vorhandenen« in der falschen Hoffnung »zuwendet«, die von ihm angestrebte Eigentlichkeit durch eigene Leistung zu erreichen. Dadurch schließt er die Möglichkeit aus, diese Eigentlichkeit als ein Geschenk zu empfangen. Dagegen ist nach Bultmann diese Eigentlichkeit nur dann möglich, wenn der Mensch bereit ist, sie als die Gabe Gottes anzunehmen.

Bultmann ist aber der Auffassung, daß der Mensch immer die falsche Möglichkeit faktisch zu verwirklichen sucht, daß er die Eigentlichkeit aus eigener Kraft erreichen will. Gerade in dieser *theologischen Grundentscheidung* besteht die »Ursünde« oder »Grundsünde«, die »wirkliche Sünde«.

Diese besondere Hervorhebung der theologischen Dimension der Sünde ist ein Verdienst Bultmanns. Die Abgründigkeit der Sünde kann letztendlich nicht mit dem Maßstab des moralischen Gesetzes, sondern nur mit dem des Gottesverhältnisses beurteilt werden. Bultmann hebt öfter hervor, daß nach dem Neuen Testament die Sünde zuerst nicht eine moralische Übertretung ist und daß sowohl die Übertretung der ethischen Norm als auch die Korrektheit in ihrer Erfüllung Ausdruck eines falschen Selbstverständnisses sein können. Mehr noch: Treffend zeigt Bultmann, daß die Erfüllung der Norm Ausdruck der äußersten Möglichkeit der Sünde sein kann: der Versuch, die Sünde aus eigener Kraft zu überwinden.

Dagegen behandelt er bei seiner Betonung des Primats der theologischen Dimension der Sünde die moralische Dimension dieser Sünde und die Beziehung zwischen »der Sünde« und »den Sünden« fast nur negativ[173] und ganz allgemein als Folgen der »Ursünde«: als Folgen der Pervertierung der menschlichen Dynamik – in der das Geltungsbedürfnis zum Geltungsdrang wird – und der Verkehrung der zwischenmenschlichen Beziehungen, die nun von Haß und Egoismus inspiriert und geprägt sind.

Hier muß man einwenden, daß Bultmann sich gelegentlich so ausdrückt, als ob er dem moralischen Tun des Menschen überhaupt keine Bedeutung im Hinblick auf das Heil beimißt, oder genauer gesagt, als ob der Mensch notwendigerweise einem *sündigen Selbstverständnis* unterliegt, das zwar in der schuldhaften Entscheidung der Ursünde ih-

---

173 Siehe Exeg. 52.

ren Ursprung hat, das aber auch faktisch sowohl die Übertretung als auch die Erfüllung des moralischen Gesetzes bestimmt. Diese Stellen bringen nach meiner Meinung eine pessimistische Sicht des Menschen zum Ausdruck.[174]

Auf alle Fälle geht aus Bultmanns Theologie der Sünde klar hervor, daß die Wurzel der Problematik der Sünde in einer theologischen Grundentscheidung zu finden ist, in der der Mensch seine Geschöpflichkeit nicht wahrhaben und sein Heil aufgrund eigener Leistung erlangen will.

b) Der »Zwiespalt« im Subjekt

Ein anderes Verdienst Bultmanns ist seine Analyse der Situation des Sünders, der entzweit ist zwischen dem, was er tatsächlich ist, und dem, was er wirklich sein möchte.

Wir haben oben gesehen, daß der Mensch wesentlich »eine Beziehung zu sich selbst« ist und daß die Sünde zu einer Macht wird, die eine universale Herrschaft ausübt. Nun wirkt die Macht der Sünde in der konkreten Situation des Menschen, der ihr verfallen ist, als das »faktische Subjekt« dieses Menschen, das in ihm die Werke der Sünde hervorruft. So wendet sich die Sünde als Macht gegen das »wirkliche Subjekt« des Menschen, das die Eigentlichkeit will. Der Sünder lebt in einem Zwiespalt, da das, was er tatsächlich tut und erreicht, und das, was er in Wirklichkeit erreichen will, sich widersprechen.[175]

So steht die Sünde zu der wahren Absicht und Intention des Menschen im *Widerspruch*. Damit ist zudem implizit gesagt, daß das Heil auch die Versöhnung des Subjektes mit sich selbst ist.

c) Die Sünde als Macht

Die Theologie Bultmanns hebt das Thema der Sünde als »Macht« besonders hervor.

Denn durch die Wahl eines falschen Selbstverständnisses werden die menschliche Dynamik und die Gesamtheit der zwischenmenschlichen Beziehungen verkehrt. Die Sünde wird als Ergebnis der vielen Sünden, d. h. der sündigen Taten aller, zur Sünde als Macht, die dann auch ihrerseits alle beherrscht.

Auf diese Weise will Bultmann der beunruhigenden Erfahrung gerecht werden, daß die Wirklichkeit der Sünde weiter reicht als die Verfehlungen des einzelnen Individuums und sie zu einer überindividuellen, universal herrschenden, unheilbringenden Macht geworden ist. In diesem Kontext hebt Bultmann besonders *die gegenseitige Bedingtheit von Sünde als Einzeltat und Sünde als Macht* hervor. Durch die vielen Taten der Sünde und die darauffolgende Zerrüttung der zwischenmenschlichen Beziehungen konstituiert sich die Sünde als Macht, die nun ihrerseits über alle herrscht, denn jeder Mensch kommt in eine Welt, die schon immer von einem falschen Selbstverständnis geprägt ist, das auch ihn zum konkreten Akt der Sünde führt. Seinerseits trägt dann auch wieder jedes Individuum durch sein sündiges Tun, durch seine Tat der Sünde, zur Konstituierung und Aufrechterhaltung der Sünde als Macht bei.[176]

---

174 Die sündige Verfassung der faktischen Wirklichkeit des Menschen würde unabänderlich sein.
175 Siehe oben S. 46 f und MILLÁS 98 f.
176 Siehe oben S. 41−43.

Hier ist das beschrieben worden, was wir die Dynamik des Bösen nennen können, und es zeigt sich die Solidarität bzw. Schicksalsgemeinschaft aller Menschen in der Welt in der Wirklichkeit der Sünde: Alle tragen durch ihre Taten der Sünde zur Konstituierung des Machtseins der Sünde bei.

Dieses Verständnis der Sünde als Macht bietet zudem Elemente zur Neuinterpretation des Konzeptes der »Erbsünde«: Jeder Mensch kommt in eine Welt, die schon von der Macht der Sünde bestimmt wird, und auch er wird von ihr bestimmt.[177]

2. DIE RADIKALITÄT DER SÜNDE

a) Die Radikalität der Sünde, eine theologische Frage

Bultmann hält es für besonders wichtig, darauf aufmerksam zu machen, wie notwendig es für das Verständnis der wahren Bedeutung der Sünde ist, daß ihre Radikalität richtig erfaßt wird. Diese tastet zuerst die Beziehung des Menschen zu Gott an. Deshalb berührt sie nicht einfach einen »Teilbereich« des menschlichen Daseins, sondern sie bestimmt den Menschen in seiner Totalität. Die sündige Grundentscheidung des Menschen und sein sündiges Selbstverständnis sind in ihrer tiefen Wirklichkeit ein Auflehnen gegen Gott. Wenn wir dann von einem radikalen Verständnis Gottes ausgehen, nach dem Gott den Menschen total und radikal bestimmt, dann führt in dieser Sicht das Aufbegehren des Menschen gegen Gott dazu, ihn auf ebenso radikale Weise zu bestimmen: Der ganze Mensch wird also von der Sünde bestimmt.[178]

b) Die faktische Wirklichkeit des menschlichen Lebens und die Sünde

Wir können Bultmann seine guten Gründe für sein im vorangegangenen Abschnitt dargestelltes Verständnis von der Radikalität der Sünde nicht absprechen. Dennoch kann man meines Erachtens über seine Thesen streiten, mit denen er den faktischen, radikal von der Sünde bestimmten Konkretionen, in denen das menschliche Leben sich verwirklicht, Rechnung tragen will.

Hier müssen wir an das im vorigen Kapitel Gesagte erinnern. Dort sahen wir, daß Dieckmann das Verständnis Bultmanns vom *objektivierenden Denken* und von einer in Wirklichkeit immer sündigen *menschlichen Selbstbehauptung* kritisiert und bemerkt, daß es keinen Grund gibt, das objektivierende Denken als eine Aktivität zu verstehen, die immer ihr Objekt verdinglicht. Es gibt keinen Grund, weshalb das Objekt der menschlichen Erkenntnis immer und nur »ein Natur-Ding« sei (Dieckmann 280). Auch hält Dieckmann die Verallgemeinerung Bultmanns für problematisch, wenn dieser die menschliche »Selbstbehauptung« pauschal als »nichtig« (268) und als sündig (277) betrachtet, denn dadurch trage Bultmann weder der Komplexität des Phänomens »Lebenswille« Rechnung, noch dem dringenden Bedürfnis des Menschen nach »Selbstbejahung« (278), noch der Tatsache, daß zum Glauben und zur Liebe ein gewisses Maß an Selbstbejahung gehört (ebd.).

Oben haben wir unsere Überzeugung zum Ausdruck gebracht, daß in diesen Punkten die Kritik von Traugott Koch vollständiger ist.[179] Erinnern wir uns daran, daß Koch auf die Folgen hinweist, die die pauschale Bezeichnung der *menschlichen Selbstbehauptung* und

---

177 Siehe oben S. 43–45.
178 Siehe BOUTIN 313 und 317 f.   179 Siehe oben S. 72–81 f.

eines *jeden »gegebenen Moments«* als sündig hat (Koch 234, 238). Im ersten Fall werden sowohl die Selbstverwirklichung des Subjektes als auch seine Konstituierung als Individuum negativ beurteilt und zudem werden diese Selbstverwirklichung und Konstituierung dem exklusiven Zuständigkeitsbereich des Eingreifens der Transzendenz zugerechnet (vgl. Koch 234). Im zweiten Fall, in dem Bultmann so weit geht, jeden »gegebenen Moment« mit der Gewalt und der Sünde in Verbindung zu bringen (vgl. GV I, 14, 16), scheint er konsequenterweise auch ein christlich motiviertes Handeln in der Welt auszuschließen (Koch 238). Bultmann kritisiert ja die Theologie,

> »die noch nicht inne geworden ist, daß innerweltliches Handeln als solches kein Gottesdienst sein kann, daß innerweltliches Handeln die Preisgabe des Menschen an die Eigengesetzlichkeit der Mächte des praktischen Lebens in dieser Welt bedeutet. Es gilt nur diese Frage zu verstehen: es gilt, das skandalon des Gotteswortes zu hören, daß die Welt in der Sünde liegt, daß der Mensch in der Welt nichts tun kann, was den Charakter des Gottesdienstes trüge« (GV I,14).

Diese Worte beschränken sich nicht darauf, auf die theologische Tiefe der Sünde und ihre bleibende Verbreitung in der Welt aufmerksam zu machen, sondern in ihnen zeigt sich darüber hinaus eine globale negative Einschätzung der menschlichen Tätigkeit als einer notwendigerweise sündigen Tätigkeit. Hier liegt meines Erachtens der Grund für die Kritik von T. Koch.[180]

c) Die Reflexion

Ich halte Kochs Analyse von Bultmanns Verständnis der Reflexion für das wichtigste Element seiner Kritik, was unser Thema angeht.

Koch weist darauf hin, daß Bultmann die Reflexion ausschließlich als eine Tätigkeit versteht, die ihr Objekt verdinglicht (vgl. Koch 243, 248), die die Momente verkehrt, in denen wir unsere wirkliche Existenz haben können (247) und die sogar mit dem Vollzug des Glaubens unvereinbar zu sein scheint (248). Die Grundlage für diese Kritik sind einige Absätze des Aufsatzes »Welchen Sinn hat es, von Gott zu reden?« (GV I, 26–37; vgl. Koch 243 ff)[181], in dem Bultmann u. a. schreibt:

> »Werden die Gedanken von Gott als dem Allmächtigen und dem Ganz Anderen in ihrer strengen Bezogenheit aufeinandner ernst genommen, so besagen sie offenbar, daß ein sich orientierendes Fragen und ein auf Reflexion gegründetes Sich-entscheiden darüber, ob wir reden oder schweigen, handeln oder ruhen sollen, uns gar nicht anheimgegeben ist; daß die Entscheidung darüber Gottes ist, und daß es für uns nur ein Reden- oder Schweigen-*Müssen*, ein Tun- oder Nichttun-*Müssen* gibt« (GV I, 34).

---

180 Äußerungen Bultmanns mit derselben Tendenz finden wir: GV I, 16, 19, 23 f, 30, 36 f und Exeg. 52. Siehe S. 75, 76 f und Anm. 157 für die entsprechende Kritik Kochs.

181 Dieser 1925 verfaßte Aufsatz nimmt im Werk Bultmanns eine besondere Stellung ein, weil in ihm das Thema der »barthianischen Dialektik« und das der »Existenz« zusammenkommen. O. SCHNÜBBE schreibt in seiner Abhandlung über den Begriff der Existenz bei Bultmann: »Die theologische Systematik Bultmanns ist 1925 … im wesentlichen fertig«: O. SCHNÜBBE, Der Existenzbegriff in der Theologie Rudolf Bultmanns. Ein Beitrag zur Interpretation der theologischen Systematik Bultmanns, Göttingen 1959, 24. Über den uns hier interessierenden Aufsatz Bultmanns, Welchen Sinn hat es, von Gott zu reden, schreibt er: »Er ist u. E. der Schlüssel für die Erfassung von Bultmanns Systematik. Die scharfsinnige Argumentation ist mit Entdeckerfreude geschrieben« (aaO. 44).

So werden das Handeln oder Nichthandeln, das Reden oder Schweigen von der Reflexion abgekoppelt, um vor allem den Charakter eines »Müssens« zu bekommen, das von Bultmann weiter in seinem Aufsatz mit dem Glauben identifiziert wird:

> »Offenbar müßte dies Glauben auch freie Tat, die Urtat, sein, in der wir unserer Existenz sicher werden, – und eben doch nicht eine willkürliche Annahme, die wir statuieren, sondern Gehorsam, ein Müssen, ebenso *Glauben*« (GV I, 36).[182]

In diesem Aufsatz lesen wir auch, daß es Sünde ist, in allgemein gültigen Sätzen von Gott reden zu wollen, auch dann, wenn dieses Redenwollen aus einem ehrlichen Suchen nach Gott hervorgehen sollte (27 f), denn die tatsächliche Situation des Menschen ist »die des Sünders, der von Gott reden möchte, und es nicht kann; der von seiner Existenz reden möchte und es auch nicht kann« (30).

Bei solchen Äußerungen Bultmanns müssen wir seinen Kritikern recht geben, die ihm vorwerfen, daß in diesen Äußerungen *die reflektierende Aktivität des Menschen als in ihrem Wesen sündig* betrachtet wird (vgl. Koch 243, 246 ff).[183]

Nach meiner Meinung ist das Thema der Reflexion wesentlich, um das Denken Bultmanns zu verstehen, nicht nur weil es in dem als »Schlüssel für die Erfassung von Bultmanns Systematik«[184] bezeichneten Aufsatz »Welchen Sinn hat es, von Gott zu reden?« einen solchen Platz einnimmt, sondern auch, weil Bultmann die Aufgabe der Theologie als die *Durchführung des Programms der Entmythologisierung*[185], d. h. *als die radikale Anwendung auf den Bereich des Wissens und des Denkens »der Lehre von der Rechtfertigung ohne des Gesetzes Werk allein durch den Glauben«* versteht;

> »So zeigte sich doch alsbald, daß die Entmythologisierung eine Forderung des Glaubens selbst ist. Denn dieser verlangt die Befreiung von der Bindung an jedes Weltbild, das das objektivierende Denken entwirft, sei es das Denken des Mythos, sei es das Denken der Wissenschaft ...
>
> Gott entzieht sich dem objektivierenden Blick; er kann nur gegen den Schein geglaubt werden, – ebenso wie die Rechtfertigung des Sünders nur gegen das anklagende Gewissen geglaubt werden kann.
>
> In der Tat, *die radikale Entmythologisierung ist die Parallele zur paulinisch-lutherischen Lehre von der Rechtfertigung ohne des Gesetzes Werk allein durch den Glauben. Oder vielmehr: sie ist ihre konsequente Durchführung für das Gebiet des Erkennens*« (KuM II,207).
>
> »Entmythologisierung ist in der Tat eine parallele Aufgabe zu der Formulierung von Paulus und Martin Luther in ihrer Lehre von der Rechtfertigung allein aus dem Glauben ohne des Gesetzes Werke. Genauer ausgedrückt, ist Entmythologisierung die radikale Anwendung von der Lehre von der Rechtfertigung durch den Glauben auf das Gebiet des Wis-

---

182 Nach G. EBELING, Theologie und Verkündigung. Ein Gespräch mit Rudolf Bultmann, Tübingen 1963, 29, Anm. 1, führt Bultmann 1960 eine »einschränkende Selbstkorrektur« durch in bezug auf die Radikalität, mit der er den Glauben als Gehorsam gegenüber der Forderung des Gotteswortes versteht: »die Forderung des Glaubens ist zugleich die Anerbietung des Geschenks des Glaubens, der im Grunde schon die neue Existenz ist. Man *muß* nicht glauben, sondern man *darf* glauben« (Exeg. 467, Anm. 79, zitiert von Ebeling ebd.).

183 Für die Kritik von T. Koch und Th. Siegfried siehe unsere Anm. 153, 154, 158. Wenn ich beide Autoren richtig verstehe, geht ihre Kritik dahin, daß Bultmann nicht nur zu Recht darauf hinweist, daß die Reflexion Sünde ist, wenn der Mensch durch sie seine »Sicherheit« erlangen will, sondern er behauptet, *daß jede reflektierende Aktivität des Menschen immer so sei.*

184 Siehe Anm. 181.

185 Dieses Programm ist dargestellt in dem einem zuvor gehaltenen Vortrag entsprechenden Text von 1941, Neues Testament und Mythologie: KuM I, 15–48.

sens und des Denkens. Wie die Lehre von der Rechtfertigung zerstört die Entmythologisierung jedes Verlangen nach Sicherheit. Es gibt keinen Unterschied zwischen der Sicherheit auf der Basis von guten Werken und der Sicherheit, die auf objektivierendem Wissen beruht« (GV IV, 188).[186]

Bultmann ist also der Überzeugung, daß die Entmythologisierung auf radikale und angemessene Weise in unserer Zeit die von der Rechtfertigungslehre gestellte Aufgabe zu Ende führt (vgl. GV IV, 187 f). Wie wir schon gesehen haben und wie es von Koch und Dieckmann treffend dargestellt worden ist, ist diese Rechtfertigungslehre die Mitte von Bultmanns Theologie.

Ich meine, daß man diese Schlußfolgerung dahingehend ergänzen kann, daß man sagt, die Mitte von Bultmanns Theologie ist die *Zuendeführung der Rechtfertigungslehre in der Gestalt der Entmythologisierung des objektivierenden Denkens*; oder auch: sie ist die Anwendung der Rechtfertigungslehre auf die reflexive Tätigkeit des Menschen.

Meines Erachtens zeigen die soeben ausführlich zitierten Stellen klar, wie eminent wichtig für Bultmann der Bereich des Erkennens und des Denkens als einer der wichtigsten Themenkomplexe ist, mit denen seine Theologie sich beschäftigt. In diesem Kontext ist besonders bezeichnend, daß sich nun anläßlich des Themas der Reflexion wieder die allgemeine Tendenz in Bultmanns Denken zeigt, die faktische Wirklichkeit von Welt und Mensch als total und global sündig zu betrachten. Bultmann beschränkt sich nicht darauf, nur zu zeigen, worin nach seiner Meinung in der reflektierenden Tätigkeit des Menschen die Sünde liegt, nämlich in der verdinglichenden Objektivierung Gottes und der Existenz, sondern er geht einen Schritt darüber hinaus, indem einige seiner Äußerungen voraussetzen, daß diese Verdinglichung in der Reflexion *immer* stattfindet und daß daher diese Reflexion *in ihrem Wesen selbst sündig* ist. In seiner Absicht, die Wirklichkeit und Radikalität der Sünde auch im Bereich des Denkens zu zeigen, geht Bultmann in seiner Verallgemeinerung so weit, daß er diesen gesamten Bereich in der globalen Gesamtheit seiner faktischen Wirklichkeit für sündig hält.[187]

186 Der erste hier zitierte Text aus dem Jahr 1952 stammt aus dem Aufsatz: Zum Problem der Entmythologisierung: KuM II, 179–208, hier 207, der zweite aus der im Englischen schon 1958 erschienenen Schrift von 1964, Jesus Christus und die Mythologie: GV IV, 141–189, hier 188. Ich meine, daß beide Arbeiten in einer Linie mit dem Aufsatz von 1925, »Welchen Sinn hat es, von Gott zu reden«, stehen, was das Verständnis der Reflexion angeht als »objektivierendes Denken« und daher, entsprechend Bultmanns sonstiger Auffassung, als Sünde. Beim zweiten Text, also dem in GV IV, 188, hatte Bultmann im Zusammenhang mit dem Konflikt zwischen den »modernen Weltanschauungen« und der »Bedeutung der Begegnung in unserer eigenen Existenz« zuvor geschrieben: »Dieser Konflikt zeigt, daß der Glaube in unserem Zeitalter nicht die rechten Ausdrucksformen gefunden hat, daß unsere Zeit noch nicht das Zusammenfallen von Grund und Gegenstand des Glaubens wahrgenommen hat, daß sie noch nicht wirklich die Jenseitigkeit und Verborgenheit des handelnden Gottes verstanden hat. Sie ist noch nicht seines eigenen ›Dennoch‹ oder ›Trotzdem‹ gewahr geworden, immer wieder gibt es der Versuchung nach, Gott und sein Handeln zu vergegenständlichen« (187 f). Und dann, unmittelbar vor dem zitierten Text: »Wir können nur an Gott glauben trotz der Erfahrung, ebenso wie wir die Rechtfertigung nur trotz des Gewissens annehmen können« (188). Ist es hier nicht problematisch, daß gerade ein Glaube, dessen Fundament mit seinem Objekt zusammenfällt und in dem geglaubt werden soll »trotz der Erfahrung«, eine wirkliche Bedeutung für die menschliche Existenz haben soll?

187 Nach Meinung von H. BLUMENBERG gibt es bei Bultmann »die Identifizierung der *kauchésis* mit der *theoretischen* Vernunft«: H. BLUMENBERG, Marginalien zur theologischen Logik Rudolf Bultmanns: Philosophische Rundschau 2 (1954/1955) 121–140, hier 133.

Wenn die Entmythologisierung aber bis zu diesem Extrem durchgeführt ist, wird fraglich, ob sie tatsächlich ohne weiteres »eine parallele Aufgabe zu der Formulierung von Paulus« in seiner »Lehre von der Rechtfertigung allein aus dem Glauben« ist.[188]

d) Die Sünde, unabänderliche und bleibende Bestimmung des Menschen

In dem im vorangegangenen Abschnitt erwähnten Aufsatz, »Welchen Sinn hat es, von Gott zu reden?« (GV I, 26–37), wird nicht nur das Reflektieren des Menschen, sondern auch sein gesamtes Handeln, »all unser Tun und Reden« auf eine radikale Weise beurteilt. Dort lesen wir: »Aber *dies* hat sich ereignet (= durch Gottes Tun an uns), daß all unser Tun und Reden von dem Fluche erlöst ist, uns von Gott zu trennen.« Allerdings: »Es (= unser Tun und Reden) bleibt immer sündig, sofern es immer ein von uns unternommenes ist« (GV I, 37).

In einem anderen Aufsatz, »Die liberale Theologie und die jüngste theologische Bewegung« (GV I, 1–25), schreibt Bultmann anläßlich der Problematik des Glaubens, daß dieser Glaube kein Akt ist, der einmal vollzogen sein kann, mit dem dann die Rechtfertigung erledigt ist. Auch ist er kein wiederholbarer Akt, so daß Sünde und Vergebung sich im Menschenleben abwechseln könnten, sondern: »Der Blick auf Gottes Gericht und Gnade in *einem* macht das Wesen des Glaubens aus. . . . Denn *immer* bleibt der Mensch ein Sünder und *immer* ist er ein Gerechtfertigter in Gottes Urteil« (GV I, 23).

An anderer Stelle bemerkt Bultmann zu Recht, daß das Entscheidende in der Gerechtigkeit des Gerechten nicht an dem sittlichen Verhalten dieses Gerechten abgelesen wer-

---

188 Siehe S. 75 f. die Folgen, die sich nach Kochs Meinung aus dem Bultmannschen Verständnis der Reflexion als sündig ergeben. Über die »Ablehnung der Reflexion« bei Bultmann, siehe JEF DE KESEL, Le refus décidé de l'objectivation. Une interprétation du problème du Jésus historique chez Bultmann, Rom 1981. Für Kesel hat die »Entobjektivierung« bei Bultmann »un effet réducteur et . . . sert de principe pour se défendre contre la critique du *dehors*« (349). A. NYGREN kritisiert die Entmythologisierung Bultmanns in seinem Werk, Sinn und Methode, Göttingen 1980, 345 ff. Er weist darauf hin, daß, wenn es über Christus oder Gott handelt, »Bultmann in seiner Entmythologisierungsforderung relativ zurückhaltend« ist (354), aber »diese seine Vorsicht« werde »nicht von allen Entmythologisierungstheologen geteilt« (355). Über dieses Problem schreibt H. ALBERT: »Die Entmythologisierung ist jedenfalls, so darf man wohl sagen, nichts anderes als ein hermeneutisches Immunisierungsverfahren für den Teil des christlichen Glaubens, den moderne Theologen angesichts der heute vorliegenden Kritik unter allen Umständen retten möchten«: H. ALBERT, Traktat über kritische Vernunft, Tübingen 1968, 112 f; »Die Grenze der Entmythologisierung ist bei ihm (= Bultmann) vollkommen willkürlich gezogen, und zwar gezogen unter einem durchaus *dogmatischen* Gesichtspunkt, nämlich: das, was er für den Kern des christlichen Glaubens hält – das Kerygma – als Kerygma zu erhalten« (114). Ich glaube nicht, daß diese Kritik dem, was Bultmann will und tut, voll gerecht wird, dennoch geben einige konkrete Äußerungen seiner Theologie Anleitung zu der Behauptung, es gebe eine gewisse Willkürlichkeit, wenn die Entmythologisierung vor der Offenbarung Gottes halt machen wolle, wenn sie auch dieser Offenbarung jeden positiven Inhalt nimmt und sie als die »Negation des Menschlichen« interpretiert (vgl. ThNT 420 f; vgl. auch oben S. 77 f, wo ich auf die Äußerung Kochs eingehe: »Das limitierte ›Daß‹ der Negation des Menschlichen ist als Vollzug die Offenbarung und die einzige Seinsweise des Göttlichen« [KOCH 242]). Eine extreme Konsequenz der Entmythologisierung ist die Forderung von F. Buri nach einer »Entkerygmatisierung«. Nach Buris Meinung hat »sich uns auch seine (= Bultmanns) Art, am Kerygma festzuhalten zu wollen, als ›nicht nachvollziehbar‹ herausgestellt . . . Es gibt *weder eine Möglichkeit noch eine Notwendigkeit eines Kerygmas* von einer Heilstat Gottes in Christus im Sinne der eschatologischen Mythologie des N.T.s«: F. BURI, Entmythologisierung oder Entkerygmatisierung der Theologie: KuM II, 85–101, hier 96.

den kann (Exeg. 52). Dennoch kann er dies auch auf folgende Weise ausdrücken: »Aber das Entscheidende ist dies, daß alle sittliche Vollkommenheit des Menschen nichts bedeuten kann ohne jenes entscheidende Urteil Gottes« (ebd.). Hier wird der Unterschied zwischen dem theologischen und dem ethischen Bereich hervorgehoben, ohne daß auch nur auf die gegenseitige Beziehung, die sie verbindet, angespielt wird.[189]

Bultmann fügt hinzu, daß die »Gerechtigkeit» nie allgemein wahrnehmbar ist, was sich auch so formulieren lasse, »daß der Gläubige nie aufhört ein ἀσεβής zu sein« (Exeg. 52).

Ich sehe nicht, wie man hier die Schlußfolgerung vermeiden könnte, daß in diesen Äußerungen gesagt wird, daß die Sündigkeit des Menschen von Dauer und unabänderlich ist. Auch kann man der Frage nicht aus dem Wege gehen: Wie versteht Bultmann die Aussage, daß der Gläubige, der gerechtfertigt wurde, immer ein Sünder bleibt? Weiter unten werden wir versuchen, diese Frage zu beantworten. Hier aber haben wir, so meine ich, Grund genug, um zu der Schlußfolgerung zu gelangen, daß in den zitierten Texten Bultmanns vorausgesetzt wird, das »Sündersein« gehöre faktisch zu der unabänderlichen und bleibenden Verfassung des Menschen.

Damit stimmen wir auch der entsprechenden Schlußfolgerung Kochs zu, die dieser aus seiner Analyse von Bultmanns Verständnis von der Sünde zieht. Er schreibt ja: »Da Bultmann sie (= die Reflexion) als Sünde versteht, somit die Endlichkeit des Menschen, wie sie sich in der Diskursivität der Reflexion ausdrückt, mit dem Sündigsein identifiziert, wird ihm die Sünde zur faktisch notwendigen und unaufhebbaren Bestimmung des Menschseins« (Koch 246).

Bei unserem Versuch, zu bestimmen und zu präzisieren, wie Bultmann die Radikalität der Sünde versteht, entdeckten wir, daß nach Bultmanns Auffassung gilt: »Denn *immer* bleibt der Mensch ein Sünder« (GV I, 23); »Der Gläubige (hört) nie auf, ein ἀσεβής zu sein« (Exeg. 52); »all unser Tun und Reden ... bleibt immer sündig, sofern es immer ein von uns unternommenes ist« (GV I, 37).

Man kann nicht leugnen, daß diese Äußerungen nicht nur ein radikales Verständnis vom Begriff und von der Wirklichkeit der Sünde zum Ausdruck bringen, sondern daß sie zudem das Ergebnis einer Verallgemeinerung sind, nach der die Sünde die faktische Wirklichkeit von Mensch und Welt total bestimmt und der Mensch *immer* ein Sünder ist.

Weisen wir hier darauf hin, daß bei dieser Identifizierung der gesamten faktischen Wirklichkeit, in der der Mensch lebt, mit der Sünde nicht nur die Radikalität der Sünde auf extrem zugespitzte Weise interpretiert wird, sondern auch die Gefahr droht, daß die Relevanz der Wirklichkeit dieser Sünde geschmälert wird. So schrieb Th. Siegfried: »In Wahrheit hat er (= Bultmann) die Sünde mißverstanden und ausgemerzt, indem er aus der Sünde eine notwendige Bewußtseinsstruktur macht«.[190]

---

189 Siehe die Korrektur der Bultmannschen Ehtik in: U. WILCKENS, Was heißt bei Paulus: »Aus Werken des Gesetzes wird kein Mensch gerecht«? (EKK 1, Vorarbeiten Heft I), Zürich/Einsiedeln/Köln/Neukirchen 1969, 77, und H. E. TÖDT, R. Bultmanns Ethik der Existenztheologie, Gütersloh 1978, vor allem 121. Siehe auch die strenge Kritik von BLUMENBERG, Marginalien 126.

190 SIEGFRIED, Wort II, 123. Ich meine allerdings, daß es sich bei Bultmann nicht um eine »notwendige Bewußtseinsstruktur handelt«, sondern um eine radikale Bestimmung des Menschen, *die faktisch immer gegeben sei*. Nach Rahners Meinung ist die Möglichkeit der Sünde ein immer mit dem irdischen Le-

e) Die Sünde, dialektischer Pol der Vergebung

Was bis hierher über die Radikalität der Sünde gesagt worden ist, bekommt eine neue Dimension, wenn wir betrachten, wie Bultmann die Beziehung zwischen Sünde und Vergebung versteht.

Der Grund hierfür liegt darin, daß Bultmann die sündige Verfassung des Menschen nicht nur als etwas Dauerndes und Unaufhebbares, sondern auch *als den dialektischen Pol* der Gnade zu verstehen scheint. Das scheint der Fall zu sein in einigen seiner Äußerungen, in denen wir lesen: »Was Gnade ist, kann nur der Mensch wissen, der *sich* als Sünder weiß. Als Sünder weiß er sich nur, sofern er vor *Gott* steht: er kann also auch von Sünde nur wissen, wenn er von Gnade weiß« (GV I, 23). Oder »Und wie der Mensch nur sinnvoll von Sünde reden kann, wenn er vor Gott steht, so auch von Gnade nur als von Gnade für den Sünder« (ebd.).

Wir können also nur dann von der Gnade reden, wenn wir unsere Situation als Sünder verstehen, und umgekehrt können wir nur dann begreifen, was Sünde ist, wenn wir von unserem Wissen um die Gnade ausgehen. In der Logik dieses Denkens kann man nur dann sinnvoll von der Gnade reden, wenn man sie in ihrer Beziehung zur Sünde, also als die für den Sünder bestimmte Gnade betrachtet.

Wie wir schon sahen, bleiben Tun und Reden des Menschen trotz der Offenbarung und der Antwort des Glaubens auf diese Offenbarung sündig (GV I, 37), und der Gerechtfertigte bleibt weiterhin ein *asebēs* (Exeg. 52). Hier kommt aber hinzu, daß Bultmann nicht nur die Fortdauer der Sünde hervorhebt, sondern auch sagt, daß der Mensch *nur als Sünder Zugang zur Gnade findet.*

Denn im Zusammenhang mit dem in den erwähnten Texten Gesagten lesen wir auch, daß »der Gläubige . . . immer nur als ἀσεβής gerechtfertigt ist« (Exeg. 52), daß all unser Tun und Reden »eben als *sündiges* gerechtfertigt ist« (GV I, 37). Und: »Nimmt man den Gedanken ernst, daß der Mensch nur auf Grund der χάρις vor Gott als Gerechtfertigter dastehen kann, so ist er auch *immer* als ἀσεβής ein Gerechtfertigter« (Exeg. 53).[191]

Hat dann also Koch nicht wirklich recht, wenn er – konkret in bezug auf den Satz von Exeg. 53, nach dem der Mensch immer als *asebēs* ein Gerechtfertigter ist – schreibt: »Dieser Satz definiert gerade die Gnade durch die Sünde: Wenn die Sünde nicht wäre, hörte die Gnade als Gnade auf« (Koch 236). Zeigt sich in jenen Äußerungen nicht tatsächlich ein Verständnis von der Sünde und der Vergebung, nach dem Sünde und Vergebung die beiden Pole einer »dialektischen Beziehung« wären, die sich gegenseitig bedingen?[192]

---

ben des Menschen zusammenhängendes Existential, aber: »Wir wissen nie mit letzter Sicherheit, ob wir wirklich Sünder sind«: K. RAHNER, Grundkurs des Glaubens, Freiburg 1976, 110.

191 Nach Bultmann hat auch die Theologie nur dann Existenzrecht, wenn sie sich stets daran erinnert, daß ihr »Reden ein Reden des *sündigen* Menschen ist, das gar nicht beansprucht, ein Reden aus Gott zu sein, und das gerade in der Erkenntnis dieser Schranken gerechtfertigt sein kann« (Anf. II, 68). In einem Kontext, in dem es sich um Wesen der Rechtfertigung handelt, schreibt Bultmann, daß »das ›iustus‹ nie eine Qualität (= des Gerechtfertigten), sondern eine Relation meint, also immer im paradoxen Verhältnis zum ›peccator‹ steht« (GV II, 56): »Nur der *Sünder* ist der Gerechtfertigte« (I, 24). Siehe diesbezüglich auch ThNT 284 f und GesEsch 47.

192 In einem anderen Kontext hat W. JOEST vorgeschlagen, die Bezeichnung »dialektisch« nur für jene gegensätzlichen Beziehungen zu verwenden, »deren Gegensatzglieder sich gegenseitig fordern, so

f) Die Offenbarung, »Negierung aller menschlichen Selbstbehauptung«

Nach meiner Meinung gibt es eine Beziehung zwischen dem hier bislang erörterten Verständnis Bultmanns von der Sünde und seinem Verständnis der Offenbarung: Die Sündigkeit des Menschen ist so radikal, daß die Offenbarung zu einer »Negation des Menschlichen« wird.

Als Schlußfolgerung aus seiner Darlegung über »Die Offenbarung als das Wort« in seiner »Theologie des Neuen Testaments« erkennt Bultmann implizit an, daß seine Darlegung der Offenbarung als eines reinen »Daß« die Frage aufkommen läßt: Ist die Offenbarung dann ein »leeres«, inhaltsloses Ereignis? Denn zu der Schlußfolgerung: »so läßt sich nur ihr bloßes Daß darstellen«, fügt er hinzu: »Dies bleibt aber keine Leeres, da sie als die Erschütterung und Negierung aller menschlichen Selbstbehauptung . . . dargestellt wird« (420; vgl. 421, 418 f).[193]

Nach meiner Meinung entspricht dem radikalen Bultmannschen Verständnis von der Sünde als einer dauernden und unüberwindbaren Bestimmung der faktischen Wirklichkeit des Menschen und insbesondere seiner Reflexion ein Verständnis von der Offenbarung als reinem, in Jesus und in der Verkündigung sich ereignendem Geschehen, also als reinem »Daß«, von dem nur gesagt werden kann, daß es das »Daß der Offenbarung« und die »Negierung aller menschlichen Selbstbehauptung« ist (vgl. ThNT 420 f, 284; GV II, 131; Exeg. 104; GesEsch. 47).[194]

EXKURS I:
DIE OFFENBARUNG UND DIE CHRISTOLOGIE

Wir haben auf die Beziehung zwischen Bultmanns Auffassung von der Radikalität der Sünde und seinem Verständnis der Offenbarung hingewiesen. Wenn man die faktische

---

daß das eine nur durch das andere sein kann, was es ist, und umgekehrt« (JOEST 293, Anm. 84). Einen so verstandenen Begriff »dialektisch« sollte man folglich nicht auf die Beziehung zwischen Sünde und Gerechtigkeit im Glaubenden anwenden: »Die Gerechtigkeit bedarf aber nicht der Sünde als Gegenpol, um wirklich zu sein« (ebd.). Aber zeigen die von uns zitierten Äußerungen Bultmanns nicht ein solches Verständnis von der Beziehung zwischen der Sünde und der Vergebung, daß beide tatsächlich auch in Joests Sinne als Pole einer dialektischen Beziehung, deren Gegensatzglieder sich gegenseitig fordern, verstanden werden müssen? H. SCHRÖER meint, daß dies tatsächlich der Fall ist, und schreibt, sich auf jene Stelle bei Joest beziehend: »Der Begriff dialektisch, so wie er bei Joest definiert ist, entspricht dafür genau unserem Begriff ›komplementär paradox‹«: H. SCHRÖER, Die Denkform der Paradoxalität als theologisches Problem. Eine Untersuchung zu Kierkegaard und der neueren Theologie als Beitrag zur theologischen Logik, Göttingen 1960, 195. Wenig zuvor hatte Schröer im Zusammenhang mit Bultmanns Verständnis des ›simul iustus et peccator‹ geschrieben: »Das Paradox ist dabei komplementär verstanden« (187).

193 »Dies bleibt aber kein leeres, da sie (= die Offenbarung) als die Erschütterung und Negierung aller menschlichen Selbstbehauptung und aller menschlichen Maßstäbe und Wertungen dargestellt wird, die gerade als solche Negierung die Bejahung und Erfüllung der menschlichen Sehnsucht nach Leben, nach echter Wirklichkeit ist« (ThNT 420). Diese Worte bekommen ein besonderes Gewicht, da sie zu den Seiten gehören, die von der Darstellung der »Offenbarung als das Wort« zur Erörterung des Glaubens in Bultmanns »Theologie des Neuen Testaments« überleiten, die »die Summe der Lebensarbeit von Rudolf Bultmann« ist: O. MERK, Vorwort, in: R. BULTMANN, Theologie des Neuen Testaments, Tübingen [7]1977, IX. Ist es aber nicht problematisch, die Offenbarung als »Negierung« zu definieren und dann zu sagen, daß sie gerade als solche Bejahung und Erfüllung der menschlichen Sehnsucht nach Leben und nach echter Wirklichkeit ist?

194 Siehe für die diesbezüglichen Äußerungen Kochs unsere S. 77 f.

Wirklichkeit des Menschen für unheilbar sündig hält, muß man der Offenbarung die Bedeutung einer »Negierung des Menschlichen« geben.[195]

Bultmann bringt oft folgende Auffassung zum Ausdruck, die gewissermaßen eine Zusammenfassung seines Denkens ist: In der christlichen Verkündigung kommt das Wort Gottes dem der Sünde verfallenen Menschen entgegen und ruft ihn auf, sich für die glaubende Annahme des ihn befreienden Wortes zu entscheiden.

Es ist ein Verdienst Bultmanns, daß er so sehr betont, daß die christliche Verkündigung ein »Ereignis« sein muß, in dem nicht an erster Stelle die Mitteilung allgemeiner Wahrheiten stattfindet, seien es Aussagen über Ereignisse in der Vergangenheit, seien es Überlegungen über die Transzendenz, die auch zeitlos, ohne Bezug zu einem konkreten Hier und Jetzt weitergegeben werden könnten. Sondern die Offenbarung verwirklicht und konkretisiert sich in der Verkündigung, die als Ereignis in einem konkreten Augenblick ein Aufruf an den konkreten Menschen sein muß und in der der Mensch zum Glauben und zu einer radikalen Umwandlung seines Selbstverständnisses als einem Sichverändern des gesamten Menschen aufgefordert wird.

Bultmann erklärt den Ereignischarakter, den seiner Meinung nach die Offenbarung hat, durch die Unterscheidung zwischen einem reinen Geschehen, »Daß«, und dem Inhalt dieses Geschehens / dieses Ereignisses, dem »Was«. So schreibt er in bezug auf das Johannesevangelium: »Der Verfasser interessiert sich nur für das *Daß* der Offenbarung, nicht für das *Was*«. Auch sei dieser Verfasser gleich weit davon entfernt, in seinem Evangelium »Erkenntnisse rationaler Art oder seelische Erlebnisse« miteinzubeziehen (Exeg. 103). Darüber hinaus bedeute sein radikales Verständnis von der Offenbarung, »daß darauf verzichtet wird, ihren *Inhalt* zu beschreiben« (ebd.). Auch in seiner »Theologie des Neuen Testaments« schreibt Bultmann, daß bei Johannes nur das »leere Daß« der Offenbarung bleibt, ohne daß er den Inhalt dieser Offenbarung füllt, d. h. durch ein »Was« erklärt oder anschaulich macht (ThNT 419).[196] Und da sich Johannes des gnostischen Mythos bedient, wenn er auch manche Elemente ihres Inhalts wie z. B. die kosmologischen Voraussetzungen streicht, kann man die Schlußfolgerung ziehen, daß bei Johannes »nur das leere Daß der Offenbarung zu bleiben« scheint (ebd.). Nach Bult-

---

195 »Darstellen läßt sich die Offenbarung nur als die Vernichtung alles Menschlichen« (Exeg. 104). Es fällt auf, wie Bultmann zu harten Ausdrücken neigt, wenn von der Offenbarung die Rede ist: »Die Offenbarung ist . . . Verneinung der Welt« (EvJoh 270); »Die Erfahrung der Gnade und Vergebung Gottes, die den alten Menschen vernichtet und den neuen schafft« (Jesus GTB, 143); »Die Tatsache, . . . daß Gnade als Gnade nur von dem Menschen empfangen wird, der vor Gott zunichte geworden ist« (GesEsch 47); »Gottes Handeln macht den Menschen, den es lebendig machen will, vorher zunichte« (GV II, 119); »Jene Feindschaft (= die zwischen Gott und den Menschen) hat ihren Ursprung . . . im bösen Willen des Menschen selbst, . . . so daß ihm Gottes Schöpfung nun als vernichtende Macht begegnen muß« (GV II, 131); »Ihr (= der Gnade) Empfang setzt . . . das völlige Zunichtewerden des Menschen voraus« (ThNT 284); daß die Offenbarung als »Negierung« »Bejahung und Erfüllung« ist, »kann nur der Glaube sehen, der den Anstoß überwindet und sich jener Negierung unterwirft« (ThNT 420).

196 Die johanneische Theologie bedient sich des gnostischen Mythos als Ausdrucksmittel, und in diesem »genügt es im Grunde, daß die Offenbarung in nichts anderem besteht, als in dem Daß, d. h. in dem Satze, daß der Offenbarer gekommen und gegangen, herabgestiegen und wieder erhöht worden sei« (ThNT 419); »Denn wenn auch die Gnosis von dem Was der Offenbarung reichlich redet . . ., so ist doch für sie das Entscheidende das bloße Daß« (ebd.).

mann ist das auch nicht anders möglich, denn die Offenbarung kann »weder als die Vermittlung einer bestimmten Lehre noch als die Entzündung eines seelischen Erlebnisses«
dargestellt werden, und »so läßt sich nur ihr bloßes Daß darstellen« (ThNT 420).[197] Sicherlich sieht Bultmann dann die Gefahren, die in solchen Äußerungen verborgen sein
können: daß man das »Daß« als ein »leeres« versteht. Er kommt aber dem entsprechenden Einwurf zuvor und schreibt: »Dies bleibt aber kein leeres, da sie (= die Offenbarung) als die Erschütterung und Negierung aller menschlichen Selbstbehauptung ... dargestellt wird« (420 f).

Bultmann verwendet die Kategorien »Daß« und »Was« auch in seinen christologischen Aussagen: »Es braucht also inhaltlich von Jesus nichts gelehrt zu werden als dieses
Daß, das in seinem historischen Leben seinen Anfang nahm und in der Predigt der Gemeinde wieder Ereignis wird« (GV I, 292).[198] Im Johannesevangelium wird die Person
Jesu mit seinem Wort identifiziert (ThNT 416), werden seine Worte und das Wort pa-
rallel gesetzt (414), und der Verfasser des Evangeliums geht sogar so weit, daß es faktisch heißt: »*Sein Wort ist er selbst*« (416).[199] »Sein Wort erhebt sich nicht aus der Sphäre
menschlichen Beobachtens und Denkens, sondern kommt von jenseits her«, seine Worte
sind nicht menschliche Worte (415). »Jesu Worte vermitteln gar keinen greifbaren Inhalt als eben den, daß sie Worte des Lebens, Worte Gottes, sind« (ebd.). »Nicht in ihrem zeitlosen Gehalt, sondern in ihrem Gesprochenwerden liegt ihr ... Entscheidendes«
(416). Jesus kann auch mit dem Wort der christlichen Verkündigung identifiziert werden, »in dem Gericht und Vergebung ... Ereignis werden« und das »durch das Ereignis
Jesus eingesetzt ... ist« (GV I, 292).[200] Man kann sagen, daß Jesus in seinen Worten
nichts Neues gesagt hat, »aber *daß* er es sagt, ... ist das Entscheidende« (GV I, 204,
vgl. 291). Ähnlich gilt von der christlichen Verkündigung: »Es braucht also inhaltlich
von diesem Jesus nichts gelehrt zu werden als dieses Daß, das in seinem historischen Leben seinen Anfang nahm und in der Predigt der Gemeinde weiter Ereignis wird« (GV I,
292; vgl. Exeg. 449 f;ThNT 419; GV I, 205).[201]

197 Ich halte diese Alternative für nicht überzeugend.
198 Auch: Man könne eine Kontinuität zwischen der Geschichte Jesu und dem christlichen Kerygma her-
     stellen, wenn man anerkennt, daß dieses nur das Daß der Geschichte Jesu voraussetze; habe man
     dann aber damit etwas über die Kontinuität des Kerygmas mit dem »Was« oder dem »Wie« seiner
     Geschichte gesagt? (Exeg. 449); Johannes und Paulus würden jeder auf seine Art und Weise zeigen,
     daß man nicht über das »Daß« hinauszugehen brauche; das Kerygma des Paulus brauche aus dem Le-
     ben Jesu nur das »Daß« und die Tatsache, daß er gekreuzigt wurde; in dem Kerygma des Johannes sei
     das Entscheidende das »Daß« (Exeg. 450); *Was* er sagt, sagt er nicht als etwas Neues, Unerhörtes;
     aber *daß* er es sagt, daß er es *jetzt* sagt, ist das Entscheidende und macht die Situation für alle Hörer zu
     einer neuen und entscheidenden« (GV I, 204).
199 Zudem werden auch die Wunder und Werke Jesu mit seinen Worten identifiziert (ThNT 413); »So
     zeigt sich schließlich, daß Jesus als der Offenbarer Gottes, *nichts offenbart, als daß er der Offenbarer ist*,
     und daß damit gesagt ist, daß er der ist, ... der in seiner Person das bringt, worauf alle Sehnsucht des
     Menschen geht: Leben und Wahrheit als die Wirklichkeit, aus der der Mensch existieren kann, Licht
     als die völlige Durchsichtigkeit der Existenz, in der Fragen und Rätsel ein Ende haben« (418).
200 »Jesus spricht und ist dieses Wort der christlichen Verkündigung« (GV I, 292); »In ihr (= der Ver-
     kündigung) und durch sie wird die Offenbarung jeweils Ereignis«, »in der Verkündigung hat sich das
     eschatologische Geschehen, das sich im Kommen und Gehen Jesu vollzogen hat, weiter zu vollzie-
     hen« (ThNT 442, vg. 445).
201 EBELING weist darauf hin, daß bei Bultmann »gewisse Aspekte in bezug auf das Kerygma zu kurz ge-
     kommen sind« (Theologie 26), daß nach Bultmanns Verständnis nur das bloße Daß der Person Jesu

Seinerseits brauche das paulinische Kerygma nur das Daß des Lebens Jesu, das Geschehen seiner Kreuzigung (Exeg. 450). Für die Urgemeinde ist das Kreuz eine neue Aktualisierung des Aufrufes zur Entscheidung, insoweit es nicht das Was der Verkündigung Jesu, sondern das Daß seiner Verkündigung, d. h. daß sich in Jesus die Verkündigung Gottes ereigne, in Frage stellt. Das Kreuz fragt ja nach seiner Legitimation zur Verkündigung, danach, ob er tatsächlich »Gottes Bote mit dem letzten, entscheidenden Wort« ist (GV I, 205).[202] Es ist Paulus, der diese Bedeutung des Kreuzes explizit dargestellt hat. Er hat den Zusammenhang zwischen der Forderung gesehen, das »skandalon«, daß ein Gekreuzigter zum Messias gemacht worden war, zu überwinden, und der Forderung, daß der Mensch das Urteil Gottes über sein bisheriges Sich-Verstehen anerkennt und zu einem wahren, neuen Selbstverständnis findet (GV I,205 f): *»Das Gericht über alles Menschliche ist im Kreuz vollzogen«* (207). Das Kreuz wird in seiner wahren Bedeutung nur von demjenigen erkannt, der es auf sich nimmt und sich mit Christus kreuzigen läßt (ThNT 303). Von diesem Kreuz kann man nicht mehr nur als von dem historischen Ereignis auf Golgota reden, denn Gott hat es zum eschatologischen Ereignis gemacht, das sich in jeder Gegenwart weiter vollzieht (ThNT 303).[203] Der Glaube an dieses eschatologische Ereignis ist der Glaube an die Auferstehung, d. h. der Glaube, daß im verkündigten Wort Christus selbst spricht (305). Wer es hört »als das zu ihm gesprochene, ihm den Tod und dadurch das Leben zusprechende Wort«, der glaubt an den Auferstandenen (306).[204] In dem Kerygma als eschatologischem Ereignis ist Christus wirklich gegenwärtig: Es ist *sein* Wort, das den Hörer im Kerygma erreicht (Exeg. 469).[205]

---

für das Kerygma Bedeutung habe (ebd.). Er meint selbst, daß der kerygmatische Charakter der Quellen das Fragen nach dem historischen Jesus nicht ausschließe, das ein historisches Fragen sei, »das . . . als solches nicht ohne weiteres das von Bultmann für illegitim erklärte ›Zurückfragen hinter das Kerygma‹ ist« (27 Anm. 1; vgl. 28 ff). H. BLUMENBERG überzieht Bultmanns Verständnis von der Beziehung zwischen dem Kerygma und der Theologie mit einer heftigen Kritik (Marginalien 123 f) und meint, daß in diesem Verständnis die Freiheit der Antwort auf das Kerygma nicht gesichert sei (124).

202 Nach Bultmann konzentriert sich das Kerygma der Urgemeinde in zwei Gegebenheiten: 1. im Bekenntnis, daß Jesus von Gott zum Messias gemacht worden ist, worin sich zeigt, daß diese Urgemeinde »sein Wort – und d. h. nicht dessen zeitlosen Gedankengehalt, sondern sein Gesprochensein durch ihn und ihr eigenes Angeredetsein – als die entscheidende Tat Gottes verstanden hat«, und 2. in der Neuaktualisierung des Aufrufes zur Entscheidung durch den Tod Jesu am Kreuz (GV I, 205).

203 Die starke Betonung Bultmanns, daß derjenige, der versteht, was das Kreuz bedeutet, notwendigerweise auch versteht und bejaht, daß das Kreuz ihn anredet und zur Entscheidung aufruft, halte ich für ein positives Element seiner Theologie. Denn man kann nicht wirklich über das Kreuz reden, wenn man nicht zuläßt, daß die eigene Existenz durch dieses Kreuz verändert wird. Aber zeigt sich in dieser Theologie nicht auch ein Verständnis des Kreuzes, nach dem es vor allem eine Art Verkündigung des Ereignisses der Negierung des Menschlichen wäre? Scheint die Annahme des Angeredetwerdens, das das Kreuz für den Menschen bedeutet, sich nicht vor allem auf die Annahme dieser Negierung zu konzentrieren? Siehe KOCH 232, 233, 236, 241 f und vor allem 333.

204 »Im Apostel ist Christus eben als der Auferstandene gegenwärtig« und er begegnet dem Hörer des Wortes im Verkündiger dieses Wortes. In diesem Kontext ist die etwaige Rückfrage nach der Berechtigung der Verkündigung schon ihre Ablehnung, und darum muß sie verwandelt werden in die Frage des Hörers nach dem eigenen Selbstverständnis (ThNT 306). Über Bultmanns Ablehnung der Rückfrage nach dem Kerygma, siehe EBELING, Theologie 31 f, 51 ff.

205 Bultmann zeigt sich damit einverstanden, daß die Gegenwärtigkeit Christi im Kerygma als »Auferstehung« bezeichnet wird. In diesem Sinn hält er den ursprünglich als Kritik an ihm formulierten Satz, Jesus sei im Kerygma auferstanden, für richtig (Exeg 469).

Bultmann will das Ereignishafte der Offenbarung herausstellen, aber konzentriert er sich dabei nicht in problematischer Weise auf die Kategorien des »Daß« und der »Negierung«? Gibt Bultmanns Verwendung in seiner Christologie der mit dem »Daß« identifizierten Kategorie des »reinen Ereignisses« nicht Ebeling recht, wenn dieser schreibt: »Verwirrend ist dabei, daß der Gesichtspunkt des ›Daß‹ einerseits aufs äußerste gefüllt ist im Sinne des jetzt und hier sich ereignenden eschatologischen Entscheidungsrufs . . ., andererseits aufs äußerste entleert im Sinne der bloßen Historizität der Person Jesu«[206]. Scheint diese Konzentration auf das Daß nicht eine »Reduktion auf die formale Bestimmung der Faktizität des Sichereignens von Wort« zu sein, wenn es auch die eigentliche Absicht Bultmanns war, sich »zu der umfassendsten theologischen Sachbestimmung, dem Worte Gottes,« hinzuwenden?[207] Und gibt die Konzentrierung Bultmanns auf die Bedeutung der Offenbarung als der Negierung des Menschlichen nicht auch Koch in seiner Kritik recht, daß Bultmann die Offenbarung auf »das limitierte ›Daß‹ der Negation des Menschlichen« reduziert?[208]

---

206 EBELING, Theologie 73. Ebeling erörtert in diesem Kontext Bultmanns Unterscheidung zwischen dem »Daß« und dem »Was« und bezieht sich konkret auf Bultmanns Satz: »Das ›Daß‹ ist das ›Was‹, in dem Jesus und urchristliches Kerygma konvergieren«.

207 »Trotzdem bleibt an Bultmanns Interpretation dieses Sachverhaltes verwirrend, daß die Konzentration auf das ›Daß‹, obwohl eigentlich verstanden als Hinwendung zu der umfassendsten theologischen Sachbestimmung, dem Worte Gottes, den Anschein einer Reduktion auf die formale Bestimmung der Faktizität des Sichereignens von Wort erhält« (EBELING, Theologie 73). Unmittelbar zuvor hatte Ebeling darauf hingewiesen, daß es die Absicht Bultmanns ist klarzustellen, daß in der Verkündigung nicht die Persönlichkeit Jesu im biographischen Sinne aktualisiert wird, sondern die Verkündigung das, was sie sagen will, durch »die Proklamation seines ›Namens‹ als des Wortes Gottes« zum Ausdruck bringt. Nach Meinung Ebelings ist nicht immer klar, wie Bultmann seine Unterscheidung zwischen dem »Daß« und dem »Was« (bzw. »Wie«) handhabt. Diese habe aus philosophischer Sicht mit der Unterscheidung zwischen Existenz und Essenz zu tun. Auch aus historischer Sicht könne man auf die Unterscheidung zwischen dem »Daß« und dem »Was« zurückgreifen, allerdings nicht so, daß sie sich ausschließen. Aus theologischer Sicht könne man vom »eschatologischen Ereignis« als vom »Daß« Gottes reden. Aber, so Ebeling: »Bultmann überträgt den . . . legitimen theologischen Gebrauch der Redeweise vom ›Daß‹ des eschatologischen Ereignisses, das ausgesagt ist in Hinsicht auf ein geschichtliches Ereignis, m. E. unberechtigterweise in ein Reden vom ›Daß‹ im rein historischen Sinn der bloßen Faktizität eines historischen Ereignisses. Denn weder läßt sich in historischer Hinsicht der isolierte Bezug auf das ›Daß‹ realisieren, noch entspricht es dem theologischen Sinn des ›Daß‹, daß es in bezug auf ein schon zur bloßen ›Historizität‹ abstrahiertes Faktum ausgesagt wird. Vielmehr hängt der theologische Skopus der Redeweise vom ›Daß‹ Gottes gerade daran, daß es bezeugt und geglaubt wird in bezug auf das konkrete ›Was und Wie‹ geschichtlicher Wirklichkeit« (Theologie 68 f). Für Ebeling ist daher Bultmanns Verweis auf das »Daß« insofern nicht stichhaltig, als er selbst nicht ausschließt, daß »ein wenn auch noch so geringes Minimum an historischem ›Was und Wie‹ kerygmatisch von Belang ist« (69; vgl. Exeg. 450). Bultmann antwortet auf den Vorwurf, daß das ›Daß‹ der Offenbarung leer sei, daß das nicht der Fall sei, denn die Offenbarung sei »die Negierung aller menschlichen Selbstbehauptung« (ThNT 420 f). Siehe hierüber S. 77 f und auch KESEL, Refus 350; KOCH 331, 242.

208 Boutin ist der Auffassung, daß eine Darstellung der wirklichen Christologie Bultmanns die Vorstellung von der Offenbarung als einem reinen »Daß« überwinden und korrigieren könnte (BOUTIN 99 f). Nach meiner Meinung aber liegt aufgrund des im Exkurs I Dargestellten eher die Schlußfolgerung nahe, daß die Christologie Bultmanns eben von seinem Verständnis von der Offenbarung als einem »Daß« bestimmt wird. Siehe hierüber auch die Anm. 160 und 169.

3. DIE BEZIEHUNG ZWISCHEN DER SÜNDE UND DER VERGEBUNG IN DER EXISTENZ DES GLAUBENDEN

Eine der Fragen, die wir uns stellten, als wir die »systematische Darlegung« abschlossen, war: Wie versteht Bultmann die Wirklichkeit der Sünde in der christlichen Existenz in ihrer Beziehung zur Vergebung? Wir haben dann gesehen, daß nach Bultmanns Verständnis von der Radikalität der Sünde diese den Charakter einer Dauerbestimmung der menschlichen Existenz bekommt. Daher läßt sich unsere Frage auch wie folgt formulieren: Wie versteht Bultmann die Gleichzeitigkeit der Sünde und der Vergebung in der Existenz des Christen? Oder: Was bedeutet in seiner Theologie die lutherische Formel »simul iustus et peccator«?

Die »systematische Darlegung« hat uns gerade vor das Problem der Sünde beim Christen gestellt: Auch wenn dieser von der Sünde befreit ist, erfährt er in seinem Leben weiterhin die Macht der Sünde. Das Neue Testament zeigt auf klare Weise, daß schon die erste Generation der Christen die Erfahrung der Sünde im Leben des Christen machte und sich so vor die Problematik der Sünden, die nach der Taufe begangen wurden, gestellt sah. Erinnern wir daran, daß nach Bultmanns Meinung die Lösung dieser Problematik in zwei verschiedenen Richtungen gesucht wurde: auf der einen Seite gab es eine Unterscheidung zwischen verschiedenartigen Sünden, und es entstand die Institution der krichlichen Buße, auf der anderen herrschte ein radikales Verständnis der Sünde, das eine Unterscheidung verschiedener Sünden ausschloß, zusammen mit einem dialektischen Verständnis der christlichen Existenz.

Wie wir auch sahen, gefährdet nach Bultmann die Unterscheidung zwischen vergebbaren und nichtvergebbaren Sünden von vornherein das radikale Verständnis der Sünde (ThNT 583; vgl. 522, 565, 584; Exeg. 107, 114, 384 f). Mit dieser Unterscheidung fing zudem ein Prozeß an, der zur Institution der kirchlichen Buße geführt hat und in dessen Verlauf »der Charakter der Kirche als Heilsanstalt ... vollständig werden« mußte (ThNT 584).

Die angemessene Antwort auf die Problematik der Sünde der Christen finden wir, so Bultmann, zum ersten Mal in der Theologie des Paulus und des Johannes. Diese Theologien seien zu einem richtigen und geeigneten Verständnis sowohl der Sünde und ihrer Radikalität als auch der Dialektik der christlichen Existenz gelangt, wobei beides gerade in der Formel »simul iustus et peccator« einen Ausdruck finde.[209]

Bultmann betont auf besondere Weise die enge Beziehung zwischen der Art von Antwort auf das Problem der Sünden nach der Taufe und dem Verständnis der Eschatologie. In diesem Abschnitt werden wir zuerst dieser Beziehung unsere Aufmerksamkeit schenken. Dann werden wir auf die wichtigsten Stellen eingehen, an denen Bultmann die Formel des »simul« verwendet. Schließlich werden wir auf einige Einwände eingehen, die man in Anbetracht von Bultmanns Verständnis des »simul iustus et peccator« formulieren kann.

---

209 Dem Inhalt nach wäre diese Formel eine zentrale Kategorie sowohl des paulinischen als auch des johanneischen Verständnisses von der christlichen Existenz. Explizit enthalten sei sie aber nur in 1Joh 1,5–10 (vgl. ThNT 432; Exeg. 385 f; GesEsch 55 f).

a) Die Sünde des Christen und die eschatologische Dimension seiner Existenz

Die erste Generation der Christen wartete nicht nur auf den für unmittelbar bevorstehend gehaltenen Anbruch des neuen Äons, sondern war auch überzeugt, die *Gemeinde der Endzeit* zu sein, und glaubte, daß der neue Äon in gewisser Weise schon seit dem Erscheinen Jesu gegenwärtig sei (GV III, 35). Sie war »sich bewußt, ›zwischen den Zeiten‹ zu stehen, nämlich am Ende des alten Äons und im Beginn . . . des neuen«, der zur gleichen Zeit zukünfig und dennoch in gewisser Weise schon gegenwärtig war und dessen voller Anbruch als unmittelbar bevorstehend betrachtet wurde (GV III, 35).

Diese Überzeugung geriet aber in eine Krise, als sich die Parusie immer weiter auf unbestimmte Zeit verschob. Welche Bedeutung kann dann für einen Glaubenden jenes »Zwischen« noch haben, wenn es sich immer weiter ausdehnt (GV III, 36)?

Nach Bultmanns Auffassung begann die mythologische Eschatologie, die sich die Äonenwende als eine kosmische Katastrophe vorstellte (GV III, 39), »vergeschichtlicht zu werden«, als Paulus und Johannes die Erscheinung Jesu, und somit nicht eine kosmische Katastrophe, sondern ein Ereignis der Geschichte als das Ende des alten und den Beginn des neuen Äons zu verstehen anfingen (GV III, 41). Nach der Interpretation Bultmanns haben Paulus und Johannes verstanden, *daß der neue Äon sich auf der Ebene der Geschichtlichkeit ereignet*, in der die Existenz des Menschen durch die Entscheidung im Augenblick ihre wahre Wirklichkeit erlangt (GesEsch 49; GV III, 102; vgl. GesEsch 2, 168; GV IV, 101 f).

Bultmann weist darauf hin, daß schon in der mythologischen Eschatologie die Möglichkeit enthalten war, die menschliche Existenz als eine paradoxe Existenz zu verstehen – für die die Erscheinung Jesu das über sie entscheidende Ereignis ist. Denn die mythologische Vorstellung von einer Zwischenzeit zwischen dem Ende des alten und dem Anfang des neuen Äon läßt die Möglichkeit einer »paradoxen Vorstellung des ›Zwischen‹ – einer Zeit, die weder Vergangenheit noch Zukunft und doch auch beides: Vergangenheit und Zukunft«, also nicht mehr der alten und noch nicht der neue Äon ist (GV III, 39).

In der Predigt Jesu findet sich zwar auch, so Bultmann, jene mythologische Vorstellung von einer Äonenwende und also auch der Aufeinanderfolge der Äonen, aber sie betrachtet die Existenz des Menschen als eine Existenz in der Zwischenzeit, denn gerade in dieser Existenz ist der Mensch in radikalem Sinne unter die Forderung Gottes gestellt (GV III, 40).

Nun sind, wie schon gesagt, Johannes und Paulus die ersten, die in ihrer Theologie die Existenz des Menschen in dieser Zwischenzeit richtig verstehen (41). Demnach:

– bedeutet die Erscheinung Jesu die Wende der Äonen;

– wird der alte Äon, die Vergangenheit, als der Äon der Sünde verstanden;

– ist die Befreiung des alten Äon, die Befreiung von der Sünde, also auch der Befreiung von der Vergangenheit, die nicht nur ein kosmischer Zustand ist, »sondern sie ist *je meine Vergangenheit*, der ich ein Sünder war« (GV III, 42);

– ist es für Paulus und Johannes »wesentlich, daß diese Zwischenzeit nicht nur eine chronologische Bestimmung ist, sondern daß sie das Sein des Glaubenden sachlich, seinem Wesen nach, charakterisiert, nämlich als das dialektische Sein des ›Nicht

mehr‹ und ›Noch nicht‹« (Ges Esch 56); so ist das Sein des Glaubenden schon ein eschatologisches Sein, und doch lebt er noch in der Welt (57);
– ist »die Zukunft, zu der ich befreit bin, je meine Zukunft« (GV III, 42).
Paulus und Johannes haben deshalb die Existenz in der Zwischenzeit richtig verstanden, »weil sie das Wesen der Sünde am tiefsten erfaßt haben« (GV III, 42). Denn sie verstanden die »Sünde nicht erst als die Übertretung einzelner Gebote, als moralische Verfehlung ..., sondern als die Grundhaltung des natürlichen Menschen, der es nicht aushält, in der Ungesichertheit vor Gott zu leben« und der »aus sich selbst, aus eigener Kraft leben« will (ebd.). Sie haben zudem verstanden, daß die Freiheit von der Sünde nicht eine »zuständliche Qualität« des Menschen ist, sondern nie den Charakter des Geschenks verliert und in der stets neu vollzogenen Haltung des Glaubens immer von neuem ergriffen werden muß (42 f). Dies ist das Paradox des »dialektischen Verhältnisses von Indikativ und Imperativ« (43), das bei Johannes noch deutlicher zum Ausdruck kommt als bei Paulus, »weil Johannes deutlich macht,
– daß die Befreiung von der Sünde durch die göttliche Vergebung nicht ein einmaliger Akt ist,
– sondern *daß das ganze Leben unter der Vergebung steht*«;
– daß die Freiheit von der Sünde eine paradoxe Einheit mit dem Sündenbekenntnis bildet (GV III, 44).
Dieses dialektische Verständnis von der christlichen Existenz geht, so Bultmann, in der Zeit nach Paulus und Johannes verloren:
– Die »Zwischenzeit« wird nun vor allem im *chronologischen Sinn* verstanden (ThNT 562, 519, 521, 548–550; GesEsch 57);
– der *dialektischen Beziehung* zwischen Gegenwart und Zukunft wird nicht mehr Rechnung getragen (ThNT 465; GesEsch 60);
– die Sünde wird vor allem im moralischen Sinn als Übertretung, nicht mehr als Macht verstanden (ThNT 556);
– die *Befreiung von der Sünde* wird nicht mehr als die Befreiung von ihrer Macht, als die Befreiung vom »alten Selbst« erfaßt, sondern nur als die Tilgung von Schuld, als die Befreiung von der Strafe (GV III, 44);
– das *neue Leben* wird der Zeit zugerechnet, die chronologisch *nach* der alten kommt, als ein Lebendigsein des Christen, *nachdem* er in der Sünde tot war; es wird also nicht mehr entsprechend der paradoxen Gleichzeitigkeit verstanden, nach der »der Christ jetzt lebendig ist, da er *für* die Sünde tot ist« (GV III, 53);
– die Sünden nach der Taufe werden zu einem brennenden Problem (GV III, 44; ThNT 466, 549; GesEsch 62);
– das Bußsakrament tritt in Erscheinung (GV III, 44 f; ThNT 565; GesEsch 62).
So wurde in der Zeit nach Johannes und Paulus beim Bemühen, die christliche Existenz theologisch zu verstehen, vor allem von einem chronologischen Verständnis der »Zwischenzeit« im Prozeß der Aufeinanderfolge der Äonen ausgegangen. So folgt auch das Sein des Menschen in der Gnade zeitlich seinem Sein in der Sünde.

Nun versteht man nach Bultmann nur dann die christliche Existenz richtig, wenn man dieses chronologische Zeitschema überwindet und die *dialektische Gleichzeitigkeit* des eschatologischen Gerechtseins des Menschen und seines Sünderseins erfaßt, wenn man also die »Zwischenzeit« dialektisch und nicht chronologisch begreift, d. h. wenn man die christliche Existenz entsprechend der Dialektik des »simul iustus et peccator« versteht.

In einer Untersuchung über »Die Denkform der Paradoxalität als theologisches Problem«[210] schreibt H. Schröer, daß in Bultmanns Interpretation der Formel des »simul« die Dialektik von Sünde und Gerechtigkeit mit der von »Einst« und »Jetzt« zusammenfällt. Der Grund dafür liegt, so sagt er, darin, daß Bultmann die Eschatologie auf eine Eschatologie der Gegenwart konzentriert. »Damit wird der . . . ›chronologische‹ Abstand nicht mehr wichtig.« Aber, meint Schröer, »die Differenzierung der Dialektik von ›Einst‹ und ›Jetzt‹ und von ›Sünde‹ und ›Gerechtigkeit‹ muß beachtet werden«, und er fügt hinzu: »Daß Bultmann die Dialektiken zusammenfallen läßt, hat den einfachen Grund darin, daß er alle Eschatologie präsentistisch faßt und so den Glauben zur eschatologischen Existenz macht. . . . Das Bedenkliche ist nicht der Abbau der kosmologischen Eschatologie, sondern das Zusammenfallen zweier Dialektiken, die im N.T. nicht koinzidieren« (ebd. 188).[211]

In der Tat konzentriert Bultmann in seiner präsentistischen Eschatologie den neuen Äon so sehr im gegenwärtigen Augenblick des Ereignisses, daß es keinen Sinn mehr hat, noch Zeitbegriffe wie Vergangenheit, Gegenwart, Zukunft zu verwenden. Im Ereignis der Offenbarung ist das Eschatologische gegenwärtig, das die Zeit transzendiert.

Sicherlich hört auch nach Bultmann das Leben des Glaubenden nicht auf, in der Zeit zu verlaufen. Und zwar ist der Augenblick, in dem sich die Offenbarung und der Glaube ereignen, ein eschatologischer, aber er behält auch eine zeitliche Dimension, denn der Glaubende hört nicht auf, ein geschichtliches Wesen zu sein. Daher muß der Augenblick des Glaubens als ein Augenblick gedacht werden, der in sich notwendigerweise die Spannung der Beziehung zwischen Zeit und Eschatologie birgt.

Nun setzt Bultmann die im Augenblick des Glaubens gegebene Spannung von Zeit und Eschatologie der Dialektik von Gerechtigkeit und Sünde gleich und glaubt diese Einheit von beiden mit der Formel »simul iustus et peccator« richtig zum Ausdruck bringen zu können. Einmal mehr zeigt sich so seine Überzeugung, daß der faktische Bereich des Menschlichen in seiner Gesamtheit sündig ist. In diesem Fall geschieht das durch die Identifizierung der Wirklichkeit des Menschen als zeitlicher Wirklichkeit mit der Sünde.

Wir stellen also fest, daß bei Bultmann das Thema der Gleichzeitigkeit von Sünde und Vergebung in der Existenz des Glaubenden stark abhängt von der radikalen Konzentration seines Verständnisses der Eschatologie auf die Eschatologie der Gegenwart.[212]

---

210 H. Schröer, Die Denkform der Paradoxalität als theologisches Problem. Eine Untersuchung zu Kierkegaard und der neueren Theologie als Beitrag zur theologischen Logik, Göttingen 1960. Hier interessieren vor allem S. 182–191.

211 Schröer hält Bultmanns Verständnis eines paradoxen »Zwischen« für problematisch (siehe oben S. 98 f) und weist darauf hin, daß Bultmann seine Auffassung des Zwischen als »sachkritisches Kriterium« verwendet (ebd. 188 und 188, Anm. 17).

212 Nach H. Wenz findet Bultmanns Interpretation der paulinischen und johanneischen Eschatologie in ihrer Reduktion auf die Eschatologie des Individuums ihre Grenze. Er weist ja darauf hin, daß in Bultmanns Vorstellung von der Eschatologie auch die Vorstellung von einer Zukunft enthalten sei und daß man daher Bultmanns Eschatologie nicht vorwerfen könne, ein radikaler »Aktualismus« zu sein: H. Wenz, Die Ankunft unseres Herrn am Ende der Welt. Zur Überwindung des Individualismus und des bloßen Aktualismus in der Eschatologie Rudolf Bultmanns und Herbert Brauns, Stutt-

b) Die Formel »simul iustus et peccator« bei Bultmann

In seinen Schriften verwendet Bultmann an verschiedenen Stellen die Formel »simul iustus et peccator«. Betrachten wir hier die Stellen, die nach meiner Meinung die wichtigsten sind:

1. *In einer Polemik gegen P. Althaus* verteidigt Bultmann die Meinung, *daß die Formel des »simul« der Theologie des Paulus nicht fremd ist*:

> »Paulus kennt also doch das paradoxe Mit- und Gegeneinander des alten und neuen Menschen, das Luther durch das simul iustus, simul peccator beschreibt. Und dieses Nebeneinander ist durchaus als das von Vergangenheit und Gegenwart zu bezeichnen; denn eben die Vergangenheit ist ja das Fleisch, ist ja die Sünde, die gegenwärtig lebendig ist. Sofern das simul iustus, simul peccator nicht nur heißt, daß die Sünde, die im Glauben abgetan ist, sich in der Gegenwart immer noch als lebendig erweist und überwunden werden muß, sondern auch, daß die neue Gerechtigkeit mir überhaupt nicht in der Weise zu eigen ist, daß sie sich in meinem Tun vollzieht, sondern mir als aliena iustitia zugesprochen ist, – und entsprechend, daß ich der peccator nicht erst darin bin, daß ich jeweils aktuell sündige, sondern darin, daß ich so, wie ich aus meiner Vergangenheit komme, vor Gott als Sünder dastehe, d. h. daß mein neues Sein mein altes nur so überwunden hat, daß es dasselbe als vergebenes in jede Gegenwart mitbringt, daß ich also nie heilig bin, auch wenn ich kein Gebot mehr übertrete, sondern immer nur von der vergebenden Gnade lebe, – sofern also das »iustus« nie eine Qualität, sondern eine Relation meint, also immer im paradoxen Verhältnis zum »peccator« steht, – so entspricht auch das der Auffassung des Paulus« (GV II, 56).

Bultmann identifiziert hier die Gleichzeitigkeit von Sünde und Gerechtigkeit mit der von Vergangenheit und Gegenwart. Zudem steht der Mensch, ob er nun aktuell sündigt oder gegen kein Gebot verstößt, immer vor Gott als ein Sünder: Das Neue hat das Alte nur so überwunden, daß es dieses Alte in jeden gegenwärtigen Augenblick mitbringt, sei es auch als vergebenes.[213]

2. *Anläßlich der Darstellung der Theologie des Johannes* heißt es in Bultmanns »Theologie des Neuen Testaments«:

> »Wohl hatte auch Paulus das Problem des *Verhältnisses von Indikativ und Imperativ* ins Auge gefaßt ... Aber er hatte, erfüllt von der Erwartung des nahen Weltendes, das Problem nicht im Blick auf das faktisch immer wieder Sündigen der Glaubenden entfaltet. Anders Johannes, für den die eschatologische Zeitperspektive keine Rolle spielt infolge seiner radikalen Vergegenwärtigung des eschatologischen Geschehens. Er sieht die eigentümliche *Dialektik*,die darin besteht, daß es einerseits gilt: der Glaubende sündigt nicht (1. Joh 3,9; 5,18); andererseits aber:»ἐὰν εἴπωμεν ὅτι ἁμαρτίαν οὐκ ἔχομεν, ἑαυτοὺς πλανῶμεν καὶ ἡ ἀλήθεια οὐκ ἔστιν ἐν ἡμῖν« (1. Joh 1,8). Daß der »Wandel im Licht«

gart 1965, 8 f, 17, 44–50. Die notwendige Korrektur wäre die Überwindung jenes Individualismus und die Berücksichtigung der gesellschaftlichen Dimension der Eschatologie (vgl. 51 ff). Über diese Thematik sahen wir schon, daß nach KOCH (siehe oben Anm. 168 und KOCH 271 f) Bultmann sich gelegentlich über den Augenblick der Entscheidung so äußert, daß eine gewisse Vorstellung von der Zukunft miteingeschlossen zu sein scheine, auch wenn sie nicht weiter entwickelt und auch nur »ansatzweise« angedeutet werde (vgl. KOCH 271). An diesen Stellen würde Bultmann »sein Residuum, den limitierten Aktualismus der pur momentanen Entscheidung« aufgeben. (KOCH ebd.). Über den Aktualismus bei Bultmann siehe die in Anm. 168 erwähnten Äußerungen Kochs.

213 Man registriere, daß Bultmann jemanden »Sünder« nennt, von dem er auch sagt, daß ihm die »Vergangenheit« vergeben wurde.

und das Sündenbekenntnis eine paradoxe Einheit bilden, will 1. Joh 1,5–10 zeigen« (ThNT 432).

Nach Bultmann ist 1. Joh 1,5–10 die einzige Stelle im Neuen Testament, an der die Dialektik des »simul« explizit bestätigt wird. Johannes ist gerade derjenige, der am radikalsten sein Verständnis der Eschatologie auf die Eschatologie der Gegenwart konzentriert.

3. *Auch in den Schlußfolgerungen von Bultmanns Werk »Geschichte und Eschatologie«* erscheint die Formel des »simul« und bringt dort das Paradox der christlichen Existenz zum Ausdruck:

> »Die Paradoxie, daß die christliche Existenz gleichzeitig eine eschatologische, unweltliche, und eine geschichtliche ist, ist gleichbedeutend mit dem lutherischen Satz: ›Simul iustus simul peccator‹« (GesEsch 183 f).

Die eschatologische Existenz wird hier mit dem »iustus«-Sein, die geschichtliche mit dem »peccator«-Sein des Christen identifiziert.

4. Am 8. 6. 1928 stellt Bultmann in einem Brief an Karl Barth diesem sein Verständnis von der Beziehung zwischen Philosophie und Theologie dar. In diesem Kontext spielt er auf die Gleichzeitigkeit von Sünde und Gerechtigkeit an:

> »Denn da der Glaube der Glaube eines *Glaubenden*, d. h. eines existierenden Menschen ist (ich kann auch sagen, daß der Gerechtfertigte ein *Sünder* ist), kann auch die Dogmatik nur in existentialontologischen Begriffen reden; diese aber werden (aus einem ursprünglichen Daseinsverständnis entsprungen) von der Philosophie ausgearbeitet« (Briefw. 81).

Hier wird die Aussage: »Denn da der Glaube der Glaube . . . eines existierenden Menschen ist« mit der Aussage identifiziert: ». . ., daß der Gerechtfertigte ein Sünder ist«. Folglich ist »der existierende Mensch« ein »Sünder«.

5. Bei seiner Erörterung des Problems einer natürlichen Theologie und eines Vorverständnisses von der Offenbarung beim »alten Menschen« schreibt Bultmann, daß der Glaube gerade die Kontinuität zwischen dem »alten Sein« und dem »neuen« voraussetzt:

> Der Glaube bezeichnet »das Offenbarungsgeschehen als Vergebung der Sünde . . ., denn in der Annahme der Vergebung übernimmt der Mensch seine Vergangenheit; die Vergebung setzt gerade die Kontinuität des Gläubigen als des neuen mit dem alten Menschen voraus. Er, der Mensch ist es, der glaubt: simul peccator, simul iustus; der Sünder ist der Gerechtfertigte« (GV I, 296).

Demnach drückt die Formel des »simul« die *Kontinuität* im Glauben zwischen dem »alten« und dem »neuen Menschen« aus. Zudem wird: »der Mensch . . . der glaubt« dem gerechtfertigten Sünder gleichgesetzt.

6. In dem gleichen Kontext wie 5. lesen wir an anderer Stelle:

> »Der Glaube ist . . . *als rechtfertigender Glaube kein Phänomen des Daseins*. Die Glaubensgerechtigkeit ist im Dasein nicht aufweisbar; denn der Gerechtfertigte ist bei Gott und immer nur bei Gott gerecht und ist auf Erden Sünder. . . . Sein Glaube als geschichtlicher Akt ist immer der konkrete Entschluß im Augenblick, d. h. Glaube ist immer nur im Überwinden des Unglaubens« (GV I, 311).

Der Satz »der Gerechtfertigte ist bei Gott und immer nur bei Gott gerecht und ist auf Erden Sünder«, verweist auf die *Fortdauer* des Sünderseins beim Gerechtfertigten und auf die *Gleichzeitigkeit* von Sünde und Vergebung als zwei totalen Wirklichkeiten. Im Text zeigt sich eine aktualistische Tendenz: als geschichtlicher Akt ist der Glaube »immer der konkrete Entschluß im Augenblick«. Auch besagt er, daß es eine dialektische Beziehung von Glauben und Unglauben gibt: »Glaube ist immer nur im Überwinden des Unglaubens«.

7. Was das Problem der Freiheit angeht, sagt Bultmann, daß der ethische Anspruch die Freiheit voraussetzt und hierin Christ und Nichtchrist ganz gleichgestellt sind. Nun geht zwar die in der Verkündigung der Gnade geschenkte »›christliche‹ Freiheit . . . über die ›humane‹ Freiheit dadurch hinaus, daß sie den Menschen von seiner – stets seine gegenwärtigen Entscheidungen bestimmenden – Vergangenheit befreit, aber so, daß er eben damit in seine ›humane‹ Freiheit verwiesen wird, um in ihr seine eschatologische Freiheit zu bewahren« (GV III, 174 f). Darauf folgt:

> »Das Wort der Gnade zeigt ihm (= dem Menschen), daß er, wenn er seine ›humane‹ Freiheit verscherzt hat, der ›eschatologischen‹ Freiheit stets gewiß sein darf, daß er als der peccator zugleich der iustus‹ ist« (GV III, 175).

In diesem Text wird die dialektische Beziehung zwischen dem peccator- und dem iustus-Sein des Menschen hervorgehoben. Die Sicherheit der eschatologischen Existenz knüpft daran an, daß der Mensch Sünder ist (»als der peccator«), aber scheint hier nicht sogar suggeriert zu werden, daß der Glaubende »iustus« ist, *weil* er »peccator« ist?[214]

8) Auch die folgenden Stellen bringen die *dialektische Beziehung* von Sünde und Gerechtigkeit zum Ausdruck:

> »Denn *immer* bleibt der Mensch ein Sünder und *immer*= ist er ein Gerechtfertigter in Gottes Urteil« (GV I, 23); »Denn jener (= des Glaubens) Wille muß ja stets *im Kampf* mit dem Eigenwillen . . . durchgeführt werden« (GV II, 13); »Das darf dann aber so formuliert werden, daß der Gläubige nie aufhört ein ἀσεβής zu sein, und immer nur als ἀσεβής gerechtfertigt wird« (Exeg. 52);
>
> »Dann aber muß doch gesagt werden: nimmt man den Gedanken ernst, daß der Mensch nur auf Grund der χάρις vor Gott als Gerechtfertigter dastehen kann, so ist er auch immer als ἀσεβής ein Gerechtfertigter; sonst würde ja Gottes χάρις nicht mehr ihren Sinn als χάρις für ihn haben« (Exeg. 53).

Hier können wir hinzufügen, daß nach Bultmanns Meinung die neutestamentliche Dialektik von »Indikativ« und »Imperativ« auch in dem Paradox des »simul iustus et peccator« ihren Ausdruck findet (GV III, 43 f; GesEsch 55).

9) Im Jahr 1930 antwortet Bultmann in einem Aufsatz[215] auf die kritische Frage von G. Kuhlmann[216] über die Verwendung der Philosophie Heideggers in der Theologie. Dort schreibt er:

> »Ist im Glauben die vorgläubige Existenz existentiell-ontisch überwunden, so heißt das nicht, daß die existential-ontologischen Bedingungen von Existieren vernichtet sind. Theologisch ausgedrückt: der Glaube ist nicht eine inhärierende neue Qualität, sondern eine stets neu ergriffene Möglichkeit des Daseins, wenn Dasein im steten Ergreifen seiner Möglichkeiten existiert. Der Glaubende ist kein Engel geworden, sondern *simul peccator, simul iustus*. Deshalb haben alle christlichen Grundbegriffe einen ontologisch bestimmenden vorgläubigen und rein rational faßbaren Gehalt«.[216a]

---

214 Siehe hierüber S. 77 und 91.

215 R. Bultmann, Die Geschichtlichkeit des Daseins und Glaube: ZThK 11 (1930) 339–364.

216 G. Kuhlmann, Zum theologischen Problem der Existenz: ZThK 10 (1929) 28–57; später auch: G. Noller (Hrg.), Heidegger und die Theologie, München 1967, 33–58.

216a AaO. 346 f.

In diesem Text drückt die Formel des »simul« die Tatsache aus, daß der Glaubende, auch wenn er gerechtfertigt ist, nach wie vor von den existential-ontologischen Bedingungen des Existierens bestimmt ist. Entsprechend wird auch der Glaubende noch als *peccator* bezeichnet (wobei man sich hier daran erinnern muß, daß nach Bultmanns Meinung der Mensch sich faktisch immer für die Uneigentlichkeit entscheidet). Der Glaube ist ja keine bleibende Qualität, sondern muß immer neu ergriffen werden. Der Glaubende scheint also nach Bultmanns Auffassung immer in einem dauernden Bestimmtsein durch jene existential-ontologischen Bedingungen und so *faktisch immer in einer Option für die Sünde* (peccator) und andererseits gleichzeitig *im aktuellen Vollzug seines Glaubens in den Augenblicken der Entscheidung* (iustus) zu existieren.

10) Vermerken wir schließlich, daß Bultmann in einem Aufsatz über die Gottesebenbildlichkeit des Menschen nach der Bibel schreibt:

> »Aber durch die mannigfaltigen Ungleichheiten sieht der Glaube die letzte innere Gleichheit, die begründet ist in der Schöpfung: in der Bestimmung des Menschen, *Imago* Dei, Gottes Bild, zu sein, und in der *Berufung*, in dem an alle ergehenden Ruf Gottes, der nichts anderes sagt, als daß im Raume der göttlichen Gnade ›der Sünder gerechtfertigt ist‹, das heißt, der Mensch als der gilt, der er erst werden soll« (GV II, 116).

Durch die Schöpfung ist der Mensch dazu bestimmt, Bild Gottes zu sein. Aber schon jetzt hört er das Wort, das allen sagt: »Der Sünder ist gerechtfertigt«, d. h., so Bultmann, Gott hält ihn für das, was er noch nicht ist und dennoch werden soll. Wenn aber Gott ihn für gerecht hält, dann ist er auch wirklich gerecht, also ist er gleichzeitig »Gerechter und Sünder«.

Ergebnisse:

Aus unserer Übersicht über die verschiedenen Stellen, an denen die Formel des »simul« vorkommt, ergibt sich Folgendes:

– Wiederholt wird gesagt, daß der Mensch immer ein Sünder ist: Das Sündersein des Menschen ist ein Dauerzustand; seine »geschichtliche Existenz« kann dem »Sündersein« und »der existierende Mensch« oder einfach »der Mensch« »dem Sünder« gleichgesetzt werden.

– Nach diesem Verständnis konzentriert sich die Bedeutung des Glaubens auf die Entscheidung im Augenblick; durch den Glauben findet der Mensch Zugang zum »Gerechtsein«, das mit der eschatologischen Existenz identisch ist und zur geschichtlichen im Gegensatz steht.

– Auch wird behauptet, daß der Glaubende *immer Sünder bleibt*; er hört nicht auf, in der Geschichte zu existieren, und diese geschichtliche Existenz wird mit seinem Sündersein identifiziert: »denn der Gerechtfertigte ist nur bei Gott und immer nur bei Gott gerecht und ist auf Erden Sünder« (GV I, 311).

– Der Glaubende ist zwar weiterhin immer ein Sünder, aber durch den Glauben hat er Zugang zur »Gerechtigkeit« gefunden; *Die Formel des »simul« behauptet die Kontinuität zwischen dem »alten« und dem »neuen Sein«*, indem sie die Gleichzeitigkeit der Sündigkeit und der Gerechtigkeit im Glaubenden aussagt, die mit der Gleichzeitigkeit von geschichtlichem und eschatologischem Sein bzw. von Vergangenheit und Gegenwart in diesem Glaubenden identifiziert werden kann.

– *Die Dialektik der christlichen Existenz* besteht grundsätzlich in der schon von Paulus verstandenen, aber nur von Johannes in 1 Joh 1,5–10 deutlich herausgestellten *Gleichzeitigkeit der Sünde und Gerechtigkeit* (ThNT 432).

– Die Äußerungen Bultmanns zeigen, daß er nicht nur die *Gleichzeitigkeit von Sünde und Vergebung* als eine paradoxe Einheit, sondern auch als eine dialektische Beziehung, von der beide Pole sich gegenseitig bedingen, versteht: »Glaube ist immer nur im Überwinden des Unglaubens« (GV I, 311); als der peccator ist er »zugleich der iustus« (GV III, 175); er ist auch immer als Sünder ein Gerechtfertigter, sonst würde ja Gottes Gnade nicht mehr ihren Sinn als Gnade für ihn haben (Exeg. 53).[217]

c) Die Bedeutung der Formel »simul iustus et peccator«

Bultmann ist überzeugt, daß die Wirklichkeit, in der der Mensch lebt, immer total sündig ist, daß die Eschatologie faktisch nur als die Eschatologie der Gegenwart Bedeutung hat und daß der Glaube nur im Augenblick der Entscheidung gegeben ist. Auf die sich daraus ergebenden Probleme für das Verständnis der christlichen Existenz versucht Bultmann eine Antwort zu geben, indem er auf die Dialektik des »simul iustus et peccator« hinweist. Hier wollen wir genauer untersuchen, was diese Formel bei Bultmann bedeutet.

Wir wollen hierbei von einem Aufsatz von W. Joest mit dem Titel »Paulus und das Luthersche Simul Iustus et Peccator«[218] ausgehen. Wir können uns hier nicht mit den Schlußfolgerungen dieses Aufsatzes als solchen auseinandersetzen, sie werden uns aber als Orientierung dienen bei unserem Bemühen, genauer festzustellen, was die Formel des »simul« bei Bultmann bedeutet.

Eine Weise, die Formel zu verstehen und zu verwenden, hat mit einem Verständnis des christlichen Lebens zu tun, in dem vor allem davon ausgegangen wird, daß der Kampf gegen die Sünde eine dauernde Aufgabe in diesem Leben ist. In einem solchen Verständnis spiele auch die Vorstellung von einem Wachstum und Fortschritt im christlichen Leben eine wesentliche Rolle. In diesem Fall bringt die Formel des »simul« gerade zum Ausdruck, daß der Glaubende in seinem Dauerkampf gegen die Sünde *zum Teil gerecht und zum Teil Sünder ist*. Die Gerechtigkeit und die Sündigkeit seien demnach im Leben des Glaubenden zwei Teilaspekte dieses Lebens, zwischen denen der für das Leben des Christen in seinem Kampf gegen die Sünde typische Konflikt besteht.[219]

Eine andere Bedeutung ist, so Joest, die, welche Luther ihr in seiner Bekämpfung und Überwindung des theologischen Denkens der Spätscholastik gab, in der die Sünde ab-

---

217 Siehe oben S. 91 und 102 f.

218 W. Joest, Paulus und das Luthersche Simul Iustus et Peccator: KuD 1 (1950) 269–320 (= Joest). Von Joest berücksichtigen wir in dieser Arbeit auch: W. Joest, Gesetz und Freiheit, Göttingen ³1961.

219 Joest, Gesetz 65; vgl. 66–70. Zu dieser Deutung bekennt sich Karl Rahner, wobei er allerdings fordert, daß sie in ihrer vollen Tiefe verstanden werden muß: K. Rahner, Gerecht und Sünder zugleich: Schriften VI, 262–276, vor allem 270 ff. K.E. Papapetrou hat von einer katholisch-orthodoxen Perspektive aus eine Monographie über das simul geschrieben, in der er meint, die Radikalität des simul als die Gleichzeitigkeit zweier Gesamtheiten auf die Bedeutung des »teils gerecht, teils Sünder« reduzieren zu können: K. E. Papapetrou, Über die anthropologischen Grenzen der Kirche. Ein philosophisch-theologischer Entwurf zum Thema simul iustus et peccator aus orthodox-katholischer Sicht, Hamburg 1972, 14 Anm. 9.

schwächend als Übertretung gedeutet wurde (Joest 310 f). Mit der Formel des simul habe Luther dagegen sagen wollen, daß nicht nur Übertretungen Sünde sind, sondern die Sünde auch in den »ich-süchtigen Trieben« bzw. »Regungen des Herzens« gegenwärtig und aktiv ist (311), gegen die allerdings beim Glaubenden auch ein Gegenwille am Werke ist (299 f): »In den Regungen des Herzens ist die Sünde da – und sie ist hier wirklich Sünde« (299).

Die Formel beziehe sich auf den Glaubenden und wolle dort zum Ausdruck bringen, daß die Sünde, obwohl sie noch in ihm gegenwärtig ist, nicht mehr unwidersprochen und unheilbar herrscht – sie ist nicht mehr peccatum regnans, sondern peccatum regnatum (299 f). Aber obwohl die Sünde im Glaubenden »regnatum« ist, bleiben in ihm »Überreste« der Sünde, deren Bedeutung man nicht unterschätzen sollte: »*in sich* sind diese reliquiae Sünde, und wer sie hat, ist Sünder in vollem Sinne« (Joest 299).

Diese Überreste der Sünde im Glaubenden dürfen nicht einfach verstanden werden als ein Teil an ihm, als ein »quasi-sächliches Ingredienz« ihrer Persönlichkeit, sondern in ihnen wirkt auch noch ein Widerwille des Menschen, der sich gegen Gottes Willen wendet (303; vgl. 304 f). Diese Überreste sind auch ein persönliches Verhalten im Glaubenden, *sie berühren ihn ganz und nicht nur zum Teil* (305). Also ist der Christ, in dem es noch »etwas« an Sünde gibt, *totus peccator* – und in jedem Christen gibt es immer noch etwas an Sünde (303) –: »Sofern nur irgend Sünde zu bekennen ist, kann das Sündenbekenntnis nicht anders lauten als so«, nämlich: »Das bin ich selbst. Und also totus peccator, re vera peccator«[220]. So handelt es sich immer, wenn es nur »etwas« an Sünde gibt – und es gibt dies immer[221] –, um die gesamte Person, um das Subjekt. Folglich hat die Sünde immer notwendigerweise den Charakter von etwas Totalem.[222]

In diesem Fall, so Joest, enthält die Formel zwei völlig verschiedene Aspekte: wir an sich – wir in Christus[223]: »In letzter Sicht ist es dieser und der kommende Äon, was in dem ›simul iustus et peccator‹ gegeneinandersteht«[224]; das »simul« muß übersetzt werden: »›totus iustus – totus peccator‹ ... Wer glaubt, der ist zugleich ganz Sünder und ganz gerecht. Ganz Sünder ›sub specie sui ipsius‹ – ganz gerecht ›sub specie Christi‹; ganz Sünder ›sub specie huius mundi‹ – ganz gerecht ›sub specie aeternitatis‹«.[225]

So wird hier mit dem »simul« ausgedrückt, *daß es in der Existenz des Glaubenden gleichzeitig zwei totale, einander widersprechende Aspekte gibt:* das Gerechtsein und das Sündersein dieses Glaubenden.

In seinem Aufsatz legt Joest dar, daß die Formel, auch wenn sie auf die Gleichzeitigkeit zweier gegensätzlicher Totalaspekte im Menschen hindeutet, Paulus nicht widerspricht, wenn sie folgendes zum Ausdruck bringt: einen *Protest* gegen eine theologische

---

220   Siehe auch: W. Joest, Ontologie der Person bei Luther, Tübingen 1967, vor allem 265–269. Die Unterscheidung der Sünde hat nichts zu suchen im simul, »im Zentrum des evangelischen Glaubens«, und: »Wo überhaupt Sünde ist, da ist sie auch in ihrer ganzen Tiefe«: R. Hermann, Luthers These 25.

221   Vgl. Joest 304 f.

222   Ähnlich argumentiert Bultmann, wenn er sein Verständnis der Radikalität der Sünde darlegt, siehe oben S. 60, 85.

223   Joest, Gesetz 58 f.

224   Joest, Gesetz 59; siehe unsere Anm. 131–132.

225   Joest, Gesetz 59.

Theorie, die so Joest, die Radikalität der Sünde abschwächt; die *Anerkennung* der paradoxen faktischen Situation einer bleibenden Gegenwart der Sünde im Leben des Christen und ein *Bekenntnis*, daß der Christ sich aufgrund des Glaubens und der Gerechtigkeit Christi dieser Sünde widersetzen muß und kann (Joest 307, 311–315).

Joest stellt aber auch fest, daß die simul-Formel bei Luther auch in verschiedenen Bedeutungen verwendet wird und dort sogar zu einer ontologischen Aussage werden kann, nach der das »und gleichzeitig Sünder« »als ein unausweichliches Existential des irdischen Christenstandes gewertet« wird (309). In diesem Fall hört die simul-Formel auf, einfach eine paradoxe »Kampfformel« zu sein, um auch eine »Seinsformel« zu werden (309). Wenn sie das aber ist, so Joest, liegt ein Unterschied zu Paulus vor, der sich schon dann zeigt, wenn im Zusammenhang mit der Formel von einer »Unausweichlichkeit« der Sünde im Christen gesprochen wird (317, 319).

Dieser Unterschied Luthers zu Paulus geht sogar so weit, daß es beim ersteren Formulierungen gibt, in denen die Sünde und die Gerechtigkeit so verstanden zu werden scheinen, als ob sie in dialektischer Beziehung zueinander stünden (Joest 313, 317 f), als ob sie zwei einander bedingende Pole eines Gegensatzes wären (vgl. Joest 293, Anm. 84). Wenn die Formulierungen des »und gleichzeitig Sünder« zu diesem Extrem gelangt sind, – Unvermeidlichkeit der Sünde und dialektische Beziehung zwischen Sünde und Gnade –, dann wurde damit eine Aussage, die ursprünglich nur das Bekenntnis sein wollte, daß der Christ faktisch in einer Situation der Sünde lebt, dogmatisch zu einer ontologischen Formel fixiert. In diesem Fall gibt es einen wirklichen, inhaltlichen Unterschied Luthers zu Paulus, und darin können wir, schließt Joest, Luther nicht folgen (318, 319, Anm. 156, 320).[226]

Fassen wir zusammen. In seiner Untersuchung über das Luthersche »simul« stellt Joest folgende mögliche Bedeutungen fest:

1) die *Gleichzeitigkeit von zwei entgegengesetzten Teilaspekten*;
2) *die Gleichzeitigkeit von zwei entgegengesetzten Totalaspekten*, ausgedrückt in einer *Kampfformel*, die das Bekenntnis ist, daß der Christ in einer faktischen Situation der Sünde und des Kampfes gegen die Sünde lebt, und die sich gegen eine die Radikalität der Sünde abschwächende Theologie richtet, um sie zu überwinden; wird die Formel in diesem Sinn gebraucht, so gebe es noch keine Abweichung von Paulus;
3) die *Gleichzeitigkeit von zwei entgegengesetzten Totalaspekten* im Sinne einer *ontologischen Aussage über das Sein des Christen*: die Sünde wird für unvermeidbar gehalten; hier läge dann wohl ein Unterschied zu Paulus vor;
4) *die Gleichzeitigkeit von zwei entgegengesetzten Totalaspekten*, zwischen denen eine *dialektische Beziehung* besteht, d. h. die sich gegenseitig bedingen.

Hier muß in bezug auf die erste Bedeutung die Frage gestellt werden, ob die Formel des »simul« wohl geeignet ist, eine dynamische Situation des geistigen Wachsens und des Kampfes gegen die Sünde im christlichen Leben zu beschreiben.

---

226 So stellt JOEST wohl deutlich einen Gebrauch des »simul« bei Luther fest, in der er eine »nicht unbedenkliche sachliche Abweichung von Paulus sieht« (JOEST 319, Anm. 156), aber, so fährt er fort, »auch im Denken Luthers ist das nur ein Rand, den er soeben streift, nicht die Mitte. Aber an diesen Rand dürfen wir ihm nicht folgen« (320).

Was die zweite Bedeutung angeht, müssen wir auf folgendes achten: in dieser faktischen Situation scheint der Christ *sich immer zu befinden*, denn nach Joests Interpretation bleiben im Christen immer »Überreste« der Sünde, die als Widerstreben gegen Gottes Willen den gesamten Menschen berühren (Joest 303). Wenn man aber tatsächlich sagen kann, daß ein Christ sich immer in einer faktischen Situation der Sünde befindet, dann scheint es schwer, eine klare Grenze zu ziehen zwischen der zweiten und der dritten Bedeutung der Formel. Denn auch wenn behauptet wird, daß die Formel nur eine faktische Situation bezeichnen will (2. Bedeutung), ist doch deutlich, daß sie eine Aussage von allgemeiner Tragweite ist, die in der Wirklichkeit für immer gültig gehalten wird. Dann ist sie nicht mehr weit von einer ontologischen Aussage über das Sein entfernt. Jedenfalls glaube ich, daß es sehr schwer ist, eine klare Grenze zwischen der zweiten und der dritten Bedeutung zu ziehen. Dies wäre aber höchst wichtig, denn nach Joest geht es dabei auch um die Frage, ob die Formel mit dem Denken des Paulus übereinstimmt oder zu diesem Denken in Widerspruch steht. Diese komplexe Problematik konnten wir hier allerdings nur anreißen.

Der Aufsatz von W. Joest interessierte uns aber als Orientierungshilfe, um die Bedeutung der simul-Formel bei Bultmann präzisieren zu können. Welche der von Joest genannten Bedeutungen entspricht dem Bultmannschen »simul«?

Von der ersten Bedeutung können wir sagen, daß sie bei Bultmann, wie von seinem radikalen Verständnis von der Sünde her nicht anders zu erwarten war, ganz und gar fehlt.

Dagegen gibt es bei ihm klar die zweite und vierte Bedeutung. Denn sicherlich will Bultmann mit der Formel behaupten, daß es im Glaubenden gleichzeitig zwei einander entgegengesetzte Totalaspekte gibt, will er bekennen, daß der Christ in einer faktischen Situation der Sünde lebt, und will sich so auch gegen ein Verständnis des christlichen Lebens wenden, in dem die Radikalität der Sünde nicht genügend anerkannt werde (*2. Bedeutung*). Wir haben aber auch gesehen, daß das Bultmannsche »simul« die dialektische Beziehung zwischen Sünde und »Gerechtigkeit« entsprechend der Bedeutung, die Joest dem Wort »dialektisch« gibt (Joest 293, Anm. 84), behaupten will (*4. Bedeutung* des »simul«).[227]

Verwendet Bultmann aber das »simul« auch in seiner *dritten Bedeutung*? Nach Joest wäre diese in den Fällen gegeben, in denen eine ontologische Aussage über das christliche Sein formuliert wird. Wie wir sahen, ist bei Bultmann aber die Aussage, daß der Mensch immer Sünder ist, keine Aussage über eine ontologische Wesenheit, sondern über eine ontische Situation, oder genauer: sie ist immer *eine Aussage über eine ontologische Möglichkeit* – die grundsätzliche Möglichkeit der Sünde – *und über eine ontische Verwirklichung dieser ontologischen Möglichkeit, die faktisch immer gegeben ist* – der Mensch hat immer die Möglichkeit der Sünde ergriffen.

Nehmen wir hier wieder eine Frage Dieckmanns auf: Wird Bultmanns Verständnis von der Universalität der Sünde nicht zu einem problematischen theologischen Urteil über die Gesamtheit der Geschichte? (vgl. Dieckmann 150 f, bes. Anm. 60). Nach mei-

---

227 Siehe oben S. 91, 103, 105. SCHRÖER sagt ausdrücklich, daß Bultmanns Interpretation des »simul« dem Begriff der »dialektischen Beziehung«, so wie er von Joest definiert wurde, voll genügt (SCHRÖER, Denkform 195, 187).

ner Meinung suggeriert diese Frage, daß Bultmanns Aussage, der Mensch sei immer ein Sünder, implizit einer ontologischen Aussage über das Wesen des Menschen sehr nahe kommt. Wenn dies aber der Fall ist, dann ist auch die dritte von Joest genannte Bedeutung der simul-Formel Bultmanns Denken nicht total fremd.

So können wir zusammenfassend die Schlußfolgerung ziehen, daß Bultmann die Formel des simul explizit in der zweiten und vierten Bedeutung und implizit wenigstens in gewisser Weise auch in der dritten Bedeutung verwendet.

d) Das »simul«: zentraler Inhalt im Denken Bultmanns

Eine Voraussetzung von Bultmanns Verständnis des »simul iustus et peccator« ist seine Überzeugung, *daß die faktische Wirklichkeit des geschichtlichen Lebens des Menschen, daß alles was er tut und sagt, immer sündig ist.* Nicht nur der Mensch, der noch nicht glaubt, ist sündig vor Gott, sondern auch der Glaubende ist immer ein Sünder. Sicherlich ist auch der Glaubende immer zu einem »Wirken in der Liebe« aufgefordert (GV IV, 90), aber trotz seines Glaubens hört für ihn die Versuchung nicht auf, sich aus dem Getanen, Fertigen zu verstehen, und, so Bultmann, »faktisch verfallen wir immer dieser Versuchung« (GV I, 223).

Nach Bultmann ist die Wirklichkeit des Menschen in ihrer Gesamtheit sündig und der von ihm als »Negierung des Menschen« definierten eschatologischen Wirklichkeit entgegengesetzt. Der Glaube bestehe gerade darin, daß diese Negierung akzeptiert wird und daß darauf der Mensch das falsche Selbstverständnis, in dem er aber tatsächlich immer wie eingetaucht lebt, verleugnen muß und so Zugang zu der eschatologischen Existenz des Gerechtseins vor Gott findet.

Der Mensch hört aber nicht auf, auf der Erde als ein geschichtliches Wesen zu existieren, und »auf Erden ist er immer ein Sünder«.

Wie soll man nun diese Aussage verstehen, daß es im Glaubenden gleichzeitig zwei diametral entgegengesetzte Wirklichkeiten gibt: die Gerechtigkeit vor Gott und die Sünde auf Erden?[228]

Die Antwort Bultmanns ist, daß der Glaubende gleichzeitig Sünder und gerecht ist und daß man diese Formel des simul nicht weiter hinterfragen dürfe, da sie ja ein Ausdruck dessen sei, was uns die Offenbarung sagt. Denn, so Bultmann, es ist die Offenbarung, die uns sagt, daß der Mensch immer ein Sünder ist, daß er von sich aus nichts anderes sein kann, daß er vor Gott nicht mehr als nur ein Sünder sein kann, daß er auf die Gnade der Vergebung angewiesen ist. Und es ist auch dank dieser Offenbarung, daß wir wissen, daß Gott sein Nein sagt zu dieser Dauersituation der Sünde des Menschen und daß der Mensch gerade in der Annahme dieses Nein die Möglichkeit eines Zugangs zu einer neuen Existenz hat: zu der eschatologischen, vor und für Gott wirklichen Existenz. Weil der Glaubende aber auf Erden bleibt, hört seine Existenz als Sünder nicht auf: *Er ist gleichzeitig Gerechter und Sünder.* Dies wäre eine zentrale Aussage der Offenbarung, eine Zusammenfassung ihrer Botschaft. Es sei also eine Frage des Glaubens, ob man das »simul« akzeptiert. Nur aufgrund von Gottes Handeln sei das möglich, was die Formel aussagt.[229]

---

228 Gibt es hier keinen Hinweis auf ein dualistisches Denken? Siehe oben S. 78 ff.
229 Siehe oben Anm. 132.

Man kann also insgesamt einige Einwände gegen Bultmanns Interpretation des »simul« formulieren. Dies werden wir im nächsten Abschnitt tun. Hier wollen wir nur hervorheben, wie wichtig die Formel bei Bultmann ist.

R. Hermann hat geschrieben: »Die Formel ›gerecht und Sünder zugleich‹ enthält das Ganze der Lutherschen Theologie«.[230] Ähnliches ließe sich auch von Bultmann sagen.[231] Wenigstens können wir sagen, daß sie *die eigentliche Mitte seiner Theologie* ist, wie auch H. Schröer in bezug auf »das Paradox des ›simul iustus et peccator‹« treffend formulierte: »Dieses anthropologische Paradox ist die eigentliche Mitte der theologischen Konzeption Bultmanns«.[232]

Die Schlußfolgerung, zu der wir hier gelangt sind, findet eine Bestätigung in meiner Darstellung der Werke Bultmanns in der ursprünglichen Version dieser Arbeit, denn ich wollte dort vor allem anhand des jeweiligen Werkes die Auffassung Bultmanns über die Sünde darlegen. Dort kann man feststellen, daß die Elemente, die nach meiner Meinung Bultmanns Verständnis des »simul« ausmachen, immer wieder in seinen Schriften zur Sprache kommen: der Mensch ist immer ein Sünder vor Gott[233]; die Vergebung ist ein von Gott gewirktes Wunder[234]; in der Vergebung hält Gott den Sünder für etwas, was er nicht ist[235]; der Glaubende ist zugleich gerecht und Sünder.[236]

Die zentrale Stellung, die das »simul« im Denken Bultmanns einnimmt, zeigt sich klar in der Synthese seines Werkes, in seiner »Theologie des Neuen Testaments«. In unserer Perspektive können wir so die Struktur dieses Werkes wie folgt zusammenfassen:

Das Entscheidende an der Lehre Jesu ist seine ethische und eschatologische Verkündigung, sein Aufruf zur Entscheidung, und seine Forderung eines radikalen Gehorsams, sein radikales Verständnis von Gott und von der christlichen Existenz: die Verkündigung Jesu ist *»der Ruf zur Entscheidung«*; *»Er in seiner Person bedeutet die Forderung der Entscheidung*, insofern sein Ruf Gottes letztes Wort vor dem Ende ist«; »jetzt gilt es: entweder – oder!« (ThNT 8).

Jesus und seine Verkündigung stehen am Anfang einer Glaubensbewegung, die sich in ihrer ersten Stufe *in der palästinensischen und in der hellenistischen Gemeinde* konkretisiert. In beiden Gemeinden wird Jesus Christus verkündigt: in der palästinensischen als der Messias, der kommen muß; in der hellenistischen als der Herr des Kultes. Beide Gemeinden sind wegen des Einflusses ihrer kulturellen und religiösen Umwelt einer ernsten Gefahr ausgesetzt: der palästinensischen Gemeinde droht die Gefahr, daß sie zu einer jüdischen Sekte verkommt; die hellenistische ist aufgrund des Einflusses der Mysterienreligionen und der Gnosis von der Gefahr des Synkretismus bedroht. Allerdings werden diese drohenden Gefahren nicht Wirklichkeit: Das christliche Selbstverständnis der beiden Gemeinden unterliegt dem fremden Einfluß nicht ganz. Sicherlich ergibt sich auf

---

230 HERMANN, Luthers These 7.
231 Hiermit wollen wir nicht behaupten, daß Bultmanns Verständnis des »simul« der eigentlichen lutherschen Bedeutung der Formel entspricht.
232 SCHRÖER, Denkform 187.
233 J. M. MILLÁS, La teología del pecado en la obra de Rudolf Bultmann (maschinengeschr. Diss. eingereicht bei der Phil.-Theol. Hochschule Sankt Georgen, Frankfurt 1983; = MILLÁS) 7–11, 18, 21 f.
234 AaO. 21, 99, 102.
235 AaO. 184 und 72.
236 AaO. 22 f, 26–28, 119–122, 165 f, 171–174, 184, 202, 310.

dieser Stufe schon eine Reihe von Problemen, auf die vorläufig noch keine geeignete Antwort gefunden wurde. So gibt es unter anderem die entscheidenden Fragen nach dem Verständnis der Eschatologie, nach dem Glauben und der Beziehung des Christen zu Gott und nach dem Wesen des christlichen Lebens. Die Tatsache, daß für diese Fragen noch nicht sofort eine passende Antwort gefunden wurde, besagt zweierlei: erstens, daß die Gemeinden den Gefahren nicht unterlagen, aber zweitens auch, daß sie dennoch für die erste Generation der Christen eine Bedrohung blieben.

Die Hauptthese des Werkes ist nun, daß nur die Theologien des Johannes und des Paulus auf diese Fragen die passende Antwort geben. Sie seien die ersten gewesen, die die Radikalität der Sünde, der Eschatologie, des Glaubens und der christlichen Existenz richtig verstanden haben. Hier sei gerade *ein dialektisches Verständnis der christlichen Existenz* ein zentrales Element der Theologie des Johannes und des Paulus. Beide sehen im Glaubenden eine dauernde Spannung zwischen dem bleibenden Wirklichsein der Sünde und der eschatologischen Existenz, zu der der Glaubende im Augenblick der Glaubensentscheidung Zugang hat: der Glaubende ist gleichzeitig gerecht und Sünder.

Nun sei das, was diese Formel zum Ausdruck bringt, nicht nur ein zentrales Element in der johanneischen und paulinischen Theologie, sondern es könne auch als Kriterium dienen, *um die Entwicklung des christlichen Selbstverständnisses nach Paulus und Johannes zu beurteilen.* In dieser Entwicklung meint Bultmann ein Nachlassen der eschatologischen Spannung, eine totale oder partielle Aufgabe des dialektischen Verständnisses der christlichen Existenz und den Anfang eines Prozesses erkennen zu können, in dessen Verlauf das Problem der christlichen Existenz und der Sünden nach der Taufe durch eine Unterscheidung zwischen den Sünden und die Einrichtung der kirchlichen Buße gelöst wurde, was schließlich dazu geführt habe, daß die christliche Gemeinde sich in eine Heilsanstalt verwandelte (ThNT 583 f).

Die Probleme, die sich bei dem, was wir gerade über Bultmanns »Theologie des Neuen Testaments« gesagt haben, auftun, überschreiten bei weitem den Rahmen dieser Arbeit. Unsere Absicht hier war einzig und allein, der Tatsache Rechnung zu tragen, daß nach dieser Schrift das »simul« ein zentrales Element der christlichen Theologie in ihrer eigentlichsten Gestalt, nämlich der des Paulus und des Johannes, ist.

Auch in anderen Schriften begegnet man wiederholt, wenigstens andeutungsweise, Bultmanns in der simul-Formel zum Ausdruck gebrachtem Verständnis der christlichen Existenz. Die wichtigsten Stellen sind folgende:
– *Das Problem der Ethik bei Paulus* (1924; Exeg.)[237]: Für den Menschen »besteht keine andere Möglichkeit, als die, ein Sünder zu sein« (42); das Gerechtsein hat für ihn den Charakter des Eschatologischen (40), die Rechtfertigung geschieht nur durch das Ereignis von Gottes Urteil (48); der Gerechtfertigte, dem seine Sünde vergeben ist, lebt weiterhin in seiner konkreten historischen Situation, aber durch den Indikativ – die Rechtfertigung – hat nun die sittliche Forderung – der Imperativ – den »neuen Sinn des Gehorsams unter Gott« gewonnen (51).» Das darf dann aber auch so formuliert werden,« so Bultmann, »daß der Gläubige nie aufhört ein ἀσεβής zu sein, und immer nur als ἀσεβής gerechtfertigt ist« (52) und daß dies *immer* der Fall ist, sonst würde ja Gottes Gnade nicht mehr ihren Sinn als Gnade für ihn haben (53).

237 MILLÁS 20 ff.

– *Analyse des ersten Johannesbriefes* (1927; Exeg.)[238]: »Gemeinschaft mit Gott und Lichtwandel gehören unlösbar zusammen« (106), und in ihrer gegenseitigen Beziehung liegt das Paradox der christlichen Existenz, die immer ein »unter der Vergebung«-Stehen des Christen ist (107).

– *Christus des Gesetzes Ende* (1940; GV II)[239]: Das Leben des Glaubenden ist kein »Leben ohne Sünde«; demgemäß ist der Christ zugleich Sünder und gerecht (53); Paulus versteht, so gibt Bultmann zu, »das alte und das neue Sein wesentlich als ein Nacheinander« statt als »ein Mit- und Gegeneinander« (54); allerdings auch: Paulus kennt die paradoxe Gleichzeitigkeit des alten und des neuen Menschen, ihre dialektische Gegensätzlichkeit und so auch das, was mit dem »simul iustus, simul peccator« beschrieben wird (56); das von der Formel Bezeichnete ist auch das »Nebeneinander . . . von Vergangenheit und Gegenwart«, wobei die Vergangenheit die gegenwärtig lebendige Sünde ist (ebd.); auch bezeichnet sie, daß die neue Gerechtigkeit sich nicht im Tun des Glaubenden vollzieht, sondern ihm »als aliena iustitia zugesprochen ist« (ebd.); die Vergangenheit ist zwar vergeben, aber der Glaubende steht, insoweit er die Vergangenheit je in die Gegenwart mitbringt, *vor Gott als Sünder da*[240] und kann nur von der vergebenden Gnade leben: das »iustus« meint nie eine Qualität, sondern eine Relation, d. h. es steht immer in einem paradoxen Verhältnis zum »peccator« (ebd.).

– *Die kirchliche Redaktion des ersten Johannesbriefes* (1951; Exeg.)[241]: Hier wird das Problem des Kontrastes zwischen der Sünde des Christen und seiner Freiheit von der Sünde behandelt; die wahre Lösung dieses Problems liege hier im »dialektischen Verständnis des christlichen Seins«, nach dem die Freiheit von der Sünde keine ethische Qualität, sondern die dem Christen ständig neu geschenkte Vergebung ist; das dauernd vor die Alternative des »Entweder-Oder« gestellte Sein des Christen steht ständig auf dem Spiel und wird als »das paradoxe Miteinander von Gottesgemeinschaft und Sündenbekenntnis« bezeichnet (385 f).

– *Der Mensch zwischen den Zeiten nach dem Neuen Testament* (1952; GV, III)[242]: In der eschatologischen Vorstellung des »zwischen« – »einer Zeit, die weder Vergangenheit noch Zukunft und doch auch beides« ist – spricht sich »ein Verständnis der paradoxen Existenz des Menschen« aus (39); dieses »Zwischen« bekommt eine existentiale Bedeutung dadurch, daß der alte Äon als der »Äon der Sünde«, d. h. als »Vergangenheit«, verstanden wird, allerdings nicht als eine vor allem chronologisch verstandene Vergangenheit, sondern als die »je meine Vergangenheit« (42); die Freiheit des Glaubens muß stets als Geschenk neu ergriffen werden (43); das ganze Leben steht unter der Vergebung (44); dies ist von Paulus in der Dialektik von Indikativ und Imperativ und vor allem von Johannes zum Ausdruck gebracht worden, als dieser die dialektische Gleichzeitigkeit der Freiheit von der Sünde und des Sündenbekenntnisses hervorhob (ebd.).

---

238 AaO. 26 ff.
239 AaO. 119 ff.
240 Bultmann nennt den Menschen Sünder, der seine vergebene Vergangenheit mit sich trägt. Aber nach seiner Überzeugung ist die Sünde Empörung, Auflehnung gegen Gott.
241 MILLÁS 165 ff.
242 A.a.O. 171 ff.

– *Geschichte und Eschatologie* (1958)[243]: Paulus habe das Problem der Beziehung zwischen der Geschichte und der Eschatologie in seinem Verständnis der Geschichtlichkeit der christlichen Existenz als der Dialektik von Indikativ und Imperativ explizit dargestellt (53); noch klarer sei Johannes gewesen, als er dieses Problem als »die Dialektik von *Freiheit von der Sünde* und Notwendigkeit des ständigen *Sündenbekenntnisses* bzw. der ständigen Vergebung« darstellte (55); das Sein der Glaubenden »ist ein eschatologisches Sein, und doch leben sie noch in der Welt« (56 f); der tiefere Sinn der Geschichtlichkeit ist die Verantwortung in der Gegenwart, im »Jetzt der Entscheidung«, für die Vergangenheit und für die Zukunft, womit auch die Frage nach der Einheit der Geschichte verstanden wäre (172), während die Frage nach dem Sinn der Geschichte als eines Ganzen ohne Antwort bleibt (164); ein richtiges Verständnis der Geschichtlichkeit enthält auch die Anerkennung, daß dem Menschen sein eigentliches Sein immer nur als Geschenk von der Zukunft entgegengebracht werden kann, während der Mensch doch faktisch immer im Bestreben lebt, über die Zukunft zu verfügen (179); die Paradoxie der christlichen Existenz ist die, daß das eschatologische Geschehen ein Geschehen innerhalb der Geschichte und sich in der Geschichte weiter vollziehendes ist, »aber nicht als eine historisch festzustellende Entwicklung, sondern jeweils Ereignis werdend in Verkündigung und Glauben« (180 f); diese Paradoxie besteht auch darin, daß der Glaubende schon zu der Dimension des Eschatologischen Zugang gefunden hat, und so als »Entweltlichter« existiert, »und daß er zugleich innerhalb der Welt, innerhalb seiner Geschichtlichkeit bleibt« (181); schließlich, das Paradox der christlichen Existenz in seiner Beziehung zum Problem der Geschichte zusammenfassend: »Die Paradoxie, daß die christliche Existenz eine eschatologische, unweltliche, und eine geschichtliche ist, ist gleichbedeutend mit dem lutherischen Satz: ›Simul iustus simul peccator‹«(183 f).

4. EINIGE BEMERKUNGEN ZU BULTMANNS VERSTÄNDNIS DER SIMULFORMEL

Die Formel des »simul« drückt, so Bultmann, die Dialektik der christlichen Existenz aus. In ihr verbinden sich ein ihrer Radikalität entsprechendes Verständnis der Sünde und des Glaubens und eine zutreffende Auffassung von der Offenbarung und der Eschatologie.

Wir sind zu der Schlußfolgerung gelangt, daß das so verstandene »simul« die Mitte des theologischen Denkens Bultmanns ausmacht. In diesem Abschnitt wollen wir einige kritische Bemerkungen zu Bultmanns Verständnis dieses »simul« formulieren. Konkret werden wir dabei auf seine Auffassung, dieses »simul« sei in der Theologie des Paulus und Johannes schon enthalten, und auf einige daraus folgende theologische Konsequenzen eingehen.

Wir wollen diesem Abschnitt allerdings nicht den Charakter einer geschlossenen Darstellung unserer Schlußfolgerungen geben, vielmehr sollen unsere immer wieder im Laufe unserer Darlegung formulierten Bemerkungen eben soviele Fragen an Bultmanns Verständnis des »simul« sein; sie sollen allerdings auch, wenn das angebracht ist, auf einige Aspekte hinweisen, die meines Erachtens problematisch sind.

243 AaO. 183 f, 201 f.

a) Das »simul« in der Theologie des Johannes

Wie wir schon gesehen haben, bringt das »simul« nach Bultmanns Auffassung die Dialektik von Sünde und Vergebung in der christlichen Existenz zum Ausdruck, wie diese von Paulus und Johannes verstanden, freilich von Johannes allein explizit dargestellt wurde in 1 Joh 1,8–10 (Exeg. 107, 385; ThNT 432; GesEsch 55).

Die Schlußfolgerung, daß diese Verse den Inhalt des »simul« schon bei Johannes belegen, basiert auf zwei Gründen. Erstens meint Bultmann, daß 1 Joh 1,8–10 von der Gleichzeitigkeit des Gerechtseins und Sünderseins im Glaubenden und von dessen dialektischer Beziehung spricht. Weiter nimmt er an, daß verschiedene Aussagen dieses Briefes, die sich mit diesem dialektischen Verständnis der christlichen Existenz nicht vereinbaren lassen, darauf zurückgehen, daß der ursprüngliche Text durch einige Hinzufügungen kirchlichen Ursprungs in der Absicht korrigiert worden sei, die Radikalität der Anschauungen des ursprünglichen Textes zu mildern. Dies wäre in jenen Versen der Fall, wo eine Aufeinanderfolge von Sünde und Vergebung zum Ausdruck kommt: der Glaubende sündigt nicht mehr, wenn er aber sündigt, kann ihm vergeben werden (1 Joh 2,1–2), oder in den Versen, die zwischen den Sünden unterscheiden: einige seien vergebbar, andere nicht (5, 16 f). In diesen beiden Fällen wären also die entsprechenden Verse der kirchlichen Redaktion zuzurechnen, und sie würden ein Verständnis der christlichen Existenz und der Sünde zum Ausdruck bringen, das sich von dem im ursprünglichen Text unterscheidet. Bemerken wir allerdings, daß Bultmann zugibt, daß das Nebeneinander von zwei verschiedenen Verständnissen in einer Schrift, z. B. 2,1–2 gegenüber 1,8–10, »eine echte christliche Paradoxie sein« kann (Exeg. 107), wobei er dann wieder an anderer Stelle schreibt, daß die Unterscheidung der Sünden das Entweder-Oder völlig zerstören würde, vor das der Christ dauernd gestellt ist (Exeg. 386).

Folglich sei 1 Joh die Verbindung eines ursprünglichen Textes mit einigen späteren Hinzufügungen, und so würde die Schrift verschiedene, miteinander unvereinbare Anschauungen über das christliche Leben enthalten. Dabei bringe die Stelle 1 Joh 1,8–10 explizit die Dialektik des »simul iustus et peccator« zum Ausdruck (Exeg. 386).

Hier ist es nicht unwichtig festzustellen, daß R. Schnackenburg in seinem Kommentar zu den Johannesbriefen[244] diese Punkte anders interpretiert.

Auch er stellt in 1 Joh einen Unterschied zwischen zwei Gruppen von Aussagen fest; einerseits: »der Gottgezeugte sündigt nicht und kann nicht sündigen«, und andererseits: »es gibt Sünde im Christenleben« (ebd. 284, vgl. 281–284). Diese Spannung sollte man nicht auf billige Weise wegzudisputieren suchen (284). Allerdings: »Abzulehnen ist aber die Auffassung, die diese Spannung als eine unversöhnliche einfach hinnimmt« (ebd.). Dabei verweist Schnackenburg in der Anmerkung ausdrücklich auf das dialektische Verständnis Bultmanns in ThNT 426 f und »Redaktion von 1 Joh 193 f« (= Exeg. 385 f). Auch wenn dieser Verweis kurz ist, wird doch deutlich »Bultmanns ›dialektisches‹ Verständnis« bei der Interpretation der Sünde des Christen in 1 Joh verworfen, was dann auch beinhaltet, daß Schnackenburg das dialektische Verständnis der Sünde und Vergebung in der glaubenden Existenz, so wie das Bultmannsche »simul« es begreift und zum Ausdruck bringt, ablehnt.[245]

---

244 R. Schnackenburg, Die Johannesbriefe (HThK), Freiburg/Basel/Wien ²1968, bes. 83–89, 281–288.   245 Schnackenburg, ebd. 284, Anm. 4.

Auch sagt Bultmann, daß das dialektische Verständnis der christlichen Existenz ein zentrales Element der Theologie des Johannes ist. Zur Unterstützung dieser These beruft er sich wieder auf die Unterscheidung zweier verschiedener Gruppen von Texten in 1 Joh, einer Quelle einerseits und von Hinzufügungen eines Redaktors andererseits, wobei aus jeder dieser beiden Gruppen ein anderes theologisches Verständnis spricht: einerseits ein dialektisches Verständnis der Existenz und der Gleichzeitigkeit von Sünde und Vergebung (Quelle) und andererseits die Unterscheidung der Sünde und die zeitliche Aufeinanderfolge von Sünde und Vergebung im Glaubenden (Redaktor). Dazu aber Schnakkenburg: »Der Versuch, die Spannung zwischen den Texten auf den unterschiedlichen theologischen Standpunkt einer Vorlage und eines Bearbeiters zurückzuführen (Bultmann, Analyse 148 [= Exeg. 113 f]) ist problematisch und unbefriedigend«.[246]

Wir können also die Schlußfolgerung ziehen, daß es für die Lösung des Problems der Sünde beim Christen auch noch eine andere Lösung als das im Bultmannschen »simul« zum Ausdruck gebrachte Verständnis der Dialektik der christlichen Existenz gibt und daß diese andere Interpretation nicht auf solch extreme Weise in 1 Joh zwischen einem ursprünglichen Text und späteren Hinzufügungen mit einem jeweils verschiedenen Verständnis der Sünde und der Vergebung zu unterscheiden braucht.[247]

b) Das »simul« in der Theologie des Paulus

Auch wenn das »simul« explizit nur in 1 Joh zum Ausdruck gebracht sei, meint Bultmann, daß es auch, wenn auch nur implizit, in der Theologie des Paulus enthalten ist. Der Grund dafür, daß Paulus noch nicht zu so klaren Vorstellungen wie Johannes gelangt war, liege darin, daß Paulus noch unter dem Einfluß einer Eschatologie der Zukunft stand und von der Erwartung des nahen Weltendes erfüllt war (vgl. ThNT 432).

In dem Aufsatz »Das Problem der Ethik bei Paulus« (Exeg. 36–54) gelangt Bultmann zu der Schlußfolgerung, »daß der Gläubige . . . immer nur als ἀσεβής gerechtfertigt ist« (Exeg. 52). Allerdings gibt er zu, daß »man diesen Satz nicht sicher aus Röm 4, 5[248] herauslesen darf« (ebd.). Zudem müssen wir auch berücksichtigen, daß Bultmann Röm 7, 7 ff als eine Beschreibung der Existenz des noch nicht Glaubenden interpretiert, wie diese vom Standpunkt des Glaubens aus sichtbar geworden ist (vgl. Exeg. 198).[249] Das »simul« dagegen bezieht er nur auf die christliche Existenz. Worauf stützt sich Bultmann in seiner Behauptung, daß das »simul« in der Theologie des Paulus enthalten ist?

Diese Problematik wird von Bultmann ausdrücklich behandelt in seiner Auseinandersetzung mit einer Schrift von P. Althaus mit dem Titel »Paulus und Luther über den Menschen«[250] (GV II, 53–58). Althaus verteidigte die These, daß Paulus in seiner Anschauung vom Menschen das lutherische »simul« noch nicht gekannt hat, denn er habe die Beziehung zwischen dem alten und dem neuen Sein als ein zeitliches Nacheinander verstanden, wobei der Übergang vom einen zum anderen im Glauben geschehe. Die Beziehung zwischen beiden sei also die verschiedener Stufen in einer Aufeinanderfolge und

---

246 SCHNACKENBURG, ebd. 285, Anm. 1; vgl. 14 f.
247 Siehe die Darlegung Schnackenburgs, ebd. 285–288.
248 »Dem aber, der nicht mit Werken umgeht, aber an den glaubt, der die Gottlosen gerecht macht, . . .« (Röm 4,5).
249 Siehe R. BULTMANN, Römer 7 und die Anthropologie des Paulus: Exeg. 198–209.
250 P. ALTHAUS, Paulus und Luther über den Menschen, Gütersloh 1938, ²1951.

nicht ein Mit- und Gegeneinander. So beschreibt Paulus in 2 Kor 6.8–10 die Spannung seines apostolischen Lebens in einer Reihe von Gegensätzen: »... als die Sterbenden und sieh, wir leben, ... als die Trauernden, doch allezeit fröhlich, als die Bettler, die doch viele reich machen, als die, die nichts haben und doch alles besitzen«.[251] »Aber«, so Althaus, »*ein* Gegensatz fehlt hier; es ist der, welcher die reformatorische Theologie beherrscht: »als die Sünder und doch gerecht«.[252] Dies weise dann darauf hin, daß Paulus das luthersche »simul« nicht kennt.[253]

Weiter in seiner Schrift meint Althaus aufgrund dieses Gegensatzes zwischen Paulus und Luther zu der erstaunlichen Schlußfolgerung gelangen zu können: »Hier, bei der Frage nach dem Christenleben, finden wir erst bei Luther den Ausdruck der vollen Wahrheit«.[254]

Bultmann gibt Althaus darin recht, »daß für Paulus das alte und das neue Sein wesentlich als ein Nacheinander«, also nicht »als ein Mit- und Gegeneinander« erscheint: es ist zuzugeben, »daß sich die theologische Reflexion des Paulus nicht auf das Mit- und Gegeneinander richtet« (GV II, 54). Trotzdem, nun gegen Althaus: »So ist doch andererseits zu behaupten, *daß er dieses Mit- und Gegeneinander kennt*« (ebd.).[255] Denn die Aufforderung des Paulus zum Kampf gegen das Fleisch und seine Begierden setzt voraus, daß das Fleisch mit seinen Begierden auch im Leben des Christen tätig ist. Und diese Begierden sind Sünde, da sie nach Paulus eine »böse Wollung« sind, also eine Neigung des Willens zum Bösen miteinschließen (GV II, 55). Das Fleisch und seine Begierden, die sich auch im Glaubenden immer noch regen, sind so die im Menschen dauernd anwesende Sünde, die in einem ebenso andauernden Kampf ständig überwunden werden muß (ebd.). »Es gilt also: das Fleisch ist gekreuzigt, ist mit verschlungen in den Tod Christi, – und es ist doch ständig lebendig und muß ständig getötet werden« (ebd.). Und Bultmann zieht die Schlußfolgerung: »Paulus kennt also doch das paradoxe Mit- und Gegeneinander des alten und neuen Menschen, das Luther durch das simul iustus, simul peccator beschreibt. Und dieses Nebeneinander ist durchaus als das von Vergangenheit und Gegenwart zu bezeichnen; denn eben die Vergangenheit ist ja das Fleisch, ist die Sünde, die gegenwärtig lebendig ist« (GV II, 56).[256]

Bultmann argumentiert also mit Hilfe der Identifizierung von Sünde und Vergangenheit: Das Fleisch und die Begierden sind die Sünde, d. h. die bleibend anwesende Vergangenheit, die auch bleibend überwunden werden muß. In diesem Sinn interpretiert Bultmann den Kampf gegen das Fleisch, von dem Paulus redet, als die Dialektik von Sünde und Vergebung und *identifiziert diese mit der zeitlichen Dialektik* der Beziehung von Vergangenheit und Gegenwart im Leben des Glaubenden. Dementsprechend kann

---

251 Zitiert durch ALTHAUS, aaO. 72 f.

252 ALTHAUS, ebd. 73.

253 Vgl. ALTHAUS, ebd. 72–74; vgl. auch GV II, 53 f.

254 ALTHAUS, aaO. 95.

255 Nach meiner Meinung gibt es hier eine gewisse Inkonsequenz bei Bultmann, nachdem dieser zuerst Althaus zugestimmt hatte.

256 Die Argumentation ähnelt der von uns S. 106 ff dargestellten Argumentation von W. JOEST: Im Christen gibt es »Überreste« der Sünde, wenn es aber im Menschen noch ein »etwas« an Sünde gibt, dann ist er – in Übereinstimmung mit einem der Radikalität der Sünde entsprechenden Verständnis der Sünde – ganz Sünder. Droht aber nicht in einer solchen Argumentation eine gewisse Willkür?

er dann auch zu der Schlußfolgerung gelangen, daß die beiden Stellen Röm 8,12 f und Gal 5,13 ff implizit die Dialektik des »simul« enthalten (vgl. GV II, 54–56).

Auch in der Mahnung des Paulus in Gal 5,18 und Röm 8,14, der Christ solle sich vom Geist führen lassen, sieht Bultmann eine Bestätigung, daß Paulus das »simul« implizit kennt. Diese Mahnung würde auch besagen, daß die Sünde – die Vergangenheit – etwas ist, was immer lebendig bleibt, und daß dadurch der Christ immer vor der Alternative des Entweder-Oder, d. h. vor der Notwendigkeit der neuen Entscheidung steht (vgl. GV II, 54–56).

Eine andere Stelle, die implizit das »simul« enthalte sei Phil 3,12–14. Diese Stelle bringe die Dynamik der christlichen Existenz als einer ständigen Überwindung der Vergangenheit zum Ausdruck: »Das, was dahinten liegt, vergessend, nach dem aber, was vor mir liegt, mich ausstreckend . . .« (GV II, 56; vgl. GV IV,90 und ThNT 102, 323).Auch hier gebe es die Identifikation der zeitlichen Dialektik der christlichen Existenz mit der Dialektik von Sünde und Vergebung.[257]

Dieses Vorgehen Bultmanns, in dem er vom »Zusammenfallen zweier Dialektiken« ausgehe, um auf das Enthaltenseins des »simul« zu schließen, wird von H. Schröer kritisiert: »Die Differenzierung der Dialektik von ›Einst‹ und ›Jetzt‹ und von ›Sünde‹ und ›Gerechtigkeit‹ muß beachtet werden, denn der Gegensatz Sünde–Gerechtigkeit ist in der Phil.-Stelle nicht enthalten«.[258]

Fassen wir zusammen: Nach Althaus kennt Paulus das »simul« nicht. Bultmann dagegen meint, daß es in den Texten enthalten ist, die die zeitliche Dialektik der christlichen Existenz zum Ausdruck bringen (vgl. Phil 3,12–14) oder zum Kampf gegen das Fleisch und zur Erfüllung des Anspruchs des Christentums auffordern. Ist in diesen paulinischen Texten aber tatsächlich dieses »simul« mit all dem, was es impliziert, dem Verständnis der Sünde als einer unabänderlichen und bleibenden Bestimmung des Menschen[259] und der dialektischen Beziehung von Sünde und Vergebung[260] enthalten?

c) Das »simul« und die Einrichtung der kirchlichen Buße

Nach Bultmanns Auffassung ist das »simul«, d. h. das Verständnis der christlichen Existenz, die angemessene Antwort auf das Problem der Sünden nach der Taufe. Sie sei auch die von der Theologie des Paulus und des Johannes gegebene Antwort gewesen (vgl. ThNT 466, 510, 513, 550). Nach ihnen habe ein Prozeß angefangen, in dessen Verlauf die Dialektik der christlichen Existenz und die Eschatologie immer weniger radikal verstanden wurden und der seinen Tiefpunkt fand, als die christliche Gemeinde zu einer »Heilsanstalt« geworden war (vgl. ThNT 466 f). Dazu sei es vor allem durch ein theologisches Verständnis, in dem eine Unterscheidung der Sünden möglich wurde (vgl. ThNT 582 f), und damit übereinstimmend durch die kirchliche Einrichtung der Buße (vgl. 565) gekommen. Somit habe sich aber ein verdinglichtes Verständnis der Sünde und der Vergebung durchgesetzt (ebd.), und die im »simul« zum Ausdruck gebrachte

257 So SCHRÖER, Denkform 188.
258 SCHRÖER, ebd. 188; dort auch: »Das Bedenkliche ist . . . das Zusammenfallen zweier Dialektiken, die im N.T. nicht koinzidieren« (vgl. ebd. 187, 195).
259 Siehe oben S. 89 f.
260 Siehe oben S. 91.

Dialektik wurde abgeschwächt oder ging sogar fast verloren (vgl. ThNT 466; GV III, 44 f).

Meines Erachtens geht diese negative Wertung der »Buße« zurück auf das von Bultmann gewählte Kriterium der Dialektik des Mit- und Gegeneinander von Sünde und Vergebung. Von diesem Kriterium aus mußte eine Praxis, in der in bezug auf einen Augenblick der Versöhnung die zeitliche Folge eines »Vorher« und eines »Nachher« eine wichtige Rolle spielte, negativ gewertet und als Abschwächung eines radikalen Verständnisses von der christlichen Existenz betrachtet werden.

Wie man auch immer Bultmanns »simul« einschätzen mag, muß dennoch zugestanden werden, daß seine Kritik sich zu Recht gegen eine Verdinglichung der Sünde und der Vergebung wendet. Sie ist aber problematisch, insoweit sie ein globales negatives Urteil enthält.[261]

d) Ist auch Christus »simul iustus et peccator«?

In diesem Abschnitt wollen wir darauf hinweisen, daß Bultmanns Verständnis der Radikalität der Sünde und der Dialektik des »simul« auch die Schlußfolgerung zu enthalten scheint, daß sogar Christus in einem gewissen Sinne als »Sünder« bezeichnet werden kann. Auch dies sei eine Form des »simul iustus et peccator«. Bultmann erörtert dieses Thema in seinem Kommentar zum Zweiten Korintherbrief (KorBr 166 f) und nimmt es zweimal an anderer Stelle in seiner Argumentation auf: ThNT 277 f und im Aufsatz »Neues Testament und Mythologie« (KuM I, 20).

In seiner Theologie des Neuen Testaments heißt es, daß Christus *Sünder im forensischen Sinn* ist. Der Kontext dieser Aussage ist die Problematik der Gerechtigkeit in ihrem forensisch-eschatologischen Sinn und die Wirklichkeit des Gerechtseins des Glaubenden. Zuvor hatte Bultmann darauf hingewiesen, daß zwischen Paulus und dem Judentum in dem formalen Sinn von Gerechtigkeit als einem forensisch-eschatologischen Begriff volle Übereinstimmung herrsche (ThNT 274). Um die Bedeutung der Gerechtigkeit im forensischem Sinn zu bestimmen, hatte er sie von der Gerechtigkeit im ethischen Sinne abgegrenzt. Dabei beziehe letztere sich auf eine Qualität der Person, erstere aber auf eine Relation. Dementsprechend hat eine Person die Gerechtigkeit im forensischen Sinn »nicht für sich, sondern vor dem Forum, vor dem sie verantwortlich ist, im Urteil eines anderen, das sie ihm zuspricht«; sie hat also nichts mit einer ethischen Qualität des Menschen zu tun, sondern mit *Gottes Beziehung zu ihm* (ThNT 273; vgl. 278).

Wie gesagt besteht nun zwischen Paulus und dem Judentum volle Übereinstimmung, was die Gerechtigkeit als forensisch-eschatologischen Begriff angeht (274). Aber es besteht so Bultmann, auch ein entscheidender Unterschied: Für Paulus wird diese forensisch-eschatologische Gerechtigkeit dem Menschen *schon in der Gegenwart* zugesprochen (ThNT 275). Diese Gegenwärtigkeit der Gerechtigkeit *nimmt ihr aber nicht* den forensisch-eschatologischen Sinn, denn sie wird von Gott in seinem eschatologischen Gerichtsurteil schon jetzt zugesprochen, und dies nicht als eine ethische »Sündlosigkeit«,

---

261 H. Vorgrimler macht auf die Indizien im N.T. aufmerksam, die auf die damalige Existenz einer kirchlichen Bußpraxis hinweisen: Buße und Krankensalbung: HDG IV/3, 21–27; siehe für eine von Bultmann verschiedene Gesamtwertung der urchristlichen Bußpraxis: K. Rahner, Schriften XI und B. Poschmann, Poenitentia secunda, Bonn 1940.

sondern als eine »Sündlosigkeit« in dem Sinne, daß Gott dem Menschen seine Sünde nicht anrechnet (276 f).

Handelt es sich dabei aber nicht um eine rein scheinbare Gerechtigkeit, bei der so getan wird, *als ob* der Mensch gerecht wäre, während er es *in Wirklichkeit* nicht ist? Nein, sagt Bultmann: Diese Gerechtigkeit ist wirklich, denn wenn Gott in seinem Urteil den Menschen rechtfertigt, ist dieser wirklich gerecht kraft einer forensischen Gerechtigkeit, die nicht eine ethische Qualität bezeichnet, die er besitzen würde, sondern eine Beziehung auf Gott besagt. Um dies zu erläutern, greift Bultmann auf 2 Kor 5,21 zurück: »Denn er hat den, der von keiner Sünde wußte, für uns zur Sünde gemacht, damit wir in ihm die Gerechtigkeit würden, die vor Gott gilt«. Dieser Text wird von Bultmann wie folgt interpretiert: »Es wäre verkehrt, den Hauptsatz so zu verstehen, daß Gott den (im ethischen Sinne) sündlosen Christus so behandelte, ›als ob‹ er ein Sünder wäre (was an sich nicht falsch wäre). Vielmehr soll der Satz die paradoxe Tatsache aussagen, daß Gott den (ethisch) sündlosen Christus zum Sünder (im forensischen Sinne) machte, – dadurch nämlich, daß er ihn am Kreuz als Verfluchten sterben ließ (vgl. Gl 3,13). Entsprechend sagt der Finalsatz, daß wir (durch ihn) zu Gerechten (im forensischen Sinne) werden sollten« (ThNT 277 f).

Wenn ich Bultmann richtig verstanden habe, will er das »Wirklichsein« der Gerechtigkeit beim Gerechtfertigten (er ist »wirklich gerecht«) durch den Parallelismus mit dem »Wirklichsein« der Sünde bei Christus hervorheben. Das »als ob« steht ja im Gegensatz zum »wirklich«, und um zu betonen, daß der Glaubende nicht behandelt wird, »als ob« er gerecht wäre, sondern daß er »wirklich« gerecht ist, sagt Bultmann auf ähnliche Weise, daß Christus nicht nur so behandelt wurde, »als ob« er Sünder wäre, sondern daß Gott paradoxerweise den »sündlosen Christus zum Sünder . . . machte« (ThNT 277 f). Wenn die Argumentation schlüssig sein soll, heißt dies notwendigerweise, daß Bultmann sagen will, Gott habe Christus »wirklich« zum Sünder gemacht.

Aber in welchem Sinn ist Christus »wirklich« ein Sünder? Im *forensischen Sinn* antwortet Bultmann: es handelt sich bei Christus ja nicht um die Sünde im ethischen Sinn, die voraussetzen würde, »daß der irdische Jesus sündliche Qualitäten hatte«, während es sich in Wahrheit um Sünde im forensischen Sinne handelt, um Sünde, die die Relation zwischen Gott und den Menschen betrifft (vgl. ThNT 273).

Nun betont Bultmann wiederholt, daß das Entscheidende bei der Sünde nicht die Übertretung der ethischen Norm ist, sondern die Verkehrung der Beziehung des Menschen zu Gott. Aber gerade das ist Sünde in forensischem Sinne (ebd.): Der Mensch verkehrt seine Beziehung zu Gott dadurch, daß er seine Geschöpflichkeit nicht wahrhaben und von sich aus leben will. Somit verkehrt er seine Beziehung zu Gott und ist Sünder vor Gott.

Was bedeutet nun, daß Christus im forensischen Sinn Sünder ist? Es kann nicht bedeuten, daß er durch Ungehorsam seine Beziehung zu Gott verkehrt hat, denn das Neue Testament bezeugt seinen vollkommenen Gehorsam (vgl. KorBr 166). Was bedeutet dann, daß Gott ihn zum Sünder im forensischen Sinn machte? Bedeutet es, daß die Beziehung zwischen Christus und Gott durch diese Sünde im forensischen Sinn verkehrt ist? Das wird von Bultmann nicht ausdrücklich gesagt. Aber was anders kann die Behauptung Bultmanns bedeuten, daß Christus nicht nur behandelt wurde, »als ob« er ein Sünder wäre, sondern daß er (wirklich) »in forensischem Sinne« ein Sünder ist?

Den von Bultmann dargestellten Parallelismus zwischen Christus und dem Glauben-den, kann man wie folgt explizit darstellen (vgl. ThNT 273, 277 f): Der Glaubende ist gerecht im forensischen Sinn – Christus ist Sünder im forensischen Sinn; der Glaubende ist gerecht, insoweit durch Gottes Urteil seine ursprüngliche Beziehung zu Gott wieder-hergestellt worden ist – . . .? Müßte man hier nicht, dem Parallelismus entsprechend, ausfüllen: Christus ist Sünder, insoweit seine Beziehung mit Gott verkehrt ist? Scheint diese Schlußfolgerung nicht in gewisser Weise in der Argumentation von ThNT 277 f enthalten zu sein?

In diesem Parallelismus zwischen dem Glaubenden und Christus bei Bultmann stoßen wir zudem auf Hinweise, daß beide Glieder dieses Parallelismus von dem »simul« aus verstanden werden. Der Glaubende, der ständig ein Sünder ist, ist durch das Urteil Got-tes wirklich gerecht: ist »Sünder und Gerechter zugleich«. Auf parallele, aber umgekehr-te Weise, wird Christus, der immer sündenlos bleibt (vgl. KorBr 166), durch Gottes Er-klärung: »er hat ihn zur Sünde gemacht« zum Sünder. Folglich ist auch Christus »Ge-rechter und Sünder zugleich«. Nach meiner Meinung ist auch diese Schlußfolgerung in ThNT 277 f enthalten.

Das Denken Bultmanns beruht in dieser Frage auf seiner Interpretation von 2 Kor 5,21. Demnach bedeutet das »hat ihn zur Sünde gemacht«: »hat ihn zum Sünder ge-macht« (KorBr 166; ThNT 277 f). Das hat nichts damit zu tun, daß Bultmann die Stel-len des Neuen Testaments übersieht, an denen von der Sündlosigkeit Jesu und seinem vollkommenen Gehorsam die Rede ist. Im Gegenteil. Bultmann trägt nicht nur diesen Stellen Rechnung, sondern er verwirft auch ausdrücklich eine Interpretation, die die voll-kommene und dauerhafte Sündlosigkeit Jesu abschwächt. Entschieden vertritt Bult-mann, daß das Neue Testament ganz klar den vollkommenen Gehorsam Jesu behauptet: »er war schlechthin sündlos« (KorBr 166).

Widerspricht dies aber nicht seiner Interpretation von 2 Kor 5,21? Ist die Sündlosig-keit Jesu »schlechthin« damit vereinbar, daß er »wirklich« ein Sünder ist? Bultmann ant-wortet: »Denn das ist gerade die Paradoxie, daß der Sündenlose als solcher zum Sünder gemacht wurde« (ebd.).

Wir können also m. E. die Schlußfolgerung ziehen, daß nach Bultmanns Meinung auch hier das Paradoxe des »simul« seine Wirkung entfaltet, geschehe dies bei Christus auch anders als beim Glaubenden. Das Ergebnis ist aber in beiden Fällen das gleiche: Auch von Christus kann gesagt werden, daß er »gerecht und Sünder zugleich« ist. Und wir können, diese Gedanken weiterdenkend, sagen: das »er hat ihn zum Sünder ge-macht, damit wir in ihm die Gerechtigkeit würden, die vor Gott gilt«, bekommt die Be-deutung: Dadurch, daß Christus, der Gerechte, zum »Gerechten und Sünder zugleich« wird, wird auch der sündige Mensch zum »Gerechten und Sünder zugleich«[262].

Die Mitte von Bultmanns Denken ist, wie wir oben gezeigt haben, die Kategorie des »simul« als Schlüsselkategorie zum Verständnis der glaubenden Existenz. Hier hat sich herausgestellt, daß auch in Bultmanns christologischem Denken die Dialektik des »si-mul« ein entscheidendes Element ist.[263]

---

262 Hier erscheint das Luthersche Thema des »fröhlichen Wechsels«, vgl. M. LUTHER, Von der Freiheit
    des Christenmenschen 12 (WA 7, 25, 26–26,12).
263 Über die Problematik des auf Christus angewandten »simul« s. unten, Exkurs II, S. 122 ff.

Zusammenfassend können wir sagen, daß Bultmann das »er hat ihn zur Sünde gemacht« als »er hat ihn zum Sünder gemacht« interpretiert. Die Stelle 2 Kor 5,21 kann
aber auch anders interpretiert werden. Unter dem Stichwort »Sünde« hat S. Lyonnet in
dem *Supplément au dictionnaire de la Bible* die Richtung einer solchen Interpretation angegeben.[264] Dort interpretiert er die »scheinbar paradoxen Aussagen« von 2 Kor 5,21 wie
folgt: »Christus hat uns durch die höchste Tat der Liebe und des Gehorsams gerettet«
und hat in dieser Tat den Willen des Vaters erfüllt (DBS VII, 564). Der Ausdruck »er
machte ihn zur Sünde« habe in diesem Kontext die Bedeutung: Es war der Wille des Vaters, daß Christus sich »den Folgen der Macht des Todes, die die Sünde ist«, unterwer-
fen würde (ebd.). Sein Tod und die Umstände dieses Todes »waren in ihrer Gesamtheit
eine Folge der Sünde des Menschen« (565). In diesem Tod »widerspiegelt sich die Liebe
des Vaters für uns«, und »offenbart sich ... das Geheimnis der ›Weisheit Gottes‹«
(564). Lyonnet betont, daß es der »geliebte« Sohn war, der Leiden und Tod auf sich
nahm (564 f).

Wir können also sagen, daß man bei der Interpretation von 2 Kor 5,21 nicht notwendigerweise zu der Schlußfolgerung gelangen muß, daß Christus ein Sünder (im forensischen Sinn) ist. Auch braucht man nicht auf das Paradox des »simul« zurückzugreifen,
wie es Bultmann tut (vgl. KorBr 166; ThNT 277 f), um diesen Vers zu den neutestamentlichen Stellen in Beziehung zu setzen, in denen vom Gehorsam und von der Sündlosigkeit Jesu die Rede ist. Auf alle Fälle ist wenigstens eine andere Erklärung dieser Stelle
möglich, die den Satz »er machte ihn zur Sünde« nicht mit Hilfe des Paradoxes interpretiert, daß er, der schlechthin ohne Sünde war, (wirklich) zum Sünder gemacht wurde.

An der Stelle ThNT 277 sagt Bultmann, daß Christus, der im forensischen Sinn ein
Sünder« sei, ohne Sünde im ethischen Sinn bleibe. An anderer Stelle aber scheint sogar die
ethische Sündlosigkeit Jesu in gewisser Weise in Frage gestellt zu sein.

In seinem Aufsatz »Neues Testament und Mythologie« (KuM I, 15–48) gibt Bultmann dem modernen Menschen recht, der die Vorstellung einer Genugtuung für die
Sünden durch den Tod Jesu nicht mehr akzeptieren könne (19 f). »Wie kann meine
Schuld durch den Tod eines Schuldlosen ... gesühnt werden« fragt er, und macht neben-
bei, dort wo wir unsere Auslassung kenntlich gemacht haben, folgende Bemerkung:
»(wenn man von einem solchen [= Schuldlosen] überhaupt reden darf)«. Hier wird offensichtlich an der Möglichkeit gezweifelt, von jemandem zu reden, der frei von Schuld
ist. Allerdings hat diese Bemerkung in dem betreffenden Aufsatz höchstens am Rande
Bedeutung.

Der gesamte Satz in KuM I,20 wird aber von Th. Lorenzmeier in seinem Aufsatz
»Wider das Dogma von der Sündlosigkeit Jesu«[265] zur Unterstützung seiner These zitiert, daß die Entmythologisierung des Dogmas von der Sündlosigkeit Jesu auch die Aufgabe der Annahme seiner ethischen Sündlosigkeit bedeuten muß. Denn: »Dieses Dogma
widerspricht dem Existenzverständnis, das in der Verkündigung und im Verhalten Jesu
zum Ausdruck kommt. Es muß darum preisgegeben werden« (ebd. 465; vgl. 469). Dieses Dogma müsse deshalb preisgegeben werden, weil das Neue Testament sowohl sage,
daß Jesu ein wirklicher Mensch gewesen ist (452), als auch, *daß der Mensch als Mensch fak-*

---

264 S. Lyonnet, Stichw. »Le péché«: DBS VII, 481–568, bes. 563–565.
265 EvTh 31 (1971) 452–471, hier 465. Lorenzmeier ist Schüler von H. Braun.

tisch ein Sünder ist, d. h. daß das Sündersein das Sein des Menschen charakterisiert: »War Jesus etwa wirklich Mensch, . . . wenn er das Sündersein des Menschen nicht teilt? . . . Anders gefragt: Besteht zwischen dem Dogma von der Inkarnation und dem Dogma von der Sündlosigkeit Jesu nicht ein fundamentaler Gegensatz, der jede Vermittlung ausschließt?« (453).

Der Inhalt des Dogmas von der Sündlosigkeit Jesu ist, so Lorenzmeier, bei Paulus sachlich nicht notwendig (465 f). Das Dogma widerspreche sogar seiner Verkündigung (466), denn wenn Jesus in ethischem Sinne ohne Sünde war, dann hatte er nur *scheinbar* am menschlichen Sein teil, »denn das, was das menschliche Sein, das ›Sein im Fleisch‹ wesenhaft ausmacht, nämlich daß es faktisch durch Schuldverhaftet- und Schuldverfallensein gekennzeichnet ist, – das entfällt für Christus« (467). Auch in Übereinstimmung mit der paulinischen Dialektik von Sünde und Gnade muß Christus ein Sünder im ethischen Sinn sein (469), denn »müßte seiner Intention nach Jesus nicht der gerechtfertigte Sünder par excellence sein, insofern als Gott durch ihn ein für allemal die Rechtfertigung des Sünders proklamiert hat?« (469 f.).

Auch hier erscheint wieder die Vorstellung, daß Jesus »gerecht und Sünder zugleich« ist. Sicherlich geschieht das bei Lorenzmeier radikaler als bei Bultmann, denn dieser hatte sich darauf beschränkt zu sagen, daß Jesus, der ohne Sünde sei, durch Gott zum Sünder im forensischen Sinn gemacht werde (ThNT 277). Th. Lorenzmeier verteidigt darüber hinaus die These, daß Jesus auch im ethischen Sinne ein Sünder sein muß, damit man sagen kann, daß er ein wirklicher Mensch ist[266], d. h. daß Jesus in vollem Sinne des Wortes ein *gerechtfertigter Sünder* ist, auch wenn er eine besondere Stellung einnimmt: Jesus ist »der gerechtfertigte Sünder par excellence« (470).[267]

Weisen wir schließlich darauf hin, daß Lorenzmeier meint, übrigens nicht ohne Grund, daß seine unannehmbare These der »Entmythologisierung der ethischen Sündlosigkeit« Jesu im Keim schon in jenem erwähnten Satz in KuM I, 20 enthalten ist. Aber ist nicht die theologische Aussage, daß Christus ein Sünder im forensischen Sinn ist, schon problematisch?

EXKURS II:
DAS »SIMUL« IN SEINER ANWENDUNG AUF CHRISTUS

Von unserer katholischen Perspektive aus wirkt die Anwendung des »simul« auf Christus ungewohnt und fremd. Die Formel enthält dann die Aussage, daß Christus ein Sünder ist. Aber der Struktur der Formel entsprechend, ist er nie einfach nur ein Sünder, sondern, da er der Gerechte schlechthin war, auch »gerecht und Sünder zugleich«.

Das von Bultmann auf Christus angewandte »simul« bedeutet für ihn, wie wir sahen, daß Christus ein Sünder im forensischen Sinn ist Bei Lorenzmeier dagegen hängt das »si-

---

266 LORENZMEIER, Dogma 465, 471; vgl. 453, 466 f, 470.
267 Der von Lorenzmeier S. 464 zitierte Text Bultmanns entspricht ThNT 277 und nicht wie in Anm. 33 irrtümlich angegeben, ThNT 273. Siehe im gleichen Heft der Zeitschrift »Envangelische Theologie«, in dem der Aufsatz Lorenzmeiers erschien, eine Kritik an diesem Aufsatz: H. GOLLWITZER, Zur Frage der Sündlosigkeit Jesu: EvTh 31 (1971) 496–506.

mul« in seiner Anwendung auf Christus mit der These zusammen, daß Christus auch im ethischen Sinn ein Sünder war.

In diesem Zusammenhang halte ich es für wichtig, dem abschließenden Abschnitt von Lorenzmeiers Aufsatz[268] besondere Aufmerksamkeit zu widmen. Hier gibt er seiner These von der notwendigen Aufgabe des Dogmas von der Sündlosigkeit Jesu eine gewagte Wendung: Die Christologie der Urkirche habe die Einheit von Gott und Mensch in Jesus auf Kosten des wirklichen Menschseins Jesu verteidigt. Ein Faktor dieser Fehlentwicklung sei das Dogma von der Sündlosigkeit Jesu gewesen. Heute sei es notwendig, sich ausdrücklich gegen dieses Dogma zu wenden, um die geglaubte Einheit von Gott und Mensch in Jesus zu bedenken und zu entfalten (470).

Lorenzmeier glaubt, daß dieser Schritt in der Christologie in Übereinstimmung mit dem Denken Luthers stehe und zitiert dabei folgenden Satz des Reformators: Man muß ihn »nicht nur als von Fleisch und Blut, sondern ebenso von Sünde, dem Tod und von allen Strafen eingehüllt erkennen. Leugnet man, daß er ein Sünder ist, dann leugnet man auch, daß er gekreuzigt ist. Und so ist es nicht weniger absurd, von ihm zu sagen, daß er vom Tod getötet, von Gott verlassen ist, wie daß er ein Sünder ist« (471).[269]

Allerdings meint Lorenzmeier, daß man heute noch weiter als Luther gehen müsse, denn »trotz dieses Bekenntnisses zum Sündersein Jesu hält Luther – entsprechend der dogmatischen Tradition – an der ethischen Sündlosigkeit Jesu fest... Die Preisgabe des Dogmas von der ethischen Sündlosigkeit Jesu ist also das Überschreiten einer Grenze, die für Luther noch nicht bestand. Wir meinen aber, daß dieses Überschreiten eine Konsequenz ist, die sich auch aus dem reformatorischen Denken ergibt, d. h. dessen Tendenz konsequent durchführt« (471, Anm. 50).

Diese Schlußfolgerung von Lorenzmeiers Aufsatz und das Lutherzitat weisen darauf hin, daß das Thema von Jesus als Sünder in der theologischen Tradition, in der Lorenzmeier und Bultmann gestanden haben, schon seit ihrem Ursprung in irgendeiner Weise anwesend war. Bei Luther finden wir tatsächlich Äußerungen, die dies bestätigen.[270]

268 LORENZMEIER, Dogma 470 f.
269 WA 40 I, 434,7, zitiert von LORENZMEIER, Dogma 471. Siehe ebd. Anm. 50 eine Bemerkung über die von Lorenzmeier benutzte deutsche Übersetzung.
270 Unter ihnen die folgenden: Christus trägt und hält die Sünden aller; die Propheten haben gesehen, daß er der größte Sünder sein werde, den es auf Erden geben werde (WA 40, I, 433 f); Johannes der Täufer begegnet jemandem, der die Sünden aller Welt trägt, »der kein Sund für sein Person hat und ist doch der größte Sünder« (WA 49, 120, 10–12); nur der Sohn Gottes ist Sünder, Frevler und keiner mehr (WA 40 III, 745,1); er ist Sünder, die Sünde selbst (WA 23, 710,10); Christus ist der allergrößte Sünder und der einzige Sünder auf Erden und sonst keiner mehr (WA 49, 120, 31–32); diese Äußerungen scheinen absurd zu sein, aber: »Wenn du leugnen willst, daß er ein Sünder und ein Verfluchter ist, wird damit auch geleugnet, daß er gelitten hat, gekreuzigt wurde und gestorben ist. Es ist nicht weniger absurd zu sagen, daß der gekreuzigte Sohn Gottes die Strafen der Sünde und des Todes erlitten hat, wie es unser Glaube betet und bekennt, als zu sagen, daß er ein Sünder und Verfluchter ist. Wenn es nicht absurd ist, den zwischen Dieben gekreuzigten Jesus zu bekennen und an ihn zu glauben, dann ist es auch nicht absurd zu sagen, daß er ein Verfluchter und der Sünder der Sünder ist« (WA 40 I, 434, 29–36); (aber Christus ist nicht einfach ein Sünder, sondern »gerecht und Sünder zugleich« *und beides im höchstem Maße*), denn, wenn man nicht sagt, daß Christus zugleich im höchstem Maße Sünder und Gerechter war (simul Christum summe iustum et summe peccatorem), scheint man auch nicht begreifen zu können, daß er von Gott verlassen wurde (WA 5, 602, 32–603, 3; vgl. WA 3, 226, 35 ff): genauso wie Christus zugleich wirklich lebendig und wirklich tot war, so müssen auch die wirklichen Christen gleichzeitig voll der Sünde und ohne Sünde sein (WA 18, 493, 26–28).

Gelegentlich ist das Thema von Jesus als Sünder bei Luther sehr extrem formuliert[270a]. Man könnte zuerst meinen, vor einer akuten Übertreibung zu stehen. Allerdings hat man zur gleichen Zeit den Eindruck, daß sie mehr sind als nur das und daß sie irgendwie mit dem Verständnis der Inkarnation und der *kenōsis* in Beziehung stehen. Hier können wir allerdings diese Problematik nur erwähnen.[271] Auf jeden Fall haben diese Texte mit einem Verständnis des Glaubenden als »simul iustus et peccator« zu tun.

In bezug auf dieses Thema ist es nicht unwichtig, darauf zu verweisen, daß der Geschichtsschreiber der Reformation, W. Maurer, in einem Aufsatz mit dem Titel »Die Anfänge von Luthers Theologie« die These vertritt, daß die Entdeckung von Christus als dem »Sünderheiland« (= Heiland und Sünder) eine wichtige Rolle in der Entstehung des reformatorischen Denkens spielte und daß zudem *dieser Ursprung die Anwendung der Formel »simul iustus et peccator« auf den Glaubenden rechtfertigt.*[272]

Nach Maurer ist für Luthers Theologie »das ›Simul‹ entscheidend wichtig, die Gleichzeitigkeit alles Offenbarungsgeschehens innerhalb der wechselnden und vergehenden Zeit« (aaO. 6). Sein Verständnis der Gleichzeitigkeit habe Luther in Christus darin gewonnen, daß Christus gleichzeitig Gott und Mensch ist. So hat das Luthersche Verständnis der Gleichzeitigkeit seinen Ursprung in der altkirchlichen Zweinaturenlehre. Luther hat, so Maurer, den Inhalt dieser Gleichzeitigkeit durch die Paradoxie, daß Christus für uns zur Sünde gemacht wurde, vertieft. Diese Entdeckung von Christus als dem Sünderheiland ist für die Theologie Luthers im Sinne einer Weiterentwicklung und Vervollkommnung der traditionellen Zweinaturenlehre entscheidend gewesen (7). Die simul-Formel ist eine Folge dieser Entdeckung (vgl. 4,7–9,11). Die Übertragung dieser unbegreiflichen Paradoxie von dem Sünderheiland auf den von Sünden heil gewordenen Menschen führt zum »simul iustus und peccator« der Rechtfertigungslehre (7): »An der Menschheit Christi wird Luther die Gleichzeitigkeit des Sünderseins und des Gerechtseins zuerst offenbar. Ehe er in seiner Rechtfertigungslehre es wagte, diese paradoxe Gleichzeitigkeit auf den gläubigen Menschen anzuwenden, hat er sie an Christus wahrgenommen« (7). Und Maurer fügt sofort hinzu: »Und nur weil hier dieser unüberbrückbare Gegensatz zu einer gelebten und Gott wohlgefälligen Einheit zusammengefaßt ist, kann ohne Gotteslästerung und ohne Gefahr für das Heil der Seelen der Inhalt der Rechtfertigung in der Paradoxie des ›simul iustus et peccator‹ ausgesprochen werden« (ebd.).

270a »Et hoc viderunt omnes prophetae, quod Christus futurus esset omnium maximus latro, homicida, adulter, fur, sacrilegus, blasphemus etc., quo nullus maior unquam in mundo fuerit, . . . Non quod ipse comiserit ea, sed quod ea a nobis commissa susceperit in corpus suum, pro illis sanguine proprio satisfacturus. . . . Sed valde absurdum et contumeliosum est filium Dei appellare peccatorem et maledictum. Si vis negare eum esse peccatorem et maledictum, negato etiam passu, crucifixum et mortuum. Non enim minus absurdum est dicere filium Dei, ut fides nostra confitetur und orat, crucifixum, poenas peccati et mortis sustinuisse, quam peccatorem aut maledictum dicere« (WA 40 I, 433,26–434,33).

271 Siehe DE NEGRI, Offenbarung und Dialektik. Luthers Realtheologie (aus dem ital.), Darmstadt 1973, 76 ff.

272 W. MAURER, Die Anfänge von Luthers Theologie: ThLZ 77 (1952) 1–12, hier 7. Die Deutung von »Sünderheiland« als »Sünder und Heiland« statt als »Heiland der Sünder« ergibt sich aus dem Kontext.

Wenn ich diesen Aufsatz richtig verstanden habe, dann wird hier die These vertreten, daß Luthers Entdeckung von Christus als dem Sünderheiland eine Wurzel seiner Theologie war, weil sie ihm den Anstoß zur selbständigen Weiterbildung der Zweinaturenlehre gab.

In einem zwei Jahre zuvor veröffentlichtem Aufsatz erörtert Maurer das Thema »Die Einheit der Theologie Luthers«.[273] Auch hier wird dem »simul« eine entscheidende Rolle beigemessen. Maurer schreibt dort, daß das »simul« die spannungsreiche Theologie Luthers zusammenhält«. Und: »Es gilt den Sinn des ›Simul‹ ... als eine Interpretation des altkirchlichen Dogmas von der Unio hypostatica zu erkennen: ›Christum esse simul Deum et hominem‹ (WA 4,248,20) – hier hat das lutherische ›Simul‹ seine eigentliche Stätte, und von da aus bestimmt es alle Gebiete der Theologie« (aaO. 249). Weiter fügt Maurer hinzu: »Auch Luthers Lehre von Glauben und Rechtfertigung ist eine Frucht seines Verständnisses der altchristlichen Theologie; das ›simul iustus et peccator‹ setzt das ›Christus simul Deus et homo‹ voraus« (ebd.).

Wie wird der Zusammenhang zwischen dem »simul« als Ausdruck der Inkarnation und dem »simul« als Ausdruck der Rechtfertigung erklärt? Maurer antwortet: »Für Luther bedeutet die Menschwerdung Gottes nicht so sehr die Einwohnung Gottes in der menschlichen *Natur*, sondern das eigentliche Geheimnis der Christologie liegt ihm beschlossen in dem Befaßtwerden Gottes mit der *Sünde*. ›Christus ist für uns zur Sünde gemacht‹ (2. Kor. 5,21) – in diesem paulinischen Gedanken gipfelt für Luther die eigentliche Paradoxie der Inkarnation« (ebd.)

In der altchristlichen Christologie hatte dieser Gedanke des Paulus nur am Rande gestanden, für Luther aber gehört er in den Mittelpunkt, und er wird bei ihm völlig ernst genommen: »Der reine Mensch Jesus, mit dem sich die menschliche Natur verbunden hat, ist unseretwillen wirklich ein Sünder; er tut nicht so, als ob er bloß einer wäre« (249 f). Damit ist, so bemerkt Maurer, »die Spannung innerhalb der beiden Naturen des Gottmenschen ... ins Unerträgliche gesteigert« (250). Allerdings: »Sie ist dennoch überwunden durch den alles überwindenden Heils- und Liebeswillen Gottes« (ebd.).

Zudem geschah das alles »für uns«, d. h. das »simul« ist auch Ausdruck vom »fröhlichen Wechsel«: »Gott ward Mensch ...; der Mensch wird göttlich«, und dies heißt lutherisch: »der Gottmensch war ein Sünder; ... der Mensch wird vor Gott gerecht« (250).

Schließlich sei so zum Ausdruck gebracht: »Die Menschwerdung Gottes ist ... nicht nur ein einmaliges, sondern ein sich gegenwärtig fortsetzendes Geschehen; und nur als solches ist es dem Glauben faßbar und in der Rechtfertigung des Sünders wirksam« (250).

Dieser Aufsatz geht von der Voraussetzung aus, daß die Theologie Luthers einen einheitlichen Charakter besitzt, und will gerade dazu beitragen, daß die Mitte erkannt wird, von der aus diese Einheit aufgebaut ist (vgl. 245–248). So spielt nach Maurers Meinung Luthers Verständnis des »simul« nicht nur eine entscheidende Rolle in der Entstehung seiner Theologie[274], sondern dieses »simul« gehört zum Kern der Theologie des Refor-

---

273 W. MAURER, Die Einheit der Theologie Luthers: ThLZ 75 (1950) 245–252.
274 MAURER, Anfänge, bes. 7 f.

mators, und von ihm aus ist es möglich, die Einheit dieser Theologie zu erfassen. Hierbei handelt es sich gewiß auch um das »simul« als Ausdruck der Rechtfertigung des Sünders, aber vor allem und an erster Stelle um das »simul« als Ausdruck der Inkarnation Gottes und so um das »simul Deus et homo«, dessen lutherische Bedeutung »simul iustus et peccator« sei (249).

Kjell Ove Nilsson hat ein Werk über die Theologie Luthers mit dem Titel »Simul. Das Miteinander von Göttlichem und Menschlichem in Luthers Theologie«[275] geschrieben. In der Mitte dieses Werkes steht das »simul« als die Beziehung zwischen dem Göttlichen und dem Menschlichen, als der Unterschied und als das stetige Ineinanderübergehen von göttlichem Handeln und menschlichen Werken (aaO. 29).

Anläßlich seiner Darlegung von Luthers Verständnis vom »Werk Jesu Christi« schreibt Nilsson, daß der Ausdruck »simul Deus et homo« nicht nur weiter heißt »simul iustus et peccator« (204; vgl. 192–194, 201–208, 214, 225, 251), sondern zudem: »simul summe iustus et summe peccator« (203, 205). In welchem Sinn ist Christus hier Sünder?

Jesus ist nur »personaliter« Sünder, »nicht aber ›naturaliter‹, da er sowohl seiner göttlichen wie seiner menschlichen Natur nach ohne Sünde ist, als Person sich aber doch der Sünde unterwirft, der fremden Sünde, der Sünde der anderen« (204). Dieses »personaliter« Sündersein weist darauf hin, daß die Sünde in irgendeiner Weise die Beziehung mit Gott antastet, daß ja »der Begriff persona . . . in seinem Inhalt durch die Gottesrelation geprägt und qualifiziert« wird (317).[276]

Nilsson betont, daß die Sünde Christi bei Luther die »fremde Sünde« ist, der Christus sich unterwirft. Trotzdem ist das Sündersein Christi für Luther nach Nilssons Meinung etwas sehr Wirkliches, was folgender Parallelismus bei Nilsson belegt: das Wunder im Werke Christi sei, »daß er den Tod durch den Tod, die Sünde durch die Sünde . . . vernichtete« (205). Dieses Wirklichsein der Sünde Christi zeigt sich aber vor allem in den problematischen Aussagen, daß Christus »dem Haß Gottes« ausgeliefert wurde und daß das »mirabile opus in incarnatione Christi« darin bestanden habe, daß von dem, der ohne Sünde war und nicht sündigen konnte (vgl. 204), gilt: »Er stand unter dem Zorn Gottes, verlassen, geschlagen und von Gott gemartert, sogar dem Haß Gottes ausgeliefert – ›in odio Dei!‹«.[277]

Ist es aber tatsächlich möglich zu sagen, daß Christus wirklich ein Sünder war, sei es »personaliter«, sei es »in forensischem Sinne«? Ist es von der Perspektive einer christli-

---

275 K. O. Nilsson, Simul. Das Miteinander von Göttlichem und Menschlichem in Luthers Theologie, Göttingen 1966. Nilsson rechnet sich der Gruppe der Forscher zu, die die Einheit der Theologie Luthers behaupten (aaO. 32).

276 Meines Erachtens entspricht die Unterscheidung Nilssons von naturaliter und personaliter der Unterscheidung Bultmanns zwischen dem ethischen und dem forensischen Sinn der Sünde (vgl. ThNT 273, 277; siehe auch oben S. 119 f).

277 Nilsson verweist hier in einer Anmerkung auf WA 40 III, 715,17–35. Auf S. 203, Anm. 54 wird Luther lateinisch zitiert: »Iram Dei ita sensit, quasi derelictus a Deo esset et pateretur propter iram Dei« (WA 40 III, 716,1–5); »Sed ista passio etiam declarat certissimo argumento eum esse in odio Dei!« (716,29–31). Enthalten diese Äußerungen nicht die Vorstellung eines Gottes, der seinen Zorn über einen Unschuldigen entlädt?

chen Theologie aus möglich zu behaupten, daß Christus, der Unschuldige, der »summe iustus«, gleichzeitig (simul) der »größte Sünder« und »dem Haß Gottes ausgeliefert« ist?[278]

278 Über die christologische Problematik im allgemeinen bei Luther siehe: Y. CONGAR, Regards et réflexions sur la christologie de Luther: A. GRILLMEIER/H. BACHT (Hrg.), Das Konzil von Chalkedon III, 1959, 457–486. Wegen der das »simul« begleitenden komplexen christologischen und historischen Problematik, können wir mit der Schlußfolgerung von R. Kösters nicht einverstanden sein: diese Formel »darf und muß im genuinen Sinne Luthers selber als eine Grundformel auch der katholischen Rechtfertigungslehre anerkannt werden«: R. KÖSTERS, Die Lehre von der Rechtfertigung unter besonderer Berücksichtigung der Formel »Simul iustus et peccator«: ZKTh 90 (1968) 309–324, hier 323. Es ist nicht unwichtig, hier hinzuweisen auf eine anscheinende Ähnlichkeit des Denkens zwischen der Vorstellung von Christus, der von Gott, indem dieser ihn am Kreuz sterben ließ, zum Sünder gemacht wurde, und der Theorie hinzuweisen, daß Christus, auch wenn er in keinerlei Hinsicht Schuld hat, durch sein Leiden der iustitia vindicativa Gottes Genugtuung verschafft: J. SOLANO, Sacrae theologiae summa III, Madrid ⁴1961, 277 f. LONERGAN kritisiert diese Theorie, da sie Gottes iustitia vindicativa »vel immoraliter vel amoraliter« verstehe: B. LONERGAN, De Verbo incarnato (»ad usum auditorum«), Rom ³1964, 496D, 497.

SCHLUSS

Bultmanns Verständnis der Sünde konzentriert sich im Problem der impliziten oder expliziten Grundentscheidung des Menschen, durch die er den Fehler begeht, sich letztendlich von sich aus zu verstehen und sich aus eigener Leistung verwirklichen und so sein eigentliches Sein erreichen zu wollen. Diese Grundentscheidung hat eine *theologische* Dimension, denn in ihr lehnt der Mensch Gott als seinen Schöpfer ab und erkennt sein eigenes Geschaffensein nicht an. Das ist aber gerade die *Ursünde*: die schuldhafte Empörung gegen Gott. Aufgrund seines Seins will der Mensch zu seiner eigentlichen Existenz finden, aber durch die Sünde erreicht er gerade das Gegenteil: von einem falschen Selbstverständnis geleitet, existiert er in der Uneigentlichkeit.

Die Ursünde bedeutet die *Verkehrung der Beziehung* des Menschen zu Gott, seinem Schöpfer, und sie ist auch der Grund für die Verkehrung der Beziehung zur Schöpfung, d. h. zur Welt und zu »den anderen«. Die geschaffene Welt wird so zur »Menschenwelt«, einem Geflecht verkehrter menschlicher Beziehungen, von dem alle umfangen sind: die »Welt« bzw. »die fleischliche Menschheit« wird zur *Macht der Sünde*.

Die Situation des der Sünde verfallenen Menschen zeichnet sich dadurch aus, daß in ihm ein *Zwiespalt* seines Seins besteht: Die Sünde nimmt ihm sein »Subjektsein« und wird in ihm zum »faktischen Subjekt«, das »die Sünde wirkt«. Das bedeutet aber nicht, daß er aufhört, nach der Eigentlichkeit zu fragen und sie anstreben zu wollen. Durch die Unterwerfung des Menschen unter die Macht der Sünde wird von seinen ontologischen Möglichkeiten ontisch die der Uneigentlichkeit verwirklicht: Der Mensch will das Leben, ist aber Sünder und der Sünde verfallen und geht so dem Tod, der Vernichtung seines ganzen Lebens entgegen. Der Mensch lebt in einem Widerspruch gegen sich selbst; faktisch hat er sein wahres »Subjektsein« verloren; seine konstitutive Beziehung zu sich selbst ist verkehrt.

Es ist ein Verdienst der Theologie Bultmanns, daß sie die faktische Wirklichkeit der Sünde analysiert hat. Hier treten besonders folgende Elemente hervor:

a) Der Mensch nimmt wahr, daß ein »dunkles Rätsel« seine Existenz umhüllt und hält die daraus entspringende Unsicherheit nicht aus; er findet nicht zu der Anerkennung des Gottes der Zukunft und des Glaubens in diesem Rätsel und *will stattdessen Sicherheit* gewinnen, indem er sich im Unglauben schließlich von sich selbst her versteht.

b) Durch die Sünde verkehrt sich die *Selbstbehauptung*[279] des Menschen und wird zum Bestreben, sich gegen den Nächsten durchzusetzen: die zwischenmenschlichen Beziehungen werden verkehrt und sind dauernd von Gewalt und Haß bestimmt.

c) Das *Recht*, das im Dienst authentischer, eigentlicher zwischenmenschlicher Beziehungen stehen müßte, wird zu einer formalen Legalität im Dienst des Egoismus des »Ich«.

---

279 Diese Selbstbehauptung ist an sich für die Konstituierung des Subjektes als die Selbstbehauptung eines »ich« gegenüber einem »Du« unverzichtbar. Für Bultmann ist sie aber faktisch immer eine sündige Selbstbehauptung.

d) Die von der Sünde beherrschte *Reflexion*[280] wird zu einer verkehrten Form der Beziehung zu den anderen und zur Welt, denn in ihrer objektivierenden Aktivität *verdinglicht* sie ihr Objekt und will darüber verfügen.

Man kann also sagen, daß Bultmann klar und treffend die Wirklichkeit der Sünde und ihre Konkretisierung in der faktischen Situation des Menschen und in seinem Tun in der Welt beschrieben hat.

Er weist allerdings nicht nur eindringlich auf die konkrete Gestalt hin, die die Sünde annimmt, und betont nicht nur mit offensichtlicher Berechtigung, daß die Sünde eine dauernde Bedrohung für den Glaubenden ist, sondern bringt zudem die Überzeugung zum Ausdruck, daß der Mensch *immer* radikal von der Sünde bestimmt ist: daß der Mensch in Wirklichkeit *immer* ein Sünder ist. Bultmann geht in seinem Verständnis der Radikalität der Sünde so weit, daß er sie als eine »unabänderliche und dauernde Bestimmung« des Menschen betrachtet, durch die der Mensch immer vor Gott als Sünder dasteht.[281]

Die Analyse von Bultmanns Verständnis der Formel »simul iustus et peccator« hat gezeigt, daß diese Formel die Mitte seines Verständnisses von der christlichen Existenz bildet, indem sie Ausdruck der dialektischen Beziehung zwischen der geschichtlichen, dauernd sündigen Verfassung des Glaubenden und der eschatologischen Dimension des Glaubens ist. Somit wird die Sünde zum »dialektischen Gegensatz zur Vergebung«.[282]

Wie versteht Bultmann den Vollzug der glaubenden Existenz in einer von der Sünde bestimmten, faktisch-historischen Situation? In der Theologie Bultmanns begegnet uns oft die Aussage, daß der Glaubende, von der Liebe getrieben[283], sich dem Nächsten[284] und seiner Verantwortung in der Welt und in der Geschichte öffnen kann und muß[285] und dies sogar sein politisches Handeln miteinschließt[286]: Der Glaubende muß »ein Sein für die anderen« sein.[287] Zu Recht warnt Bultmann, daß diese Offenheit den anderen gegenüber kein endgültiger Besitz des Menschen ist, sondern dauernd der in dem Begriff der »Versuchung«, deren Einfluß der Mensch immer untersteht, zum Ausdruck gebrachten Drohung der Verkehrung der Beziehungen ausgesetzt ist.[288]

Nun stellt Bultmann bei seiner Erörterung dieser Versuchung fest: »Aber da unser Tun auch immer etwas fertig bringt, birgt es in sich die Versuchung, daß wir uns aus dem Getanen verstehen und am Getanen festhalten«, worauf überraschend folgt: »Faktisch verfallen wir immer dieser Versuchung« (GV I, 223; vgl. GV II, 103, 54 ff; ThNT 323, 432).[289]

---

280 Diese Reflexion müßte in dem Versuch, die Welt und die anderen intellektuell zu verstehen, eine typisch menschliche Form der Offenheit ihnen gegenüber sein, deren eigentlicher Ort die zwischenmenschliche Beziehung des Dialogs ist. Nach Bultmann ist sie aber in Wirklichkeit immer sündig.
281 Siehe oben S. 89 f.
282 Siehe oben S. 91 f.
283 GV IV, 90: III, 75; vgl. III, 30; »Paulus« 1043.
284 GV III, 30, Urchr. 80; vgl. EvJoh 400; ThNT 433 f.
285 GV IV, 132; vgl. II, 116.
286 GV III, 165, 196; II, 76 f.
287 GeEsch 181.
288 GV II, 77 f; ThNT 322.
289 Siehe auch MILLÁS 103.

Wieso: immer? Mit welchem Recht kann die Theologie behaupten, daß es *immer* so ist? Auf alle Fälle steht diese Behauptung in Übereinstimmung mit Bultmanns sonstigen Überzeugungen, daß die faktisch-historische Situation des Menschen immer eine Situation der Sünde ist. Demnach aber hat die auch von seiner Theologie bejahte Offenheit des Menschen seinem Nächsten gegenüber bleibend keine faktische, positive Möglichkeit der Verwirklichung: die sündige Verfassung des Menschen sei ja unabänderlich, und so kann man die Schlußfolgerung ziehen: Die Liebe »verändert nämlich an der menschlichen Situation des ›Miteinander‹ nichts« (Koch 287).[290] Nach meiner Meinung ist das dann auch tatsächlich die von Bultmanns Theologie gegebene Antwort auf die Spannung zwischen jenen Aussagen, die es für möglich zu halten scheinen, daß der Glaubende sich dem Nächsten öffnet, und den Aussagen, die erklären, daß die sündige Verfassung des Menschen von Dauer und unabänderlich sei.[291]

Bultmann wollte die Botschaft des Christentums dem Menschen von heute nahebringen. Zu Recht hat er gefordert, daß diese Botschaft den Menschen, der sie hört, existentiell treffen muß. Er hat mit Entschiedenheit und zu Recht betont, daß das Heil ein Geschenk ist und daß dieses Geschenk die »Vergebung der Sünden« mit sich bringt. All das ist eine in der Theologie Bultmanns enthaltene, vollgültige Mahnung und Aufforderung, auf die wir hören sollen und die wir nicht vergessen dürfen.

Aber diese Aufforderung geht bei Bultmann unzertrennlich zusammen mit der *Erklärung*, daß die gesamte faktische Wirklichkeit des Menschen total und radikal sündig ist, und mit der exklusiven *Konzentration* des Offenbarungsinhaltes auf die Botschaft der »Vergebung der Sünden« – auf die Botschaft des reinen »Daß« der Negierung der menschlichen Selbstbehauptung.[292] Der Glaube bestehe in der Annahme dieser Botschaft und dem darin stattfindenden Zugang zu der eschatologischen Existenz. Nach diesem Denkansatz muß der Glaubende in der dauernden Spannung des Mit- und Gegeneinander der eschatologischen und der geschichtlichen Verfassung seiner Existenz leben, die, so Bultmann, mit der Dialektik des »gerecht und Sünder *zugleich*« übereinstimmt.[293]

Das Verständnis der faktisch-historischen Wirklichkeit des Menschen als total und unabänderlich sündig gehört wesentlich zum Kern des Bultmannschen Denkens. Dadurch wird seine gesamte Theologie meines Erachtens problematisch, und darin können wir ihm nicht folgen.

---

290 Koch bezieht sich auf Bultmanns Aufsatz, Zur Frage der Christologie (GV I, 85–113), konkret auf S. 109 f. Dazu bemerkt er: »Wird in diesem Gedankengang die Mitmenschlichkeit zum eigentlichen Glaubensgegenstand, so wird darin in Wahrheit die Liebe um ihre Kreativität gebracht. Sie verändert nämlich an der menschlichen Situation des ›Miteinander‹ nichts« (Koch 286 f).

291 G. Strecker meint, daß die Theologie Bultmanns sich durch eine ethische Orientierung auszeichne: G. Strecker, Handlungsorientierter Glaube, Stuttgart 1972, 9. H. Häring berücksichtigt beide Aussagereihen, zeigt aber nicht genügend die zwischen ihnen bestehende Spannung: H. Häring, Kirche und Kerygma. Das Kirchenbild in der Bultmannschule, Freiburg 1972, 94, 99, 106 f. Für berechtigt halte ich die Kritik, daß Bultmanns Verständnis in Wirklichkeit eine Ethik ausschließt (Blumenberg, Marginalien 126), daß sein Denken dazu neigt, sich von der Wirklichkeit abzukoppeln: J. Brechtken, Die praxisorientierte Kritik des Marxschen Atheismus, Königstein 1979, 620, und daß er sich keine wirkliche Veränderung der zwischenmenschlichen Beziehungen vorstellt (Koch 286 f, 244 f).

292 Vgl. ThNT 420 f und auch oben 92 ff.

293 GesEsch 183 f.

LITERATURVERZEICHNIS

(Bei verschiedenen Ausgaben wird die jeweils hier benutzte Ausgabe erwähnt.)

A. Werke Bultmanns

E. Dinkler hat in Exeg. 483–507 die letzte und vollständigste Bibliographie der Werke Bultmanns veröffentlicht, die er für die Jahre 1967–1974 in ThR 39 (1975) 91–93 ergänzt hat. Ergänzungen und Korrekturen dieser Bibliographie finden sich bei Dieckmann 13 f und – für die Jahre bis 1930 – bei Koch II,117.

Zum folgenden werden (in chronologischer Reihenfolge) nur die Werke Bultmanns aufgeführt, die für das Thema der vorliegenden Arbeit von besonderer Bedeutung sind.

1910 Der Stil der paulinischen Predigt und die kynisch-stoische Diatribe (FRLANT 13), Göttingen.
1911 Die Schriften des Neuen Testaments und der Hellenismus: ChW 25, 589–593.
1912 Das religiöse Moment in der ehtischen Unterweisung des Epiktet und das Neue Testament: ZNW 13, 97–110, 177–191.
1917 Die Bedeutung der Eschatologie für die Religion des Neuen Testaments: ZThK 27, 76–87.
–   Vom geheimnisvollen und offenbaren Gott: ChW 31,572–579.
1920 Religion und Kultur: ChW 34, 417–421, 435–439, 450–453.
–   Ethische und mystische Religion im Urchristentum: ChW 34, 725–731, 738–743.
1921 Die Geschichte der synoptischen Tradition (FRLANT NF 12), Göttingen ⁸1970.
1922 Karl Barths Römerbrief in zweiter Auflage: ChW 36, 320–323, 330–334, 358–361, 369–373.
1924 Die liberale Theologie und die jüngste theologische Bewegung: GV I, 1–25.
–   Das Problem der Ethik bei Paulus: Exeg. 36–54.
1925 Die Erforschung der synoptischen Evangelien: GV IV, 1–41.
–   Das Problem einer theologischen Exegese des Neuen Testaments: ZZ 334–357.
–   Welchen Sinn hat es, von Gott zu reden?: GV I, 26–37.
1926 Jesus (Die Unsterblichen 1), Berlin, Tübingen ³1951 (= Jesus); (In einigen Fällen zitieren wir die Ausgabe in den Gütersloher Taschenbüchern von 1977 [Siebenstern 17], Gütersloh 1977; = Jesus GTB).
–   Die Frage der dialektischen Theologie: ZZ 4, 40–60.
1927 Analyse des ersten Johannesbriefes: Exeg. 105–123.
–   Zur Frage der Christologie: GV I, 85–113.
1928 Die Eschatologie des Johannesevangeliums: GV I, 134–152.
–   Die Bedeutung der dialektischen Theologie für die neutestamentliche Wissenschaft: GV I, 114–133.
1929 Der Begriff der Offenbarung im Neuen Testament: GV III, 1–34.
–   Kirche und Lehre im Neuen Testament: GV I, 153–187.
–   Die Bedeutung des geschichtlichen Jesus für die Theologie des Paulus: GV I, 188–213.
1930 Das christliche Gebot der Nächstenliebe: GV I, 229–244.
–   Die Geschichtlichkeit des Daseins und der Glaube: ZThK 11, 329–364.
–   Stichw. »Paulus«: RGG² IV, 1019–1045 (= »Paulus«).
1931 Die Krisis des Glaubens: GV II, 1–19.
1932 Römer 7 und die Anthropologie des Paulus: Exeg. 198–209.
1933 Glauben und Verstehen. Gesammelte Aufsätze I (Tübingen; = GV I).
–   Zur Frage des Wunders: GV I, 214–228.
–   Der Begriff des Wortes Gottes im Neuen Testament: GV I, 268–293.
–   Das Problem der »Natürlichen Theologie«: GV I, 294–312.
–   Der Arier-Paragraph im Raume der Kirche: ThBl 12,359–370.

1937 Reich Gottes und Menschensohn: ThR 9,1–35.
1940 Christus des Gesetzes Ende: GV II, 32–58.
– Das Verständnis von Welt und Mensch im Neuen Testament und im Griechentum: GV II, 59–78.
1941 Das Evangelium des Johannes, Göttingen (= EvJoh).
– Die Frage der natürlichen Offenbarung: GV II, 79–104.
– Neues Testament und Mythologie: KuM I, 15–53 (= NTuMyth).
1944 Zum Thema: Christentum und Antike: ThR 16,1–20.
1946 Anknüpfung und Widerspruch: GV II, 117–132.
1948 Humanismus und Christentum: GV II, 133–148.
– Gnade und Freiheit: GV II, 149–161.
– Zu Schniewinds Thesen: KuM I, 135–153.
1949 Das Urchristentum im Rahmen der antiken Religionen, Zürich [4]1976 (= Urchr.).
1951 Die kirchliche Redaktion des ersten Johannesbriefes: Exeg. 381–393.
1952 Glauben und Verstehen II, Tübingen (= GV II).
– Formen menschlicher Gemeinschaft: GV II, 262–273.
– Zum Problem der Entmythologisierung: KuM II, 177–208.
– Der Mensch zwischen den Zeiten: GV III, 35–54.
1953 Theologie des Neuen Testaments, Tübingen [7]1977, [8]1980 (= ThNT, Teilveröffentlichungen seit 1948).
1956 Marburger Predigten, Tübingen.
1957 Der Mensch und seine Welt nach dem Urteil der Bibel: GV III, 151–165.
– In eigener Sache (= Besprechung von: R. Marlé, Bultmann et l'interprétation du Nouveau Testament): GV III, 178–189.
1958 Geschichte und Eschatologie, Tübingen [3]1979 (englisch 1957; = GesEsch).
1960 Glauben und Verstehen III, Tübingen (= GV III).
1964 Jesus Christus und die Mythologie: GV IV, 141–189 (englisch 1958).
1965 Glauben und Verstehen IV, Tübingen (= GV IV).
– Antwort an Ernst Käsemann: GV IV, 190–198.
1966 Ist Jesus auferstanden wie Goethe? (= Interview; der Titel stammt nicht von Bultmann): Der Spiegel 20/31, 42–45.
1967 Exegetica. Aufsätze zur Erforschung des Neuen Testaments (Hrsg. von E. Dinkler), Tübingen (= Exeg.).
– Die drei Johannesbriefe, Göttingen.
1971 Karl Barth/Rudolf Bultmann, Briefwechsel 1922–1966, Zürich (= Briefw.).
1976 Der zweite Brief an die Korinther (Sonderbd. hrsg. von E. Dinkler), Tübingen (= KorBr.).

B. Werke anderer Autoren

1. Werke über Bultmann

a) Bibliographien dieser Werke

Kwiran, M., Index to Literature on Barth, Bonhoeffer and Bultmann, Basel 1977.
Brandenburger, E., Bibliographie: G. Bornkamm, Die Theologie R. Bultmanns in der neueren Diskussion: ThR 29 (1963) 33–46.

b) In dieser Arbeit berücksichtigte Werke

Barth, K., Rudolf Bultmann. Ein Versuch, ihn zu verstehen, Zürich [2]1953.
Blumenberg, H., Marginalien zur theologischen Logik Rudolf Bultmanns: PhR 2 (1954/1955) 121–140.
Bornkamm, G., Die Theologie Rudolf Bultmanns in der neueren Diskussion: ThR 29 (1963) 33–141.
Boutin, M., Relationalität als Verstehensprinzip bei Rudolf Bultmann, München 1974 (= Boutin).
Cahill, J., The theological significance of Rudolf Bultmann: ThSt 38 (1977) 231–274.
Calle, F. de la, El exegeta R. Bultmann: EPOM 33 (1977) 63–79.

DAHL, N.A., Die Theologie des Neuen Testaments (über: BULTMANN, Theologie des Neuen Testaments): ThR 22 (1954) 21–49.

DEMBOWSKI, H., K. Barth. R. Bultmann. D. Bonhoeffer, Neukirchen 1976.

DIECKMANN, B., »Welt« und »Entweltlichung« in der Theologie R. Bultmanns, München/Paderborn/ Wien 1977 (= Dieckmann).

– Eine neue Bultmann-Interpretation?: ThGl 66 (1976) 426-437.

– Die theologischen Hintergründe von Bultmanns Bildfeindschaft: Cath(M) 32 (1978) 270–298.

EBELING, G., Theologie und Verkündigung. Ein Gespräch mit Rudolf Bultmann, Tübingen 1962.

FLORKOWSKY, J., La théologie de la foi chez R. Bultmann, Paris 1971.

FLÜCKIGER, F., Existenz und Glaube, Kritische Betrachtung zur existentialen Interpretation, Wuppertal 1966.

FRIES, H., Das Anliegen Bultmanns im Lichte der katholischen Theologie: Cath(M) 10 (1954) 1–14.

– Bultmann-Barth und die katholische Theologie, Stuttgart 1955.

FUCHS, E., Frontwechsel um Bultmann?: ThLZ 77 (1952) 11-20.

GRÄSSER, E., Antijudaismus bei Bultmann? Eine Erwiderung: WPKG 67 (1978) 419–429.

HAHN, F., Das biblische Kerygma und die menschliche Existenz. Zum Werk und zur Wirkungsgeschichte Rudolf Bultmanns: HerKorr (Dez 1976) 630–635.

HÄRING, H., Kirche und Kerygma. Das Kirchenbild in der Bultmannsschule, Freiburg 1972.

HASENHÜTTL, G., Der Glaubensvollzug. Eine Begegnung mit Rudolf Bultmann aus katholischem Glaubensverständnis, Essen 1963.

– R. Bultmann und die Entwicklung der katholischen Theologie: ZThK 65 (1968) 53–69.

HOHMEIER, F., Das Schriftverständnis in der Theologie Rudolf Bultmanns, Berlin/Hamburg 1964.

JASPERS, K., Die Frage der Entmythologisierung, München 1954.

JOEST, W., Zwischen Barth und Bultmann, in: W. JOEST, Gott will zum Menschen kommen. Gesammelte Aufsätze, Göttingen 1977, 46–63.

KAMLAH, E., Anthropologie als Thema der Theologie bei R. Bultmann: H. FISCHER (Hrsg.), Anthropologie als Thema der Theologie, Göttingen 1978, 21–38.

KESEL, J. DE, Le refus decidé de l'objectivation. Une interprétation du problème du Jésus historique chez Rudolf Bultmann, Rom 1981.

KLAAS, W., Der moderne Mensch in der Theologie R. Bultmanns, Zürich 1947.

– Der systematische Sinn der Exegese R. Bultmanns; in: G. BORNKAMM/W. KLAAS, Mythos und Evangelium. Zum Programm R. Bultmanns, München ³1953.

KLINGER, G., La doctrine de la Croix et de la Résurrection de R. Bultmann en confrontation avec la théologie de l'Eglise d'Orient: Ist 25 (1980) 176–211 (polnisch schon 1968).

KOCH, T., Theologie unter den Bedingungen der Moderne. Wilhelm Herrmann, die »Religionsgeschichtliche Schule« und die Genese der Theologie Rudolf Bultmanns (vervielfältigte, bei der evang. theol. Fakultät der Univ. München 1970 eingereichte Habilitationsschrift; = Koch. Koch II = der zweite Band dieses Werkes).

KUHLMANN, G., Zum theologischen Problem der Existenz. Fragen an R. Bultmann: ZThK 10 (1929) 28–57.

– Krisis der Theologie?: ZThK 12 (1931) 123–146.

LÖSER, W., Dimensionen der Auslegung des Neuen Testaments. Zum Gespräch H. Schliers mit R. Bultmann: ThPh 57 (1982) 481–497.

LORENZMEIER, Th., Exegese und Hermeneutik. Eine vergleichende Darstellung der Theologie R. Bultmanns, H. Brauns und G. Ebelings, Hamburg 1968.

– Wider das Dogma von der Sündlosigkeit Jesu: EvTh 31 (1971) 452–471.

MALET, A., Mythos et Logos. La pensée de Rudolf Bultmann, Genf 1962.

– Rudolf Bultmann, in: Bilan de la Theologie du XXᵉ siècle II, Tournai-Paris 1970, 754–771.

MALEVEZ, L., Le message chrétien et le mythe. La théologie de R. Bultmann, Paris 1954.

MANCINI, I., Sulla cristologia di R. Bultmann, Einführung zu: R. BULTMANN, Gesù, Brescia 1972.

– Oltre Bultmann, Einführung zu: R. BULTMANN, Nuovo Testamento e Mitologia, Brescia 1970.

MARLÉ, R., Bultmann et l'interprétation du Nouveau Testament, Paris ²1966.

MARTIN, G.M., Vom Unglauben zum Glauben. Zur Theologie der Entscheidung bei R. Bultmann, Zürich 1976.

NETHÖFEL, W., Strukturen existentialer Interpretation. Bultmanns Johanneskommentar im Wechsel theologischer Paradigmen, Göttingen 1983.

OGDEN, S.M., Christ without Myth. A Study based on the Theology of R. Bultmann, New York 1961.

OSTEN-SACKEN, P.VON DER, Rückzug ins Wesen und aus der Geschichte. Antijudaismus bei A.v. Harnack und R. Bultmann WPKG 67 (1978) 106–122.

PEERLINCK, F., R. Bultmann als Prediger. Verkündigung als Vollzug seiner Theologie, Hamburg 1970.

PERRIN, N., The Promise of Bultmann, Philadelphia 1969, 1979.

PIKAZA, J., Exegesis y filosofía. El pensamiento de R. Bultmann y O. Cullmann, Madrid 1972.

– Naturaleza, cultura, religión. En torno al joven Bultmann, EPOM 33 (1977) 35–61.

– Presentación de la edición castellana, in: R. BULTMANN, Teología del Nuevo Testamento, Salamanca 1981.

RAVET, J.L., R. Bultmann et l'interprétation du Nouveau Testament: Problèmes d'histoire du christianisme, 6 (1975/176) 51–63.

RICOEUR, P., Préface, in: R. BULTMANN, Jésus, Paris 1968.

RIZZI, A., Riscoprire Bultmann: Rassegna di teologia, 4 (1977) 376–383.

– Il credente come soggetto di storia. Bultmann risponde ai »teologi politici«, Rom 1978.

ROVIRA BELLOSO, J.M., Elegía teológica a R. Bultmann: El ciervo, Barcelona, Heft 289–290 (August 1976) 12 f.

SCHMITHALS, W., Die Theologie Rudolf Bultmanns, Tübingen 1966.

– Nachwort: R. BULTMANN, Jesus (GTB, Siebenstern 17), Gütersloh ³1977.

SCHNACKENBURG, R., Der Abstand der christologischen Aussagen des Neuen Testamentes vom chalkedonischen Bekenntnis nach der Deutung R. Bultmanns: A. GRILLMEIER/H. BACHT (Hrsg.): Das Konzil von Chalkedon III, Würzburg 1959, 675–693.

SCHNÜBBE, O., Der Existenzbegriff in der Theologie Rudolf Bultmanns, Göttingen 1959.

SCHULZ, E., Die frühe Auslöschung des Mythos. Wieder gelesen: R. Bultmanns »Jesus«: FAZ Heft 245 (21. Okt. 1977) 25.

SCHWEIZER, E., Zur Interpretation des Kreuzes bei R. Bultmann: Aux Sources de la Tradition Chrétienne. Mélanges Goguel, Neuchâtel 1950, 228–238.

SIEGFRIED, Th., Das Wort und die Existenz. II: Die Theologie der Existenz bei F. Gogarten und R. Bultmann, Gotha 1933.

SÖLLE, D., Politische Theologie. Auseinandersetzung mit R. Bultmann, Stuttgart 1971.

STEGEMANN, W., Der Denkweg Rudolf Bultmanns, Stuttgart 1978.

SYMANOWSKI, H. (Hrsg.), Post Bultmann locutum. Eine Diskussion zwischen H. Gollwitzer und H. Braun, Hamburg 1969.

THEUNIS, F., Offenbarung und Glaube bei R. Bultmann, Hamburg 1960.

– R. Bultmanns Kritik des objektivierenden Denkens und Redens und sein Gedanke der Theologie: KuM VI/4, Hamburg 1968, 151–163.

– Die Welt als Text bei R. Bultmann: KuM VI/9, Hamburg 1977, 331–336.

TÖDT, H. E., Rudolf Bultmanns Ethik der Existenztheologie (GTB Siebenstern 440), Gütersloh 1978.

TOURÓN DEL PIE, E., Loisy y Bultmann en los orígenes de la historia de las formas: EPOM 33 (1977) 81–98.

VÁZQUEZ, L., La libertad según Bultmann: EPOM 33 (1977) 99–105.

WENZ, H., Die Ankunft unseres Herrn am Ende der Welt. Zur Überwindung des Individualismus und des blossen Aktualismus in der Eschatologie R. Bultmanns und H. Brauns, Stuttgart 1965.

2. Werke über die Formel «simul iustus et peccator»

ALTHAUS, P., Paulus und Luther über den Menschen, Gütersloh ²1951.

BEER, TH., Der fröhliche Wechsel und Streit. Grundzüge der Theologie M. Luthers, Einsiedeln 1980.

BULTMANN, R., Christus des Gesetzes Ende: GV II, 32–58.

GROSCHE, R., Simul peccator et iustus. Bemerkungen zu einer theologischen Formel: Cath(M) 4(1935) 132–139.

HERMANN, R., Luthers These »Gerecht und Sünder zugleich«, Darmstadt ²1960.

JOEST, W., Paulus und das Lutherische Simul Iustus et Peccator: KuD 1 (1955) 269–320 (= Joest).

KÖSTERS, R., Luthers These »Gerecht und Sünder zugleich«. Zu dem gleichnamigen Buch von Rudolf Hermann: Cath(M) 18 (1964) 48–77, 193–217; 19 (1965) 136–160, 210–224.
– Die Lehre von der Rechtfertigung unter besonderer Berücksichtigung der Formel »Simul Iustus et Peccator«: ZKTh 90 (1968) 309–324.
MAURER, W., Die Einheit der Theologie Luthers: ThLZ 75 (1950) 245–252.
– Die Anfänge von Luthers Theologie: ThLZ 77 (1952) 1–12.
NILSSON, K.O., Simul. Das Miteinander von Göttlichem und Menschlichem in Luthers Theologie, (aus dem Schwed.) Göttingen 1966.
NYGREN, A., »Simul iustus et peccator« bei Augustin und Luther: ZSTh 16 (1939) 364–379.
PAPAPETROU, K.E., Über die anthropologischen Grenzen der Kirche. Ein philosophisch-theologischer Entwurf zum Thema Simul iustus et peccator aus ortodox-katholischer Sicht, Hamburg 1972.
PESCH, O.H., Simul iustus et peccator: MySal IV/2, 886–891.
– Theologie der Rechtfertigung bei Martin Luther und Thomas v. Aquin, Mainz 1967.
RAHNER, K., Gerecht und Sünder zugleich: K. RAHNER, Schriften VI, 262–276.

3. Andere Werke

ALBERT, H., Traktat über kritische Vernunft, Tübingen 1968.
BARTH, K., Der Römerbrief (Nachdruck der 2. verb. Auflage), Zürich 1954.
– K. Barth/E. Thurneysen. Briefwechsel, Zürich 1974.
BAUMANN, U., Erbsünde? Ihr traditionelles Verständnis in der Krise heutiger Theologie, Freiburg/Basel/Wien 1970.
BEUTLER, J., Von der Freiheit des Christen. Paulus und das Gesetz: StZ 105 (1980) 167–175.
BRECHTKEN, J., Die praxisorientierte Kritik des Marxschen Atheismus, Königstein 1979.
BROWN, R.E., The Epistles of John, New York 1982.
BURI, F., Entmythologisierung oder Entkerygmatisierung der Theologie: KuM II, 85–101.
CONGAR, Y., Regards et réflexions sur la christologie de Luther: A. GRILLMEIER/H. BACHT (Hrsg.), Das Konzil von Chalkedon III, Würzburg 1954, 457–486.
CULLMANN, O., Christus und die Zeit, Zürich 1962.
DELHAYE, Ph. (Hrsg.), Théologie du péché, Tournai 1960.
DINKLER, E., Neues Testament und Rassenfrage: ThR 44 (1979) 70–81.
FUNKE, F., Christliche Existenz zwischen Sünde und Rechtfertigung, Mainz 1969.
GAOS, J., Introducción a ›El ser y el tiempo‹ de M. Heidegger (Neudruck der 2. Auflage), Mexiko 1977.
GOLLWITZER, H., Zur Frage der Sündlosigkeit Jesu: EvTh 31 (1971) 496–506.
GONZÁLEZ DE CARDEDAL, O., Jesús de Nazaret. Aproximación a la Cristología, Madrid 1975.
HEIDEGGER, M., Sein und Zeit, Tübingen [15]1979.
HEMPELMANN, H., Kritischer Rationalismus und Theologie als Wissenschaft. Zur Frage nach dem Wirklichkeitsbezug des christlichen Glaubens, Wuppertal 1980.
JEWETT, R., Paul's anthropological Terms. A study of their use in conflict settings, Leiden 1971.
JOEST, W., Gesetz und Freiheit, Göttingen [3]1961.
– Gott will zum Menschen kommen. Gesammelte Aufsätze, Göttingen 1977.
– Ontologie der Person bei Luther, Tübingen 1967.
KÄSEMANN, E., Das Problem des historischen Jesus, in: E. KÄSEMANN, Exegetische Versuche und Besinnungen I, Göttingen [6]1970, 187–214.
– Sackgasse im Streit um den historischen Jesus, in: E. KÄSEMANN, Exegetische Versuche und Besinnungen II, Göttingen [3]1970, 31–68.
– Jesu letzter Wille nach Johannes 17, Tübingen [3]1971.
KATTENBUSCH, F., Die deutsche evangelische Theologie seit Schleiermacher II. Zeitenwende auch in der Theologie, Giessen 1934.
KERTELGE, K., »Rechtfertigung« bei Paulus, Münster 1967.
KIRCHGÄSSNER, A., Erlösung und Sünde im Neuen Testament, Freiburg 1950.
KNAUER, P., Der Glaube kommt vom Hören. Ökumenische Fundamentaltheologie, Bamberg [3]1983.
KUNZ, E., Zur Frage nach der Verstehbarkeit des Sprechens Gottes, in: H. J. TÜRK (Hrsg.), Glaube. Unglaube, Mainz 1971, 159–181.

LIEBING, H., Die Marburger Theologen und der Arierparagraph in der Kirche, Marburg 1977.

LONERGAN, B., De Verbo incarnato, (Ad usum auditorum) Rom ³1964.

LYONNET, S., Le péché: DBS VII, 481–568.

MERK, O., Biblische Theologie des Neuen Testaments in ihrer Anfangszeit, Marburg 1972.

MOLTMANN, J. (Hrsg) Anfänge der dialektischen Theologie, 2 Bde., München 1962, 1963 (= Anf. I, II).

NEGRI, E. DE, Offenbarung und Dialektik. Luthers Realtheologie, (aus dem Ital.) Darmstadt 1973.

NOLLER, G. (Hrsg.), Heidegger und die Theologie. Beginn und Fortgang der Diskussion, München 1967.

NYGREN, A., Sinn und Methode. Prolegomena zu einer wissenschaftlichen Religionsphilosophie und einer
    wissenschaftlichen Theologie, (aus dem Engl.) Tübingen 1979.

PANNENßERG, W. (Hrsg.), Offenbarung als Geschichte, Göttingen 1962, ⁵1982.

POSCHMANN, B., Poenitentia secunda, Bonn 1940.

RAHNER, K., Grundkurs des Glaubens, Freiburg 1976.

– Schriften zur Theologie IX, Einsiedeln/Zürich/Köln 1970.

RIZZI, A., Letture attuali della bibbia. Dall'interpretazione esistenziale alla lettura materialista, Roma 1978.

SCHLIER, H., Grundzüge einer paulinischen Theologie, Freiburg/Basel/Wien ²1979.

– Der Römerbrief, (HThK) Freiburg/Basel/Wien ²1979.

SCHNACKENBURG, R., Die Johannesbriefe, (HThK) Freiburg/Basel/Wien ²1963.

SCHNEIDER, A., Wort Gottes und Kirche im theologischen Denken von H. Schlier, Frankfurt M. 1981.

SCHRÖER, H., Die Denkform der Paradoxalität als theologisches Problem. Eine Untersuchung zu Kierke-
    gaard und der neueren Theologie als Beitrag zur theologischen Logik, Göttingen 1960.

SCHOONENBERG, P., Theologie der Sünde, Einsiedeln/Zürich/Köln 1966.

– Der Mensch in der Sünde, in: MySal II, 845–939.

SIEVERNICH, M., Schuld und Sünde in der Theologie der Gegenwart, Frankfurt M. 1982.

SOLANO, J., Sacrae theologiae summa III, Madrid ⁴1961.

STRECKER, G., Handlungsorientierter Glaube, Stuttgart 1972.

TITIUS, D.A. (Hrsg.), Deutsche Theologie. Bericht über den ersten deutschen Theologentag zu Eisenach,
    Göttingen 1928.

WILCKENS, U., Was heißt bei Paulus: »Aus Werken des Gesetzes wird kein Mensch gerecht«? (EKK 1,
    Vorarbeiten Heft I), Zürich/Einsiedeln/Köln/Neukirchen 1969.

PERSONENREGISTER

DATE DUE

HIGHSMITH   # 45220